LA BARRACA

VICENTE BLASCO IBÁÑEZ

La barraca

Edited by

G. J. G. CHEYNE B.A., Ph.D.

Senior Lecturer in Spanish
University of Newcastle upon Tyne

MODERN WORLD LITERATURE SERIES

HARRAP LONDON

First published in Great Britain 1964
by GEORGE G. HARRAP & CO. LTD
182–184 High Holborn, London WC1V 7AX

Reprinted: 1967; 1969; 1974; 1976; 1978

Spanish edition first published 1898
English edition with Introduction, Notes and Vocabulary
© *George G. Harrap & Co. Ltd* 1964
Copyright.   All rights reserved

ISBN 0 245 52393 6

Printed and bound in Great Britain by
REDWOOD BURN LIMITED
Trowbridge & Esher

CONTENTS

CONTENTS

ILLUSTRATIONS

The photographs on page 64 are reproduced by kind permission of the Ministerio de Información y Turismo, Madrid, and those on pages 65, 96 and 97 by kind permission of the Spanish National Tourist Office, London.

INTRODUCTION

1. THE LIFE OF VICENTE BLASCO IBÁÑEZ

Blasco Ibáñez once said that his life was probably his best novel. This was certainly no understatement.

He was born in Valencia on January 29th, 1867, of middle-class Aragonese parents, from whom he received a good Christian education as well as the determination and independence of judgment which characterize the natives of Aragon. Unfortunately, although his father was a merchant, Blasco Ibáñez did not inherit any facility for mathematics and had to renounce his ambition of becoming a naval officer. "Tout m'intéresse," he later confessed to a French writer, "sauf les Mathématiques, pour lesquelles j'ai l'intelligence d'un bourriquet.[1]" Instead he opted for law, a frequent choice in Spain not only for those who are thinking of entering politics or government service but also for those who have no definite career in mind at all: "Todo español es abogado mientras no se le pruebe lo contrario."

At sixteen, he ran away from home to escape subtle parental pressure: his mother longed for him to be a priest, but his father would have preferred him to continue the family business. Wanting neither course, he went to Madrid where he worked as a secretary to a most successful writer of historical novels, Manuel Fernández y González.

Deeply attached to the ideals of the French Revolution—his love for them, he claimed, was greater than that felt by the French themselves—he engaged in political activities which were to bring him innumerable prison sentences and frequent exile. The first of some thirty imprisonments occurred while he was a law student and followed his participation in a political meeting

[1] ass.

in Madrid. On his release, his mother took him back to Valencia where, in no way daunted, he immediately joined in student revolts. It will be recalled that students, especially of law and medicine, are often in the forefront of political changes in Spain and Spanish America. At eighteen, for having written a sonnet against tyrants in general and the monarchs of Europe in particular, he was condemned to six months in prison but, because of his youth, the sentence was not enforced.

Despite this somewhat turbulent adolescence, he finished his legal studies at the age of nineteen and gave himself entirely to the cause of federal republicanism as sought by Pi y Margall. For political reasons, he had to leave the country in 1889, and went to Paris where he devoted himself to serious reading, study and the writing of his *Historia de la revolución española* (3 vols., Barcelona, 1894). In 1891, an amnesty allowed him to return to Valencia where, with extraordinary zeal and using all his private money (inherited from his mother), he established a newspaper, *El Pueblo*. For this paper he not only wrote the editorials but also translated works by Daudet, Zola and Maupassant. His own novels, too, began to appear as serials in its columns.

He believed in the efficacy of the press; he believed no less firmly in the possibility of improving human nature by education, and so took it upon himself to produce cheap editions of works by authors as varied as Renan, Gorki, Spencer, Nietzsche and Kropotkine. Meanwhile his political life, which was not lacking in picturesque episodes, including as it did three duels, continued to occupy whatever time he could spare from journalism. Like most of the progressive men of his time, he was fiercely anti-clerical, objecting to what he considered to be the intromission of the Church into temporal affairs.

It was, however, his firm stand over Cuba which once again brought him face to face with the authorities. Cuba should be granted autonomy, he declared; but if there were to be a war, then the rich as well as the poor should fight in it. (At that time it was still possible to buy oneself out of military service.) He was forced to flee the country and for three months wandered in Italy. On his return to Valencia, a military court condemned him to a long period of imprisonment. Of this he spent one year "encerrado... y sufriendo los rigores de una severidad intencionada y cruel," and even though the sentence was finally commuted to forced residence in Madrid under police surveillance, he never forgot that cruelty, which consisted in a refusal to allow him to read or write (cf. La condenada). His election shortly afterwards as Republican deputy to Parliament, in which he represented his province for eight years, brought him, at long last, immunity from further government persecution.

In 1909, Blasco Ibáñez, who several years earlier had said that he had never seen himself as a writer but only as "un hombre de acción que escribe novelas en los ratos de ocio," abandoned his political career with this comment: "Veinte mil españoles pueden ser diputado: yo soy escritor." After such a firm declaration of vocation, one might have expected him to withdraw to a studious, methodical life. Instead, and while on a lecture tour of South America, he succumbed to the temptation of buying land in Argentina, which at the time was most anxious to increase the number of her immigrants. (In 1910 there were almost 89,000 Spaniards settled there, as well as immigrants from thirty-nine other nations.) He founded two colonies for agricultural projects and brought over many Spaniards. Unfortunately, little is known of this period of his life, except that he lived dangerously. Many of his compatriots became discontented, and he was on the point of being lynched at least once—a fate from which only his extraordinary oratorical powers and his rifle (which, like the inhabitants of la huerta, he kept in good working order) saved him. An economic crisis in the Argentine finally brought his colonies to an end.

Throughout this period in which he attempted to give practical form to his idealism, Blasco Ibáñez, though now a self-proclaimed writer, produced no literary work. He affirmed, nevertheless, that he had benefited from his recent experiences: "Veía la vida con líneas más seguras y vigorosas." Only after he had abandoned his plans in Argentina did he write, in 1914, *Los Argonautas*, a work intended to be the first of a series in honour of the great Spanish Conquistadors. This project was interrupted by the First World War, when, true to his love of France, he made her cause his own. From Paris, to which he returned, he visited many battle fronts and wrote unceasingly. The main work of this period is *Los cuatro jinetes del Apocalipsis*, a book which in a certain way was to change his life. From a novelist who in 1901 had sold only sixty-four copies of the first edition of *La barraca*, he was to become, once *Los cuatro jinetes* (followed by *Mare Nostrum* and *Los enemigos de la mujer*) had been translated into English, one of the world's most popular authors. His popularity in 1924 among the readers of England, the U.S.A. and Australia was second only to that of H. G. Wells.

This success abroad and the wealth accrued from the film rights on four of his novels undeniably affected Blasco Ibáñez, who was now no longer writing only in his leisure moments. "Soy rico, muy rico; seré inmensamente rico," he said in an interview, and, on another occasion, more illuminatingly: "Al otro lado del Océano, firmé un día un cheque de 800.000 [pesetas]. Este pedazo de papel me pareció lo más interesante de mis novelas." (J. Casares, *Crítica efímera. Índice de lecturas*.) One cannot help but recall, in this respect and in contrast, a quiet lament of Pío Baroja: "El editor que me publicó algunos libros en Norteamérica... cansado de no obtener con ellos un pequeño éxito... los anunció: ¡Pío Baroja, el escritor menos leído del mundo!"

Yet, in spite of his boastful remarks, it would be unjust to accuse Blasco Ibáñez of being interested solely in fame or in money. The quality of his work may have diminished and the man who at the beginning had appeared to have the makings of a young romantic hero may have become a rather cantankerous old man living magnificently in the South of France; but he did retain his political integrity and continued to the end his fight for what he considered to be progress and freedom.

Proud of his vigorous health, he had always believed he would pass his 80th birthday. He was to die from diabetes, at the age of 61, on January 29th, 1928. He was twice married: first to his cousin, María Blasco, of whom he had four children; then, in the same year as his wife's death, to Elena Ortúzar Bulnes.

He did not become reconciled to the Church in which he had spent his early years, but had fought vigorously thereafter. He was buried in Menton; in 1933 his remains were translated to Valencia, the province which will always be associated with his true literary fame.

2. THE WRITINGS OF BLASCO IBÁÑEZ

Blasco Ibáñez's attitude to his work as a writer was often casual; he even took pride in being the least literary, the least professional of writers: "Yo soy un impresionista y un intuitivo; por lo mismo, esa lucha terrible entre el pensamiento y la forma, de que tanto se lamentan otros autores, apenas existe para mí. Es cuestión de temperamento."

To this temperament, with its inherent virtues and defects, we owe *La barraca*, the best of his Valencian novels. All critics now appear agreed that it was during his years of intense republican fervour in Valencia that he attained his highest artistic level. A well-known critic went so far as to say that the Valencian novels were the only good ones that Blasco Ibáñez wrote. They were composed in the office of *El Pueblo*, where, the paper at last put to bed, he was able to give the remaining hours of the night, his "ratos de ocio," to the creation of situations and types which have well stood the test of time. "Nunca he trabajado con tanto cansancio físico y un entusiasmo tan reconcentrado y tenaz." He was writing of a city and a countryside he knew thoroughly, and of people with whose problems he was familiar. Besides *La barraca* (1898), *Arroz y tartana* (1894) and *Cañas y barro* (1902) are the most outstanding works of this period. The latter treats of the fishermen of the Albufera and contains some remarkable descriptions of Valencian landscape, the serene beauty of which makes the tragic outcome of the illicit love between Tonet and Neleta seem all the more dramatic. *Arroz y tartana* deals with the Valencian middle-class and the efforts of its members to raise their social standing. *Entre naranjos* (1900), with a slight autobiographical basis and a less interesting plot, is still notable for its description of a flood and its account of the Sant Bernat procession, a local tradition of absorbing interest. *Sónnica la cortesana* (1901) is a historical novel which attempts, not too successfully, to recreate the days of the siege of Sagunto by the Carthaginians.

— Blasco Ibáñez took inspiration for his novels from what he saw around him. It is not surprising therefore that, throughout his years as a politician in Madrid, he should have concentrated on the more general problems of Spain. He placed each of his social novels in the region where the problem he was going to expose was at its most acute. *La catedral* (1907), dealing with the Church, takes place in Toledo, in Castille. *El intruso* (1904) is set in the mining Basque districts whose working classes were beginning to become conscious of their dire situation. He chose Andalusia, with its interesting anarchistic philosophy, to depict in *La bodega* (1905) the plight of the oppressed peasantry, and placed in Madrid (*La horda*, 1905) the full horror of life in the slums of a big town. In *Sangre y arena* (1908) he turns to a more general theme, often considered the Spanish theme par excellence: the bullfight. This novel, in its numerous translations, is probably the most read today of Blasco Ibáñez's works.

The quality of the 'social' novels, though still high, is already inferior to that of the 'Valencian' period, and as Blasco Ibáñez moved further away from his "patria chica" to establish his home abroad and to travel widely, his artistic merit decreased. He saw too much, analysed too little and undertook to preach too lofty a message. Paradoxically enough, it was one of these already rather inferior novels (*Los cuatro jinetes*, written to uphold the Allied cause in the 1914 war) which brought him international fame, through the lavish Hollywood production (starring Rudolph Valentino) which followed its translation into English. Such a success was bound to encourage him to continue in the same vein; he grew less critical, and spoke with horror of returning to his "antigua mentalidad valenciana." In spite of the often grandiose nature of their conception, the novels of this period (often known as the 'international' or 'cosmopolitan' novels) became trite and colourless. None of them is read to-day.

It has been said that as a writer Blasco Ibáñez owed a great deal to Zola. It is true that he used the naturalistic approach which Zola exemplified in France and that he called the Frenchman "maestro," but strong differences exist between the two authors. However undeniable Zola's influence may have been on Blasco Ibáñez's early works, only intellectual laziness, as he quite shrewdly remarked, could explain the persistence with which his critics looked upon him as nothing but a disciple of Zola. For Zola, an intellectual with a scientific striving after exactitude, obtained literary effect through the strict presentation of reality. Blasco Ibáñez, on the other hand, had a painter's eye: first impressions were sufficient to suggest to him a wholly developed situation. If he saw things too long he became confused. "Sólo necesito primeras impresiones," he disclosed to Unamuno; from these and without stopping to check facts or details, he would plunge headlong into writing. Although the characters of both writers were overwhelmed by circumstances, in the works of the Spaniard there is often a glimmer of hope, non-existent in Zola.

It was to Victor Hugo that Blasco Ibáñez was probably most indebted. The Frenchman's humanitarian touch, his concern with the three great problems facing man (i.e., religion, society and nature) are present in many of Blasco Ibáñez's novels. Both championed the poor and believed in the possibility of progress for society, especially among the underprivileged; both shared a love of the sea and an unbounded admiration for Beethoven; both suffered exile and refused to return home unless and until freedom reigned. Indeed, Blasco's identification with Hugo was so deep that in the delirium of his last moments he exclaimed: "¡Es Víctor Hugo... es Víctor Hugo!... Que pase!..."

3. LA BARRACA

In a foreword (1925) to *La barraca*, Blasco Ibáñez relates the genesis and subsequent editorial development of his novel. Because in 1895 he vehemently opposed, from the columns of his newspaper and at public meetings, the government's policy of suppression towards the Cuban nationalists, feelings in Valencia ran high and disturbances between Blasco's supporters and the police forces were frequent. Pursued by the military and the Civil Guard as the presumptive author of attempts against public order, he had to go into hiding while waiting for an opportunity to escape the country. In the last of his hideouts, he was obliged to stay four days in an enclosed room above a wineshop and, bored with his enforced inactivity, he wrote, in two afternoons, a short story about a tenant-landowner conflict over some abandoned land in the irrigated region of Valencia. This tragic story of rivalry and violence was called *Venganza moruna*. Blasco Ibáñez left the manuscript behind him when he fled to Italy, but three years later it was returned to him, during an electoral campaign in the port of Valencia, by the young republican who had previously given him shelter. Blasco read it through the same night "con el mismo interés que si lo hubiese escrito otro," and, seeing its possibilities as a novel (some critics have since affirmed that many of his short stories would have made good novels, and many of his novels, good short stories), he rewrote and amplified the tale which seemed to him rather dry and concise. He worked at it in the early hours of the morning throughout October, November and December. In 1898, it appeared as a serial in *El Pueblo* under the title of *La barraca*, and was later published as a book, also in Valencia, by his friend Francisco Sempere. In neither form did it attract much attention, nor was its success any greater in 1899 in Madrid. In fact, this story, first written to palliate the boredom of inactivity, would have passed almost unnoticed had it not been for another bored man, waiting in San Sebastián to catch a train back to France. Georges Hérelle, teacher and translator in Bayonne, bought a copy of *La barraca* to while away the time and so much liked the work that he sought permission to translate it. Published in serial form in *La Revue de Paris* (1901) under the title *Terres maudites*, *La barraca* was acclaimed by the French critics. Success was immediate. The book was reprinted in Spain and Spanish America, and innumerable translations were made.

The plot of *La barraca* is simple. A piece of land, tilled for generations by the same family, is now being cultivated by tío Barret, an industrious, thrifty man with a wife and four daughters to support, but with no son to help him exploit his land to the full. He can never satisfy his avaricious landlord, don Salvador, who finally makes him a loan at an exorbitant interest. Unable to pay it back, tío Barret is ordered to leave his fields. In a fit of grief he destroys the fruit of his husbandry; later, besotted by drink, he seeks out and kills his oppressor. Arrested, he dies in prison. The *huertanos*, feeling that tío Barret's desolate fields are a silent but continuous warning to rapacious landlords, stop newcomers from accepting the vacant tenancy. Pimentó, born and bred in *la huerta*, incarnates this collective determination. One day, however, Batiste, an Aragonese labourer, and his family, disregarding all intimidation, manage to settle successfully on the land once farmed by tío Barret. Tragedy inevitably ensues, and Batiste has to abandon the fields he had come to cherish. *La huerta* is victorious.

The story is told in a visual and direct style which renders it eminently readable, in spite of occasional careless writing and a few lapses into vulgarity. Although there are isolated shrewd observations, most of the time the author keeps outside his characters, intent on moving them along energetically without ever a pause to analyse the passions that actuate them. Their conflicts are seen through a series of exciting short tales, linked with outstanding skill. The novel itself has unity and great vigour. The unity comes from the author's success in creating in the reader a feeling of repugnance for a system that causes the ruin of tío Barret and his family and incites the *huertanos* to behave with undeserved cruelty towards Batiste. The strength of *La barraca* is that Pimentó, the *huertano*, is also a victim of this unjust system. He is not shown simply as a despicable character; the cause he upholds is a deserving one and he represents a revolt against harsh tradition. Unscrupulous, lazy and an amusing braggart he may be, but one cannot help feeling that were he to combine with the diligent, honest and family-loving Batiste, the future of the *huertanos* would be transformed, for both Pimentó and Batiste represent different aspects of the Spanish character and both embody some of its virtues. Forced to choose, however, Blasco Ibáñez, like Antonio Machado, preferred "la España que trabaja": Pimentó dies, but Batiste is not allowed to succumb in the burning house. In Batiste's determination to continue the struggle lies the essence of Blasco Ibáñez's optimism. *La barraca* is a novel of protest, not of hopelessness.

There is, in addition, a strong documentary side to this novel, which has made it of interest to the anthropologist. Blasco Ibáñez is concerned with the laws and social attitudes of his people and in splendid descriptive passages he portrays in detail the *Tribunal de las Aguas* and the workings of the irrigation system. He clarifies the attitude of the *huertanos* to established authority (as represented by the Civil Guard) and sets forth their personal code of honour and resentment of interference. No one talks in front of La Benemérita: it is not done. "Nadie había visto nada, nadie sabía nada." (*Cf.* Ch. X.)

The author also introduces the language spoken by the *huertanos*, although direct reporting of their speeches is limited to a minimum and used only to express vehement feeling. This perfect fusion of *costumbrismo* and regionalism, the uncanny way in which the sense of community is caught and expressed, the personification of *la huerta* itself, all this has given to *La barraca* an impact and a haunting quality which make of it a masterpiece.

BIBLIOGRAPHY

Works of Vicente Blasco Ibáñez

(Published by Prometeo)

Blasco Ibáñez, a prolific writer, never considered that all he produced was indicative of his talents. Thus, in 1921, he excluded as unworthy of publication in book form "mis trabajos sobre política, sociología, historia. He sido periodista durante quince años, y escribí un artículo o dos todos los días." On another occasion, he wrote of "libros que hice para ganar dinero (aunque sólo para comer, escasamente) y que no valen nada. No quedan ejemplares, nadie se acuerda de ellos, son indignos de mí..."

Although it is possible to classify his works by genres, it is probably more helpful to our purpose to group them chronologically. This is what Blasco did (incompletely) in a letter to Julio Cejador (1918).

In the following list, the titles marked † are collections of short stories. Those marked ‡ are books resulting from his travels. A § indicates that the work has been translated into English.

1. Valencian period: regional works
    Arroz y tartana, 1894
    †*Cuentos valencianos*, 1896
    ‡§*En el país del arte*, 1896
    §*Flor de Mayo*, 1896
    §*La barraca*, 1898
    §*Entre naranjos*, 1900
    †*La condenada*, 1900
    §*Sónnica la cortesana*, 1901
    Cañas y barro, 1902

2. Madrid period: thesis works
   §*La catedral*, 1903
   El intruso, 1904
   §*La bodega*, 1905
   La horda, 1905
   §*La maja desnuda*, 1906
   ‡*Oriente*, 1907
   §*Sangre y arena*, 1908
   §*Los muertos mandan*, 1908
   †*Luna Benamor*, 1909

3. World War I period: war works
   Los Argonautas, 1914
   §*Los cuatro jinetes del Apocalipsis*, 1916
   §*Mare Nostrum*, 1917
   §*Los enemigos de la mujer*, 1919

4. Postwar period: international works
   †*El préstamo de la difunta*, 1920
   §*El militarismo mejicano* (articles), 1921
   §*El paraíso de las mujeres*, 1922
   La tierra de todos, 1922
   La reina Calafia, 1923
   †*Novelas de la Costa Azul*, 1924
   ‡*La vuelta al mundo de un novelista*, 1924–25
   El papa del mar, 1925
   A los pies de Venus, 1926
   †*Novelas de amor y de muerte*, 1927
   En busca del Gran Khan (posthumous novel), 1929
   El caballero de la Virgen (posthumous novel), 1929
   El fantasma de las alas de oro (posthumous novel), 1930

Blasco Ibáñez did not include among his works *La voluntad de vivir* which, though written in 1907, and subsequently printed by Prometeo, he had destroyed to spare the feelings of a person who seemed to be too easily recognizable in the novel. It was published in 1953 by Planeta.

BIOGRAPHY AND CRITICISM

ALTAMIRA, R.: "Blasco Ibáñez, novelista," in *Arte y realidad*, Barcelona, 1921.

BALSEIRO, J.: "Vicente Blasco Ibáñez, hombre de acción y de letras," in the review *Puerto Rico*, San Juan, April, 1935.
      Cuatro individualistas de España, New York, 1949.

BARJA, C.: "Vicente Blasco Ibáñez," in *Libros y autores modernos*, Los Angeles, 1933.

BELL, AUBREY F. G.: "Vicente Blasco Ibáñez," in *Contemporary Spanish Literature*, New York, 1928.

BETORET-PARIS, E.: *El costumbrismo regional en las obras de Blasco Ibáñez*, Valencia, 1957.

CARDWELL, R. *Blasco Ibáñez: La barraca*, London (Grant & Cutler), 1973 (*Critical Guides to Spanish Texts, No. 7*). A scholarly and indispensable account of the novel's relationship to realism, naturalism and *costumbrismo*; all its page references to *La barraca* are to this Harrap edition.

CASSOU, J.: *Panorama de la Littérature Espagnole Contemporaine*, Paris, 1929.

CEJADOR, J.: "Blasco Ibáñez," in *Historia de la lengua y literatura castellanas*, vol. 9, Madrid, 1920.

COLA, J.: *Blasco Ibáñez, fundador de pueblos*, Madrid, 1931.

ENTRAMBASAGUAS, J.: *Las mejores novelas contemporáneas*, vol. 2, Barcelona, 1958.

GASCÓ CONTELL, E.: *Genio y figura de Blasco Ibáñez, agitador, aventurero y novelista*, Madrid, 1957.
      Las cuatro vidas de Vicente Blasco Ibáñez, Madrid, 1965.
      V. Blasco Ibáñez: *Discursos literarios*, Madrid, 1966 (a selection by . . .)

GINER BOIRA, V.: *El Tribunal de las Aguas de la vega de Valencia*, Valencia, 1953.

GÓMEZ DE BAQUERO, E.: *Las novelas de Blasco Ibáñez*, Madrid, 1908.

GÓMEZ MARTÍ, P.: *Psicología del pueblo valenciano según las novelas de Blasco Ibáñez*, Valencia, 1926.

GONZÁLES RUIZ, N.: "Vicente Blasco Ibáñez," in *En esta hora*, Madrid, 1925.

JUST GIMENO, J.: *Blasco Ibáñez y Valencia*, Valencia, 1929.

LEÓN ROCA, J.: *Vicente Blasco Ibáñez*, Valencia, 1967.

PÉREZ FERRERO, M.: *Unos y otros*, Madrid, 1947.

PITOLLET, C.: *V. Blasco Ibáñez, ses romans et le roman de sa vie*, Paris, 1921.

                  Gloses, Lille, 1933.

PUCCINI, M.: *Vicenzo Blasco Ibáñez*, Rome, 1923.

RIBELLES PÉREZ, V.: *Vicente Blasco Ibáñez*, Madrid, 1967 (Temas españoles, No. 480).

SANCHIS GARNER, M.: *Les barraques valencianes*, Barcelona, 1957.

                  La lengua de los valencianos, Valencia, 1967.

STARKIE, W.: "Some Novelists of Modern Spain," in *The Nineteenth Century*, September, 1925.

ZAMACOIS, E.: *Mis contemporáneos: 1. Vicente Blasco Ibáñez*, Madrid, 1910.

E. GASCÓ CONTELL in *Genio y figura de Blasco Ibáñez*... and J. BALSEIRO in *Cuatro individualistas de España* supply ample bibliographies which those who wish to pursue their studies further will find of great help.

✕ TRANSLATION OF LA BARRACA

The Cabin. Translated by Francis Haffkine Snow and Beatrice M. Mekota, with an introduction by John Garrett Underhill. pp. 228. Hurst and Blackett. London (1919).

LA BARRACA

very little direct speech – loads of indirect

only when really emotional + exciting.

eg – pg 64, 78, 79, 97

NOTE

An asterisk in the text indicates that a word or phrase marked is dealt with in the Notes at the end of the book.

Valencian Catalan occurs in italics in the text and, where necessary, the Castilian equivalent is given in the Notes.

I

Desperezóse* la inmensa vega bajo el resplandor azulado del amanecer, ancha faja de luz que asomaba por la parte del Mediterráneo.

Los últimos ruiseñores, cansados de animar con sus trinos aquella noche de otoño, que por lo tibio de su ambiente parecía de primavera, lanzaban el gorjeo final como si les hiriese la luz del alba con sus reflejos de acero. De las techumbres de paja de las barracas* salían las bandadas de gorriones como un tropel de pilluelos perseguidos, y las copas de los árboles empezaban a estremecerse bajo los primeros jugueteos de estos granujas del espacio, que todo lo alborotaban con el roce de sus blusas de plumas.

Apagábanse lentamente los rumores que habían poblado la noche: el borboteo de las acequias, el murmullo de los cañaverales, los ladridos de los mastines vigilantes.

Despertaba la huerta, y sus bostezos eran cada vez más ruidosos. Rodaba el canto del gallo de barraca en barraca. Los campanarios de los pueblecitos devolvían con ruidoso badajeo el toque de misa primera que sonaba a lo lejos, en las torres de Valencia, esfumadas por la distancia. De los corrales salía un discordante concierto animal: relinchos de caballos, mugidos de vacas, cloquear de gallinas, balidos de corderos, ronquidos de cerdos; un despertar ruidoso de bestias que, al sentir la fresca caricia del alba cargada de acre perfume de vegetación, deseaban correr por los campos.

El espacio se empapaba de luz; disolvíanse las sombras, como tragadas por los abiertos surcos y las masas de follaje. En la indecisa neblina del amanecer iban fijando sus contornos húmedos y brillantes las filas de moreras y frutales, las ondulantes líneas de cañas, los grandes cuadros de hortalizas, semejantes a enormes pañuelos verdes, y la tierra roja cuidadosamente labrada.

Animábanse los caminos con filas de puntos negros y movibles como rosarios* de hormigas, marchando hacia la ciudad. De todos los extremos de la vega llegaban chirridos de ruedas, canciones perezosas interrumpidas por el grito que arrea a las bestias, y de vez en cuando, como sonoro trompetazo del amanecer, rasgaba el espacio un furioso rebuzno del cuadrúpedo paria, como protesta del rudo trabajo que pesaba sobre él apenas nacido el día.

En las acequias conmovíase la tersa lámina de cristal rojizo con chapuzones que hacían callar a las ranas; sonaba luego un ruidoso batir de alas, e iban deslizándose los ánades lo mismo que galeras de marfil, moviendo cual fantásticas proas sus cuellos de serpiente.

La vida, que con la luz inundaba la vega, iba penetrando en el interior de barracas y alquerías.

Chirriaban las puertas al abrirse, veíanse bajo los emparrados figuras blancas que se desperezaban con las manos tras el cogote, mirando el iluminado horizonte. Quedaban de par en par los establos, vomitando hacia la ciudad las vacas de leche, los rebaños de cabras, los caballejos de los estercoleros. Entre las cortinas de árboles enanos que ensombrecían los caminos vibraban cencerros y campanillas, y cortando este alegre cascabeleo sonaba el enérgico « ¡arre, aca! »* animando a las bestias reacias.

En las puertas de las barracas saludábanse los que iban hacia la ciudad y los que se quedaban a trabajar los campos.

—¡Bòn día mos done Deu!*

—¡Bòn día!*

Y tras este saludo, cambiado con toda la gravedad propia de una gente que lleva en sus venas sangre moruna* y sólo puede hablar de Dios con gesto solemne, se hacía el silencio si el que pasaba era un desconocido, y si era íntimo, se le encargaba la compra en Valencia de pequeños objetos para la mujer o para la casa.

Ya era de día completamente.

El espacio se había limpiado de tenues neblinas, transpiración nocturna de los húmedos campos y las rumorosas acequias. Iba a salir el sol. En los rojizos surcos saltaban las alondras con la alegría de vivir un día más, y los traviesos gorriones, posándose en las ventanas todavía cerradas, picoteaban las maderas, diciendo a los de adentro con su chillido de vagabundos acostumbrados a vivir de gorra: « ¡Arriba, perezosos! ¡A trabajar la tierra, para que comamos nosotros!...»

En la barraca de Tòni, conocido en todo el contorno por Pimentó,* acababa de entrar su mujer, Pepeta,* una animosa criatura, de carne blancuzca y flácida en plena juventud, minada por la anemia, y que era sin embargo la hembra más trabajadora de toda la huerta.

Al amanecer ya estaba de vuelta del Mercado. Levantábase a las tres, cargaba con los cestones de verduras cogidas por Tòni al cerrar la noche anterior entre reniegos y votos contra una pícara vida en la que tanto hay que trabajar, y a tientas por los senderos, guiándose en la obscuridad como buena hija de la huerta, marchaba a Valencia, mientras su marido, aquel buen mozo que tan caro le costaba, seguía roncando dentro del caliente estudi,* bien arrebujado en las mantas del camón matrimonial.

Los que compraban las hortalizas al por mayor para revenderlas conocían bien a esta mujercita que antes del amanecer ya estaba en el Mercado de Valencia, sentada en sus cestos, tiritando bajo el delgado y raído mantón. Miraba con envidia, de la que no se daba cuenta, a los que podían beber una taza de café para combatir el fresco matinal. Y con una paciencia de bestia sumisa esperaba que le diesen por las verduras el dinero que se había fijado en sus complicados cálculos, para mantener a Tòni y llevar la casa adelante.

Después de esta venta corría otra vez hacia su barraca, deseando salvar cuanto antes una hora de camino.*

Entraba de nuevo en funciones para desarrollar una segunda industria: después de las hortalizas, la leche. Y tirando del ronzal de una vaca rubia, que llevaba pegado al rabo como amoroso satélite un ternerillo juguetón, volvía a la ciudad con la varita bajo el brazo y la medida de estaño para servir a los clientes.

La Ròcha,* que así apodaban a la vaca por sus rubios pelos, mugía dulcemente, estremeciéndose bajo una gualdrapa de arpillera, herida por el fresco de la mañana, volviendo sus ojos húmedos hacia la barraca, que se quedaba atrás, con su establo negro, de ambiente pesado, en cuya paja olorosa pensaba con la voluptuosidad del sueño no satisfecho.

Pepeta la arreaba con su vara. Se hacía tarde, e iban a quejarse los parroquianos. Y la vaca y el ternerillo trotaban por el centro del camino de Alboraya, hondo, fangoso, surcado de profundas carrileras.

Por los ribazos laterales,* con un brazo en la cesta y el otro balanceante, pasaban los interminables cordones de cigarreras e hilanderas de seda, toda la virginidad de la huerta, que iban a trabajar en las fábricas, dejando con el revoloteo de sus faldas una estela de castidad ruda y áspera.

Esparcíase por los campos la bendición de Dios.

Tras los árboles y las casas que cerraban el horizonte asomaba el sol como enorme oblea* roja, lanzando horizontales agujas de oro que obligaban a taparse los ojos. Las montañas del fondo y las torres de la ciudad iban tomando un tinte sonrosado; las nubecillas que bogaban por el cielo coloreábanse como madejas de seda carmesí; las acequias y los charcos del camino parecían poblarse de peces de fuego. Sonaba en el interior de las barracas el arrastre de la escoba, el chocar de la loza, todos los ruidos de la limpieza matinal. Las mujeres agachábanse en los ribazos, teniendo al lado el cesto de la ropa por lavar. Saltaban en las sendas los pardos conejos, con su sonrisa marrullera, enseñando, al huir, las rosadas posaderas partidas por el rabo en forma de botón; y sobre los montones de rubio estiércol, el gallo, rodeado de sus cloqueantes odaliscas, lanzaba un grito de sultán celoso, con la pupila ardiente y las barbillas rojas de cólera.

Pepeta, insensible a este despertar que presenciaba diariamente, seguía su marcha, cada vez con más prisa, el estómago vacío, las piernas doloridas y las ropas interiores impregnadas de un sudor de debilidad propio de su sangre blanca y pobre, que a lo mejor se escapaba durante semanas enteras, contraviniendo las reglas de la naturaleza.*

La avalancha de gente laboriosa que se dirigía a Valencia llenaba los puentes. Pepeta pasó entre los obreros de los arrabales que llegaban con el saquito del almuerzo pendiente del cuello,* se detuvo en el fielato de Consumos* para tomar su resguardo—unas cuantas monedas que todos los días le dolían en el alma—, y se metió por las desiertas calles, que animaba el cencerro de la *Ròcha* con un badajeo de melodía bucólica, haciendo soñar a los adormecidos burgueses con verdes prados y escenas idílicas de pastores.

Tenía sus parroquianos la pobre mujer esparcidos en toda la ciudad. Era su marcha una enrevesada peregrinación por las calles, deteniéndose ante las puertas cerradas; un aldabonazo aquí, tres y repique* más allá, y siempre, a continuación, el grito estridente y agudo, que parecía imposible pudiese surgir de su pobre y raso pecho: «*¡La lleeet!*»* Jarro en mano bajaba la criada desgreñada, en chancleta,* con los ojos hinchados, a recibir la leche, o la vieja portera, todavía con la mantilla que se había puesto para ir a la misa del alba.

A las ocho, después de servir a todos sus clientes, Pepeta se vio cerca del barrio de Pescadores.*

Como también encontraba en él despacho, la pobre huertana se metió valerosamente en los sucios callejones, que parecían muertos a aquella hora. Siempre, al entrar, sentía cierto desasosiego, una repugnancia instintiva de estómago delicado. Pero su espíritu de mujer honrada y enferma sabía sobreponerse a esta impresión, y continuaba adelante con cierta altivez vanidosa, con un orgullo de hembra casta, consolándose al ver que ella, débil y agobiada por la miseria, aún era superior a otras.

De las cerradas y silenciosas casas salía el hálito de la crápula barata, ruidosa y sin disfraz: un olor de carne adobada y putrefacta,* de vino y de sudor. Por las rendijas de las puertas parecía escapar la respiración entrecortada y brutal del sueño aplastante después de una noche de caricias de fiera y caprichos amorosos de borracho.

Pepeta oyó que le llamaban. En la puerta de una escalerilla le hacía señas una buena moza, despechugada, fea, sin otro encanto que el de una juventud próxima a desaparecer; los ojos húmedos, el moño torcido, y en las mejillas manchas del colorete de la noche anterior: una caricatura, un payaso del vicio.

La labradora, apretando los labios con un mohín de orgullo y desdén para que las distancias quedasen bien marcadas, comenzó a ordeñar las ubres de la *Rocha* dentro del jarro que le presentaba la moza. Ésta no quitaba la vista de la labradora.

—¡Pepeta!—dijo con voz indecisa, como si no tuviese la certeza de que era ella misma.

Levantó su cabeza Pepeta; fijó por primera vez sus ojos en la mujerzuela, y también pareció dudar.

—¡Rosario!... ¿eres tú?

Sí, ella era; lo afirmaba con tristes movimientos de cabeza. Y Pepeta, inmediatamente, manifestó su asombro. ¡Ella allí!... ¡Hija de unos padres tan honrados! ¡Qué vergüenza, Señor!...

La ramera, por costumbre del oficio, intentó acoger con cínica sonrisa, con el gesto escéptico del que conoce el secreto de la vida y no cree en nada, las exclamaciones de la escandalizada labradora. Pero la mirada fija de los ojos claros de Pepeta acabó por avergonzarla, y bajó la cabeza como si fuese a llorar.

No; ella no era mala. Había trabajado en las fábricas, había servido a una familia como doméstica, pero al fin sus hermanas le dieron el ejemplo, cansadas de sufrir hambre; y allí estaba, recibiendo unas veces cariños y otras bofetadas, hasta que reventase para siempre. Era natural: donde no hay padre y madre, la familia termina así. De todo tenía la culpa el amo de la tierra, aquel don Salvador, que de seguro ardía en los infiernos. ¡Ah, ladrón!... ¡Y cómo había perdido a toda una familia!

Pepeta olvidó su actitud fría y reservada para unirse a la indignación de la muchacha. Verdad, todo verdad; aquel tío avaro tenía la culpa. La huerta entera lo sabía. ¡Válgame Dios, y cómo se pierde una casa! ¡Tan bueno que era el pobre tío Barret!* ¡Si levantara la cabeza y viese a sus hijas!... Ya sabían en la huerta que el pobre padre había muerto en el presidio de Ceuta* hacía dos años; y en cuanto a la madre, la infeliz vieja había acabado de padecer en una cama del Hospital. ¡Las vueltas que da el mundo en diez años! ¿Quién les hubiese dicho a ella y a sus hermanas, acostumbradas a vivir en su casa como reinas, que acabarían de aquel modo? ¡Señor! ¡Señor! ¡Libradnos de una mala persona!...

Rosario se animó con la conversación; parecía rejuvenecerse junto a esta amiga de la niñez. Sus ojos, antes mortecinos, chispearon al recordar el pasado. ¿Y su barraca? ¿Y las tierras? Seguían abandonadas, ¿verdad?... Esto le gustaba: ¡que reventasen, que se hiciesen la santísima* los hijos del pillo don Salvador!... Era lo único que podía consolarla. Estaba muy agradecida a Pimentó y a todos los de allá porque habían impedido que otros entrasen a trabajar lo que de derecho pertenecía a su familia. Y si alguien quería apoderarse de aquello, bien sabido era el remedio... ¡Pum! Un escopetazo de los que deshacen la cabeza.

La moza se enardecía; brillaban en sus ojos chispas de ferocidad. Resucitaba dentro de la ramera, pasiva bestia acostumbrada a los golpes, la hija de la huerta, que desde que nace ve la escopeta colgada detrás de la puerta y en las festividades aspira con delicia el humo de la pólvora.

Después de hablar del triste pasado, la curiosidad despierta de Rosario fue preguntando por todos los de allá, y acabó en Pepeta. ¡Pobrecita! Bien se veía que no era feliz. Joven aún, sólo revelaban su edad aquellos ojazos claros de virgen, inocentones y tímidos. El cuerpo, un puro esqueleto; y en el pelo rubio, de un color de mazorca tierna, aparecían ya las canas a puñados antes de los treinta años. ¿Qué vida le daba Pimentó? ¿Siempre tan borracho y huyendo del trabajo? Ella se lo había buscado, casándose contra los consejos de todo el mundo. Buen mozo, eso sí; le temblaban todos en la taberna de Copa, los domingos por la tarde, cuando jugaba al truco con los más guapos de la huerta; pero en casa debía ser un marido insufrible... Aunque bien mirado, todos los hombres eran iguales. ¡Si lo sabría ella! Unos perros que no valían la pena de mirarlos. ¡Hija! ¡y qué desmejorada estaba la pobre Pepeta!...

Un vozarrón de marimacho bajó como un trueno por el hueco de la escalerilla.

—¡Elisa!... Sube pronto la leche. El señor está esperando.

Rosario empezó a reír de ella misma. Ahora se llamaba Elisa: ¿no lo sabía? Era exigencia del oficio cambiar el nombre, así

como hablar con acento andaluz.   Y remedaba con rústica gracia
la voz del marimacho invisible.

Pero a pesar de su regocijo, tuvo prisa en retirarse.   Temía a
los de arriba.   El vozarrón o el señor de la leche podían darle algo
malo por su tardanza.   Y subió veloz por la escalerilla, después
de recomendar mucho a Pepeta que pasase alguna vez por allí,
para recordar juntas las cosas de la huerta.

El cansado esquilón de la *Ròcha* repiqueteó más de una hora por
las calles de Valencia.   Soltaron las mustias ubres hasta su última
gota de leche insípida, producto de un mísero pasto de hojas de
col y desperdicios, y al fin Pepeta emprendió la vuelta a su barraca.

La pobre labradora caminaba triste y pensativa bajo la impresión de aquel encuentro.   Recordaba, como si hubiera sido el
día anterior, la espantosa tragedia que se tragó al tío Barret con
toda su familia.

Desde entonces, los campos que hacía más de cien años trabajaban los ascendientes del pobre labrador habían quedado abandonados a orilla del camino.   Su barraca, deshabitada, sin una mano
misericordiosa que echase un remiendo a la techumbre ni un
puñado de barro a las grietas de las paredes, se iba hundiendo
lentamente.

Diez años de continuo tránsito junto a aquella ruina habían
conseguido que la gente no se fijase ya en ella.   La misma Pepeta
hacía tiempo que no había parado su atención en la vieja barraca.
Esta sólo interesaba a los muchachos, que, heredando el odio de
sus padres, se metían por entre las ortigas de los campos yermos
para acribillar a pedradas la abandonada vivienda, romper los
maderos de su cerrada puerta, o cegar con tierra y pedruscos el
pozo que se abría bajo una parra vetusta.

Pero aquella mañana, Pepeta, influida por su reciente encuentro,
se fijó en la ruina y hasta se detuvo en el camino para verla mejor.

Los campos del tío Barret, o mejor dicho para ella, « del judío
don Salvador y sus descomulgados herederos », eran una mancha
de miseria en medio de la huerta fecunda, trabajada y sonriente.
Diez años de abandono habían endurecido la tierra, haciendo
brotar de sus olvidadas entrañas todas las plantas parásitas, todos

los abrojos que Dios ha criado para castigo del labrador. Una selva enana, enmarañada y deforme se extendía sobre aquellos campos, con un oleaje de extraños tonos verdes, matizado a trechos por flores misteriosas y raras, de esas que sólo surgen en las ruinas y los cementerios.

Bajo las frondosidades de esta selva minúscula y alentados por la seguridad de su guarida, crecían y se multiplicaban toda suerte de bichos asquerosos, derramándose en los campos vecinos: lagartos verdes de lomo rugoso, enormes escarabajos con caparazón de metálicos reflejos, arañas de patas cortas y vellosas, hasta culebras, que se deslizaban a las acequias inmediatas. Allí vivían, en el centro de la hermosa y cuidada vega, formando mundo aparte, devorándose unos a otros; y aunque causasen algún daño a los vecinos, éstos los respetaban con cierta veneración, pues las siete plagas de Egipto parecían poca cosa a los de la huerta para arrojarlas sobre aquellos terrenos malditos.

Como las tierras del tío Barret no serían nunca para los hombres, debían anidar en ellas los bicharracos asquerosos, y cuantos más, mejor.

En el centro de estos campos desolados, que se destacaban sobre la hermosa vega como una mancha de mugre en un manto regio de terciopelo verde, alzábase la barraca, o más bien dicho, caía, con su montera de paja despanzurrada, enseñando por las aberturas que agujerearon el viento y la lluvia su carcomido costillaje de madera. Las paredes, arañadas por las aguas, mostraban sus adobes de barro crudo, sin más que unas ligerísimas manchas blancas que delataban el antiguo enjalbegado. La puerta estaba rota por debajo, roída por las ratas, con grietas que la cortaban de un extremo a otro. Dos o tres ventanillas, completamente abiertas y martirizadas por los vendavales, pendían de un solo gozne, e iban a caer de un momento a otro, apenas soplase una ruda ventolera.

Aquella ruina apenaba el ánimo, oprimía el corazón. Parecía que del casuco abandonado fuesen a salir fantasmas en cuanto cerrase la noche; que de su interior iban a partir gritos de personas asesinadas; que toda aquella maleza era un sudario ocultando debajo de él centenares de cadáveres.

Imágenes horribles era lo que inspiraba la contemplación de estos campos abandonados; y su tétrica miseria aun resaltaba más al contrastar con las tierras próximas, rojas, bien cuidadas, llenas de correctas filas de hortalizas y de arbolillos, a cuyas hojas daba el otoño una transparencia acaramelada. Hasta los pájaros huían de aquellos campos de muerte, tal vez por temor a los animaluchos que rebullían bajo la maleza o por husmear el hálito de la desgracia.

Sobre la rota techumbre de paja, si algo se veía era el revoloteo de alas negras y traidoras, plumajes fúnebres de cuervos y milanos, que al agitarse hacían enmudecer los árboles cargados de gozosos aleteos y juguetones piídos, quedando silenciosa la huerta, como si no hubiese gorriones en media legua a la redonda.

Pepeta iba a seguir adelante, hacia su blanca barraca, que asomaba entre los árboles algunos campos más allá; pero hubo de permanecer inmóvil en el alto borde del camino, para que pasase un carro cargado que avanzaba dando tumbos y parecía venir de la ciudad.

Su curiosidad femenil se excitó al fijarse en él.

Era un pobre carro de labranza, tirado por un rocín viejo y huesudo, al que ayudaba en los baches difíciles un hombre alto que marchaba junto a él animándole con gritos y chasquidos de tralla.

Vestía de labrador; pero el modo de llevar el pañuelo anudado a la cabeza, sus pantalones de pana y otros detalles de su traje, delataban que no era de la huerta, donde el adorno personal ha ido poco a poco contaminándose del gusto de la ciudad. Era labrador de algún pueblo lejano: tal vez venía del riñón de la provincia.

Sobre el carro amontonábanse, formando pirámide hasta más arriba de los varales, toda clase de objetos domésticos. Era la emigración de una familia entera. Tísicos colchones, jergones rellenos de escandalosa hoja de maíz, sillas de esparto, sartenes, calderas, platos, cestas, verdes banquillos de cama, todo se amontonaba sobre el carro, sucio, gastado, miserable, oliendo a hambre, a fuga desesperada, como si la desgracia marchase tras de la familia pisándole los talones. En la cumbre de este revoltijo veíanse tres niños abrazados, que contemplaban los campos con ojos muy abiertos, como exploradores que visitan un país por vez primera.

A pie y detrás del carro, como vigilando por si caía algo de éste, marchaban una mujer y una muchacha, alta, delgada, esbelta, que parecía hija de aquélla. Al otro lado del rocín, ayudando cuando el vehículo se detenía en un mal paso, iba un muchacho de unos once años. Su exterior grave delataba al niño que, acostumbrado a luchar con la miseria, es un hombre a la edad en que otros juegan. Un perrillo sucio y jadeante cerraba la marcha.

Pepeta, apoyada en el lomo de su vaca, les veía avanzar, poseída cada vez de mayor curiosidad. ¿Adónde iría esta pobre gente? El camino aquel, afluyente al de Alboraya, no iba a ninguna parte. Se extinguía a lo lejos, como agotado por las bifurcaciones innumerables de sendas y caminitos que daban entrada a las barracas.

Pero su curiosidad tuvo un final inesperado. ¡Virgen Santísima! El carro se salía del camino, atravesaba el ruinoso puente de troncos y tierra que daba acceso a las tierras malditas, y se metía por los campos del tío Barret, aplastando con sus ruedas la maleza respetada.

La familia seguía detrás, manifestando con gestos y palabras confusas la impresión que le causaba tanta miseria, pero en línea recta hacia la destrozada barraca, como quien toma posesión de lo que es suyo.

Pepeta no quiso ver más. Ahora sí que corrió de veras hacia su barraca. Deseosa de llegar antes, abandonó a la vaca y al ternerillo, y las dos bestias siguieron su marcha tranquilamente, como quien no se preocupa de las cosas ajenas y tiene el establo seguro.

Pimentó estaba tendido a un lado de su barraca, fumando perezosamente, con la vista fija en tres varitas untadas con liga,* puestas al sol, en torno de las cuales revoloteaban algunos pájaros. Era una ocupación de señor.

Al ver llegar a su mujer con los ojos asombrados y el pobre pecho jadeante, Pimentó cambió de postura para escuchar mejor, recomendándola que no se aproximase a las varitas.

Vamos a ver, ¿qué era aquello?   ¿Le habían robado la vaca?...

Pepeta, con la emoción y el cansancio, apenas pudo decir dos palabras seguidas.

« Las tierras de Barret... Una familia entera... Iban a trabajar, a vivir en la barraca. Ella lo había visto. »

Pimentó, cazador de pájaros con liga, enemigo del trabajo y terror de la contornada,* no pudo conservar su gravedad impasible de gran señor ante tan inesperada noticia.

—¡*Recontracordóns!**...

De un salto puso recta su pesada y musculosa humanidad, y echó a correr sin aguardar más explicaciones.

Su mujer vio cómo corría a campo traviesa hasta un cañar inmediato a las tierras malditas.   Allí se arrodilló, se echó sobre el vientre, para espiar por entre las cañas como un beduíno al acecho, y pasados algunos minutos volvió a correr, perdiéndose en aquel dédalo de sendas, cada una de las cuales conducía a una barraca, a un campo donde se encorvaban los hombres haciendo brillar en el aire su azadón como un relámpago de acero.

La huerta seguía risueña y rumorosa, impregnada de luz y de susurros, aletargada bajo la cascada de oro del sol de la mañana.

Pero a lo lejos sonaban voces y llamamientos: la noticia se transmitía a grito pelado de un campo a otro campo, y un estremecimiento de alarma, de extrañeza, de indignación, corría por toda la vega, como si no hubiesen transcurrido los siglos y circulara el aviso de que en la playa acababa de aparecer una galera argelina* buscando cargamento de carne blanca.

II

Cuando en época de cosecha contemplaba el tío Barret los cuadros de distinto cultivo en que estaban divididas sus tierras, no podía contener un sentimiento de orgullo, y mirando los altos trigos, las coles con su cogollo de rizada blonda, los melones asomando el verde lomo a flor de tierra o los pimientos y tomates medio ocultos por el follaje, alababa la bondad de sus campos y los esfuerzos de todos sus antecesores al trabajarlos mejor que los demás de la huerta.

Toda la sangre de sus abuelos estaba allí. Cinco o seis generaciones de Barrets habían pasado su vida labrando la misma tierra, volviéndola al revés, medicinando sus entrañas con ardoroso estiércol, cuidando que no decreciera su jugo vital, acariciando y peinando con el azadón y la reja todos aquellos terrones, de los cuales no había uno que no estuviera regado con el sudor y la sangre de la familia.

Mucho quería el labrador a su mujer, y hasta le perdonaba la tontería de haberle dado cuatro hijas y ningún hijo que le ayudase en sus tareas; no amaba menos a las cuatro muchachas, unos ángeles de Dios, que se pasaban el día cantando y cosiendo a la puerta de la barraca, y algunas veces se metían en los campos para descansar un poco a su pobre padre; pero la pasión suprema del tío Barret, el amor de sus amores, eran aquellas tierras, sobre las cuales había pasado monótona y silenciosa la historia de su familia.

Hacía muchos años, muchos—en los tiempos que el tío Tomba, un anciano casi ciego que guardaba el pobre rebaño de un carnicero de Alboraya, iba por el mundo, en la partida del Fraile,* disparando trabucazos contra los franceses—, estas tierras fueron de los religiosos de San Miguel de los Reyes, unos buenos señores, gordos, lustrosos, dicharacheros, que no mostraban gran prisa en el cobro de los arrendamientos, dándose por satisfechos con que por la tarde, al pasar por la barraca, les recibiera la abuela, que era entonces una real moza, obsequiándolos con hondas jícaras de chocolate y las primicias de los frutales. Antes, mucho antes, había sido el propietario de todo aquello un gran señor, que al morir depositó sus pecados y sus fincas en el seno de la comunidad; y ahora ¡ay! pertenecían a don Salvador, un vejete de Valencia, que era el tormento del tío Barret, pues hasta en sueños se le aparecía.

El pobre labrador ocultaba sus penas a su propia familia. Era un hombre animoso, de costumbres puras. Los domingos, si iba un rato a la taberna de Copa, donde se reunía toda la gente del contorno, era para mirar a los jugadores de truco, para reír como un bendito oyendo los despropósitos y brutalidades de Pimentó y otros mocetones que actuaban de gallitos de la huerta, pero nunca se acercaba al mostrador a pagar un vaso. Llevaba siempre el bolsillo de su faja* bien apretado sobre el estómago, y si bebía, era cuando alguno de los gananciosos convidaba a todos los presentes.

Enemigo de comunicar sus penas, se le veía siempre sonriente, bonachón, tranquilo, llevando encasquetado hasta las orejas el gorro azul que justificaba su apodo.

Trabajaba de noche a noche; cuando toda la huerta dormía aún, ya estaba él, a la indecisa claridad del amanecer, arañando sus tierras, cada vez más convencido de que no podría con ellas.

Era demasiado trabajo para un hombre solo. ¡Si al menos tuviera un hijo!... Buscando ayuda, tomaba criados, que le robaban trabajando poco, y finalmente los despedía al sorprenderles durmiendo dentro del establo en las horas de sol.

Influido por el respeto a sus antepasados, quería reventar de fatiga sobre sus terrones, antes que consentir que una parte de ellos fuese cedida en arrendamiento a manos extrañas. Y no pudiendo con todo el trabajo, dejaba improductiva y en barbecho la mitad de su tierra feraz, pretendiendo con el cultivo de la otra mantener a la familia y pagar al amo.

Fue este empeño una lucha sorda, desesperada, tenaz, contra las necesidades de la vida y contra su propia debilidad.

No tenía más que un deseo: que las chicas ignorasen sus preocupaciones; que nadie se diese cuenta en la casa de los apuros y tristezas del padre; que no se turbase la santa alegría de aquella vivienda, animada a todas horas por las risas y las canciones de las cuatro hermanas, cuya edad sólo se diferenciaba de un año. Y mientras ellas, que ya comenzaban a llamar la atención de los mozos de la huerta, asistían con pañuelos de seda nuevos, vistosos, y planchadas y ruidosas faldas a las fiestas de los pueblecillos, o despertaban al amanecer para ir descalzas y en camisa a mirar por las rendijas del ventanillo quiénes eran los que cantaban *les albaes** o las obsequiaban con rasgueos de guitarra, el pobre tío Barret, empeñado cada vez más en nivelar su presupuesto, sacaba, onza tras onza, todo el puñado de oro amasado ochavo sobre ochavo que le había dejado su padre, acallando así a don Salvador, viejo avaro que nunca tenía bastante, y no contento con exprimirle, hablaba de lo mal que estaban los tiempos, del escandaloso aumento de las contribuciones y de la necesidad de subir el precio del arrendamiento.

No podía haber encontrado Barret peor amo. Gozaba en toda la huerta una fama detestable, pues rara era la partida de ella donde no tuviese tierras. Todas las tardes, envuelto en una vieja capa, que llevaba hasta en primavera, con aspecto sórdido de mendigo, y acompañado de las maldiciones y gestos hostiles que dejaba a su espalda, iba por las sendas visitando a los colonos. Era la tenacidad del avaro que desea estar en contacto a todas horas con sus propiedades, la pegajosidad del usurero que siempre tiene cuentas pendientes que arreglar.

Los perros ladraban al verle de lejos, como si se aproximase la muerte; los niños le miraban enfurruñados; los hombres se escondían para evitar penosas excusas y las mujeres salían a la puerta de la barraca con la vista en el suelo y la mentira a punto para rogar a don Salvador que tuviese paciencia, contestando con lágrimas a sus bufidos y amenazas.

Pimentó, que en su calidad de valentón se interesaba por las desdichas de sus convecinos y era el caballero andante de la huerta, prometía entre dientes algo así como pegarle una paliza y refrescarlo después en una acequia; pero las mismas víctimas del avaro le disuadían hablando de la importancia de don Salvador, hombre que se pasaba las mañanas en los Juzgados y tenía amigos de muchas campanillas.* Con gente así siempre pierde el pobre.

De todos sus colonos, el mejor era Barret: aunque a costa de grandes esfuerzos, nada le debía. Y el viejo, que lo citaba como modelo a los otros arrendatarios, cuando estaba frente a él extremaba su crueldad, se mostraba más exigente, excitado por la mansedumbre del labrador, contento de encontrar un hombre en el que podía saciar sin miedo sus instintos de opresión y de rapiña.

Aumentó, por fin, el precio del arrendamiento de las tierras. Barret protestó, y hasta lloró recordando los méritos de su familia, que había perdido la piel en aquellos campos para hacer de ellos los mejores de la huerta. Pero don Salvador se mostró inflexible. ¿Eran los mejores?... Pues debía pagar más. Y Barret pagó el aumento. La sangre daría él antes que abandonar estas tierras que poco a poco absorbían su vida.

Ya no tenía dinero para salir de apuros; sólo contaba con lo que produjesen los campos. Y completamente solo, ocultando a la familia su situación, teniendo que sonreír cuando estaba entre su mujer y sus hijas, las cuales le recomendaban que no se esforzase tanto, el pobre Barret se entregó a la más disparatada locura del trabajo.

Olvidó el sueño. Parecíale que sus hortalizas crecían con menos rapidez que las de los vecinos; quiso él solo cultivar todas las tierras; trabajaba de noche a tientas; el menor nubarrón de granizo le ponía fuera de sí, trémulo de miedo; y él, tan bondadoso, tan honrado, hasta se aprovechaba de los descuidos de los labradores colindantes para robarles una parte de riego.*

Si su familia estaba ciega, en las barracas vecinas bien adivinaban la situación de Barret, compadeciendo su mansedumbre. Era un buenazo, no sabía «plantarle cara» al repugnante avaro, y éste lo iba chupando lentamente hasta devorarlo por entero.

Y así fue. El pobre labrador, agobiado por una existencia de fiebre y demencia laboriosa, quedábase en los huesos, encorvado como un octogenario, con los ojos hundidos. Aquel gorro característico que justificaba su mote ya no se detenía en sus orejas; aprovechando la creciente delgadez, bajaba hasta los hombros como un fúnebre apagaluz* de su existencia.

Lo peor para él era que este exceso de cansancio insostenible sólo le permitía pagar a medias al insaciable ogro. Las consecuencias de su locura por el trabajo no se hicieron esperar.* El rocín del tío Barret, un animal sufrido que le seguía en todos sus desesperados esfuerzos, cansado de trabajar de día y de noche, de ir tirando del carro al Mercado de Valencia con carga de hortalizas, y a continuación, sin tiempo para respirar ni desudarse, verse enganchado al arado, tomó el partido de morir, antes que permitirse el menor intento de rebelión contra su pobre amo.

¡Entonces sí que se consideró perdido irremisiblemente el pobre labrador! Con desesperación miró sus campos, que ya no podía cultivar; las hileras de frescas hortalizas, que la gente de la ciudad consumía con indiferencia, sin sospechar las angustias que su producción hace sufrir a un pobre padre en continua batalla con la tierra y la miseria.

Pero la Providencia, que nunca abandona al pobre, le habló por boca de don Salvador. Por algo dicen que Dios saca muchas veces el bien del mal.

El insufrible tacaño, el voraz usurero, al conocer su desgracia le ofreció ayuda con una bondad paternal y conmovedora. ¿Qué necesitaba para comprar otra bestia? ¿cincuenta duros? Pues allí estaba él para ayudarle, demostrando con esto cuán injustos eran los que le odiaban y hablaban mal de su persona.

Y prestó dinero a Barret, con el insignificante detalle de exigirle una firma—los negocios son negocios—al pie de cierto papel en el que se hablaba de interés, de acumulación de réditos, de responsabilidad de la deuda, mencionando para esto último los muebles, las herramientas, todo cuanto poseía el labrador en su barraca, incluso los animales del corral.

Barret, animado por la posesión de un nuevo rocín joven y brioso, volvió con más ahinco a su trabajo, a matarse sobre aquellos terruños, que parecían crecer según disminuían sus fuerzas, envolviéndolo como un sudario rojo.

La mayor parte de lo que cosechaba en sus campos se lo comía la familia, y los puñados de cobre* que sacaba de la venta del resto en el Mercado de Valencia desparramábanse, sin llegar a formar nunca el montón necesario para acallar a don Salvador.

Estas angustias del tío Barret por satisfacer su deuda sin poder conseguirlo acabaron por despertar en él cierto instinto de rebelión, haciendo surgir de su rudo pensamiento vagas y confusas ideas de justicia. ¿Por qué no eran suyos los campos? Todos sus abuelos habían dejado la vida entre aquellos terrones; estaban regados con el sudor de la familia; si no fuese por ellos, por los Barrets, estarían las tierras tan despobladas como la orilla del mar... Y ahora venía a apretarle la argolla, a hacerle morir con sus recordatorios, aquel viejo sin entrañas que era el amo, aunque no sabía coger un azadón ni en su vida había doblegado el espinazo... ¡Cristo! ¡Y cómo arreglan las cosas los hombres!...

Pero estas rebeliones eran momentáneas; volvía a él la sumisión resignada del labriego, el respeto tradicional y supersticioso para la propiedad. Había que trabajar y ser honrado.

Y el pobre hombre, que consideraba el no pagar como la mayor de las deshonras, volvía a sus faenas cada vez más débil, más extenuado, sintiendo en su interior el lento desplome de su energía, convencido de que no podía prolongar esta lucha, pero indignado ante la posibilidad tan sólo de abandonar un palmo de las tierras de sus ascendientes.

Del semestre de Navidad no pudo entregar a don Salvador más que una pequeña parte. Llegó San Juan,* y ni un céntimo. La mujer estaba enferma; para pagar los gastos hasta había vendido el «oro del casamiento»,* las venerables arracadas y el collar de perlas, que eran el tesoro de familia, y cuya futura posesión provocaba discusiones entre las cuatro muchachas.

El viejo avaro se mostró inflexible. No, Barret, aquello no podía continuar. Como él era bueno (por más que la gente no lo creyese), no podía consentir que el labrador siguiese matándose en este empeño de cultivar unas tierras más grandes que sus fuerzas. No lo consentiría; era asunto de buen corazón.* Y

como le habían hecho proposiciones de nuevo arrendamiento,
avisaba a Barret para que dejase los campos cuanto antes. Lo
sentía mucho, pero él también era pobre... ¡Ah! Y por esto
mismo le recordaba que habría que hacer efectivo el préstamo
para la compra del rocín, cantidad que con los réditos ascendía a...

El pobre labrador ni se fijó en los miles de reales a que subía su
deuda con los dichosos réditos: tan turbado y confuso le dejó la
orden de abandonar sus tierras.

La debilidad, el desgaste interior producido por la abrumadora
lucha de varios años, se manifestó repentinamente.

El, que no había llorado nunca, gimoteó como un niño. Toda
su altivez, su gravedad moruna, desaparecieron de golpe, y arro-
dillóse ante el vejete pidiendo que no le abandonase, pues veía en
él a su padre.*

Pero buen padre se había echado el pobre Barret.* Don
Salvador se mostró inflexible. Lo sentía mucho, pero no podía
hacer otra cosa. El también era pobre, debía procurar por el pan
de sus hijos... Y continuó embozando su crueldad con frases de
hipócrita sentimiento.

El labrador se cansó de pedir gracia. Fue varias veces a
Valencia a la casa del amo para hablarle de sus antepasados, de
los derechos morales que tenía sobre aquellas tierras, a pedirle
un poco de paciencia, afirmando con loca esperanza que él pagaría,
y al fin el avaro acabó por no abrirle su puerta.

La desesperación regeneró a Barret. Volvió a ser el hijo de la
huerta, altivo, enérgico e intratable cuando cree que le asiste la
razón.* ¿No quería oírle el amo? ¿Se negaba a darle una esperanza?... Pues bien; él en su casa esperaba; si el otro quería algo,
que fuese a buscarle. ¡A ver quién era el guapo* que le hacía
salir de su barraca!

Y siguió trabajando, aunque con recelo, mirando ansiosamente
siempre que pasaba algún desconocido por los caminos inmediatos, como quien aguarda de un momento a otro ser atacado por
una gavilla de bandidos.

Le citaron al Juzgado y no compareció. Ya sabía él lo que
era aquello: enredos de los hombres para perder a las gentes de

bien. Si querían robarle, que le buscasen allí, sobre los campos que eran pedazos de su piel, y como a tales los defendería.

Un día le avisaron que por la tarde iría el Juzgado a proceder contra él, a expulsarlo de las tierras, embargando además para pago de sus deudas todo cuanto tenía en la barraca. Aquella noche ya no dormiría en ella.

Tan inaudito resultaba esto para el pobre tío Barret, que sonrió con incredulidad. Eso podría ser para los tramposos, para los que no han pagado nunca; pero él, que siempre había cumplido, que nació allí mismo, que sólo debía un año de arrendamiento... ¡quiá! ¡Ni que viviera uno entre salvajes, sin caridad ni religión!

Pero en la tarde, cuando vio venir por el camino a unos señores vestidos de negro, fúnebres pajarracos con alas de papel arrolladas bajo el brazo, ya no dudó. Aquel era el enemigo. Iban a robarle.

Y sintiendo en su interior la ciega bravura del mercader moro que sufre toda clase de ofensas, pero enloquece de furor cuando le tocan su propiedad, Barret entró corriendo en su barraca, agarró la vieja escopeta que tenía siempre cargada detrás de la puerta, y echándosela a la cara plantóse bajo el emparrado, dispuesto a meterle dos balas al primero de aquellos bandidos de la ley que pusiera el pie en sus campos.

Salieron corriendo su mujer, enferma, y las cuatro hijas, gritando como locas, y se abrazaron a él, intentando arrancarle la escopeta, tirando del cañón con ambas manos. Y tales fueron los gritos de este grupo, que luchando y forcejeando iba de un pilar a otro del emparrado, que empezaron a salir gentes de las vecinas barracas, y llegaron corriendo, en tropel, ansiosas, con la solidaridad fraternal de los que viven en despoblado.

Pimentó fue el que se hizo dueño de la escopeta y prudentemente se la llevó a su casa. Barret iba detrás, intentando perseguirle, sujeto y contenido por los fuertes brazos de unos mocetones, desahogando su rabia contra aquel bruto que le impedía defender lo suyo.

—¡Pimentó!... ¡Lladre!... ¡Tórnam la escopeta!*...

Pero el valentón sonreía bondadosamente, satisfecho de mos-

trarse prudente y paternal con este viejo rabioso; y así fue
conduciéndole hasta su barraca, donde quedaron él y los amigos
vigilándolo, dándole consejos para que no cometiese un disparate.
¡Mucho ojo, tío Barret! Aquella gente era de justicia, y el pobre
siempre pierde metiéndose con ella. Calma y mala intención, que
todo llegará.*

Y al mismo tiempo los negros pajarracos escribían papeles y
más papeles en la barraca de Barret, revolviendo impasibles los
muebles y las ropas, inventariando hasta el corral y el establo,
mientras la esposa y las hijas gemían desesperadamente y la multitud agolpada a la puerta seguía con terror todos los detalles del
embargo, intentando consolar a las pobres mujeres, prorrumpiendo a la sordina en maldiciones contra el judío don Salvador y
aquellos tíos que se prestaban a obedecer a semejante perro.

Al anochecer, Barret, que estaba como anonadado, y tras la
crisis furiosa parecía caído en un estado de sonambulismo, vio a
sus pies unos cuantos líos de ropa y oyó el sonido metálico de un
saco que contenía sus herramientas de labranza.

—¡Pare!*... ¡pare!—gimotearon unas voces trémulas.

Eran las hijas, que se arrojaban en sus brazos; tras ellas, la
pobre mujer, enferma, temblando de fiebre; y en el fondo, inva-
diendo la barraca de Pimentó y perdiéndose más allá de la puerta
obscura, toda la gente del contorno, el aterrado coro de la tragedia.

Ya les habían hecho salir para siempre de su barraca. Los
hombres negros la habían cerrado, llevándose las llaves. No les
quedaba otra cosa que los fardos que estaban en el suelo, la ropa
usada, las herramientas: lo único que les habían permitido sacar
de su casa.

Y las palabras eran entrecortadas por los sollozos, y volvían a
abrazarse el padre y las hijas, y Pepeta, la dueña de la barraca, y
otras mujeres lloraban y repetían las maldiciones contra el viejo
avaro, hasta que Pimentó intervino oportunamente.

Tiempo quedaba para hablar de lo ocurrido; ahora, a cenar.
¡Qué demonio! No había que gemir tanto por culpa de un tío
judío. Si el tal viera todo esto, ¡cómo se alegrarían sus malas
entrañas!... La gente de la huerta era buena; a la familia del tío

Barret la querían todos, y con ella partirían un rollo* si no había más.

La mujer y las hijas del arruinado labrador fueronse con unas vecinas a pasar la noche en sus barracas. El tío Barret se quedó allí, bajo la vigilancia de Pimentó.

Permanecieron los dos hombres hasta las diez sentados en sus silletas de esparto, a la luz del candil, fumando cigarro tras cigarro.

El pobre viejo parecía loco. Contestaba con secos monosílabos a las reflexiones de aquel terne, que ahora las echaba de bonachón; y si hablaba, era para repetir siempre las mismas palabras:

—¡Pimentó!... ¡Tórnam la escopeta!

Y Pimentó sonreía con cierta admiración. Le asombraba la fiereza repentina de este vejete, al que toda la huerta había tenido por un infeliz. ¡Devolverle la escopeta!... ¡En seguida! Bien se adivinaba en la arruga vertical hinchada entre sus cejas el propósito firme de hacer polvo al autor de su ruina.

Barret se enfurecía cada vez más con el mozo. Llegó a llamarle ladrón porque se negaba a devolverle su arma. No tenía amigos; todos eran unos ingratos, iguales al avaro don Salvador. No quería dormir allí: se ahogaba. Y rebuscando en el saco de sus herramientas, escogió una hoz, la atravesó en su faja y salió de la vivienda, sin que Pimentó intentase atajarle el paso.

A tales horas nada malo podía hacer el viejo: que durmiese al raso, si tal era su gusto. Y el valentón, cerrando la barraca, se acostó.

El tío Barret fue derechamente hacia sus campos, y como un perro abandonado, comenzó a dar vueltas alrededor de la barraca.

¡Cerrada!... ¡cerrada para siempre! Aquellas paredes las había levantado su abuelo y las renovaba él todos los años. Aún se destacaba en la obscuridad la blancura del nítido enjalbegado con que sus chicas las cubrieron tres meses antes.

El corral, el establo, las pocilgas, eran obra de su padre; y aquella montera de paja, tan alta, tan esbelta, con las dos crucecitas en sus extremos, la había levantado él de nuevo, en sustitución de la antigua, que hacía agua por todas partes.

Y obra de sus manos era también el brocal del pozo, las pilastras del emparrado, las encañizadas, por encima de las cuales enseñaban sus penachos de flores los claveles y los dompedros. ¿Y todo aquello iba a ser propiedad de otro, porque sí,* porque así lo querían los hombres?...

Buscó en su faja la tira de fósforos de cartón que le servían para encender sus cigarros. Quería prender fuego a la paja de la techumbre. ¡Que se lo llevase todo el demonio! Al fin era suyo, bien lo sabía Dios, y podía destruir su hacienda antes que verla en manos de ladrones.

Mas al ir a incendiar su antigua casa sintió una impresión de horror, como si tuviese ante él los cadáveres de todos sus antepasados, y arrojó los fósforos al suelo.

Continuaba rugiendo en su cabeza el ansia de destrucción, y para satisfacerla se metió con la hoz en la mano en aquellos campos que habían sido sus verdugos.

¡Ahora las pagaría todas juntas la tierra ingrata, causa de sus desdichas!*

Horas enteras duró la devastación. Derrumbáronse a puntapiés las bóvedas de cañas por las cuales trepaban las verdes hebras de las judías tiernas y los guisantes; cayeron las habas partidas por la furiosa hoz, y las filas de lechugas y coles saltaron a distancia a impulsos del agudo acero, como cabezas cortadas, esparciendo en torno su cabellera de hojas... ¡Nadie se aprovecharía de su trabajo! Y así estuvo hasta cerca del amanecer, cortando, aplastando con locos pataleos, jurando a gritos, rugiendo blasfemias; hasta que al fin el cansancio aplacó su furia, y se arrojó en un surco llorando como un niño, pensando que la tierra sería en adelante su cama eterna y su único oficio mendigar en los caminos.

Le despertaron los primeros rayos del sol hiriendo sus ojos y el alegre parloteo de los pájaros que saltaban cerca de su cabeza, aprovechando para su almuerzo los restos de la destrucción nocturna.

Se levantó, entumecido por el cansancio y la humedad. Pimentó y su mujer le llamaban desde lejos, invitándole a que tomase algo. Barret les contestó con desprecio. «¡Ladrón! ¡Después que se había quedado con su escopeta!...» Y emprendió el camino hacia Valencia, temblando de frío, sin saber adónde iba.

Al pasar ante la taberna de Copa, entró en ella. Unos carreteros de la vecindad le hablaron para compadecer su desgracia, invitándole a tomar algo, y él se apresuró a aceptar. Quería algo contra aquel frío que se le había metido en los huesos. Y él, tan sobrio, bebió uno tras otro dos vasos de aguardiente, que cayeron como olas de fuego en su estómago desfallecido.

Su cara se coloreó, adquiriendo después una palidez cadavérica; sus ojos se vetearon de sangre. Se mostró con los carreteros que le compadecían expresivo y confiado; casi como un ser feliz. Les llamaba hijos míos, asegurándoles que no se apuraba por tan poco. No lo había perdido todo. Aún le quedaba lo mejor de la casa, la hoz de su abuelo: una joya que no quería cambiar ni por cincuenta hanegadas* de tierra buena.

Y sacaba de su faja el curvo acero, puro y brillante: una herramienta de fino temple y corte sutilísimo, que, según afirmaba Barret, podía partir en el aire un papel de fumar.

Pagaron los carreteros, y arreando sus bestias alejáronse hacia la ciudad, llenando el camino de chirridos de ruedas.

El viejo aún estuvo más de una hora en la taberna, hablando a solas, advirtiendo que la cabeza se le iba;* hasta que, molestado por la dura mirada de los dueños, que adivinaban su estado, sintió una vaga impresión de vergüenza y salió sin saludar, andando con paso inseguro.

No podía apartar de su memoria un recuerdo tenaz. Veía con los ojos cerrados un gran huerto de naranjos que existía a más de una hora de distancia, entre Benimaclet* y el mar. Allí había ido él muchas veces por sus asuntos, y allá iba ahora, a ver si el demonio era tan bueno que le hacía tropezar con el amo, el cual raro era el día que no inspeccionaba con su mirada de avaro los hermosos árboles uno por uno, como si tuviese contadas las naranjas.

Llegó después de dos horas de marcha, deteniéndose muchas veces para dar aplomo a su cuerpo, que se balanceaba sobre las inseguras piernas.

El aguardiente se había apoderado de él. Ya no sabía con qué objeto había llegado hasta allí, tan lejos de la parte de la huerta donde vivían los suyos, y acabó por dejarse caer en un campo de cáñamo a orillas del camino. Al poco rato sus penosos ronquidos de borracho sonaron entre los verdes y erguidos tallos.

Cuando despertó era ya bien entrada la tarde.* Sentía pesadez en la cabeza y el estómago desfallecido. Le zumbaban los oídos, y en su boca empastada percibía un sabor horrible. ¿Qué hacía allí, cerca del huerto del judío? ¿Cómo había llegado tan lejos? Su honradez primitiva le hizo avergonzarse de este envilecimiento, e intentó ponerse en pie para huir. La presión que producía sobre su estómago la hoz cruzada en la faja le dio escalofríos. Al incorporarse asomó la cabeza por entre el cáñamo y vio en una revuelta del camino a un vejete que caminaba lentamente, envuelto en una capa.

Barret sintió que toda su sangre le subía de golpe a la cabeza, que reaparecía su borrachera, y se incorporó, tirando de la hoz... ¿Y aún dicen que el demonio no es bueno? Allí estaba su hombre; el mismo que deseaba ver desde el día anterior.

El viejo usurero había vacilado mucho antes de salir de su casa. Le escocía algo lo del tío Barret;* el suceso estaba reciente y la huerta es traicionera. Pero el miedo de que aprovechasen su ausencia en el huerto de naranjos pudo más que sus temores, y pensando que dicha finca estaba lejos de la barraca embargada, púsose en camino.

Ya alcanzaba a contemplar su huerto, ya se reía del miedo pasado, cuando vio saltar del bancal de cáñamo al propio Barret, y le pareció un enorme demonio, con la cara roja, los brazos extendidos, impidiéndole toda fuga, acorralándolo en el borde de la acequia que corría paralela al camino. Creyó soñar; chocaron sus dientes, su cara púsose verde, y le cayó la capa, dejando al descubierto un viejo gabán y los sucios pañuelos arrollados a su cuello. Tan grandes eran su terror y su turbación, que hasta le habló en castellano.*

—¡Barret! ¡hijo mío!—dijo con voz entrecortada—. Todo ha sido una broma: no hagas caso. Lo de ayer fue para hacerte un poquito de miedo... nada más. Vas a seguir en las tierras... Pásate mañana por casa... hablaremos. Me pagarás como mejor te parezca.

Y doblaba su cuerpo, evitando que se le acercase el tío Barret. Pretendía escurrirse, huir de la terrible hoz, en cuya hoja se quebraba un rayo de sol y se reproducía el azul del cielo. Como tenía la acequia detrás de él, no encontraba sitio para moverse, y echaba el cuerpo atrás, pretendiendo cubrirse con las crispadas manos.

El labrador sonreía como una hiena, enseñando sus dientes agudos y blancos de pobre.

—¡*Embustero! ¡embustero!*—contestaba con una voz semejante a un ronquido.

Y moviendo su herramienta de un lado a otro, buscaba sitio para herir, evitando las manos flacas y desesperadas que se le ponían delante.

—¡Pero Barret! ¡hijo mío! ¿qué es esto?... ¡Baja esa arma... no juegues... Tú eres un hombre honrado... piensa en tus hijas. Te repito que ha sido una broma. Ven mañana y te daré las lla... ¡Aaay!...

Fue un rugido horripilante, un grito de bestia herida. Cansada la hoz de encontrar obstáculos, había derribado de un solo golpe una de las manos crispadas. Quedó colgando de los tendones y la piel, y el rojo muñón arrojó la sangre con fuerza, salpicando a Barret, que rugió al recibir en el rostro la caliente rociada. Vaciló el viejo sobre sus piernas, pero antes de caer al suelo, la hoz partió horizontalmente contra su cuello, y... ¡zas! cortando la complicada envoltura de pañuelos, abrió una profunda hendidura, separando casi la cabeza del tronco.

Cayó don Salvador en la acequia; sus piernas quedaron en el ribazo, agitadas por un pataleo fúnebre de res degollada.* Y mientras tanto, la cabeza, hundida en el barro, soltaba toda su sangre por la profunda brecha y las aguas se teñían de rojo, siguiendo su manso curso con un murmullo plácido que alegraba el solemne silencio de la tarde.

Barret permaneció plantado en el ribazo como un imbécil.

¡Cuánta sangre tenía el tío ladrón! La acequia, al enrojecerse, parecía más caudalosa. De repente, el labriego, dominado por el terror, echó a correr, como si temiera que el riachuelo de sangre le ahogase al desbordarse.

Antes de terminar el día circuló la noticia como un cañonazo que conmovió toda la vega. ¿Habéis visto el gesto hipócrita, el regocijado silencio con que acoge un pueblo la muerte del gobernante que le oprime?... Así lloró la huerta la desaparición de don Salvador. Todos adivinaron la mano del tío Barret, y nadie habló. Las barracas hubiesen abierto para él sus últimos escondrijos; las mujeres le habrían ocultado bajo sus faldas.

Pero el asesino vagó como un loco por la huerta, huyendo de las gentes, tendiéndose detrás de los ribazos, agazapándose bajo los puentecillos, escapando a través de los campos, asustado por el ladrido de los perros, hasta que al día siguiente lo sorprendió la Guardia Civil durmiendo en un pajar.

Durante seis meses sólo se habló en la huerta del tío Barret.

Los domingos iban como en peregrinación hombres y mujeres a la cárcel de Valencia para contemplar a través de los barrotes al pobre «libertador», cada vez más enjuto, con los ojos hundidos y la mirada inquieta.

Llegó la vista del proceso, y le sentenciaron a muerte.

La noticia causó honda impresión en la vega; curas y alcaldes pusiéronse en movimiento para evitar tal vergüenza... ¡Uno del distrito sentándose en el cadalso!* Y como Barret había sido siempre de los dóciles, votando lo que ordenaba el cacique* y obedeciendo pasivamente al que mandaba, se hicieron viajes a Madrid para salvar su vida, y el indulto llegó oportunamente.

El labrador salió de la cárcel hecho una momia, y fue conducido al presidio de Ceuta, para morir allá a los pocos años.

Disolvióse su familia; desapareció como un puñado de paja en el viento.

Las hijas, una tras otra, fueron abandonando las familias que las habían recogido, trasladándose a Valencia para ganarse el pan como criadas; y la pobre vieja, cansada de molestar con sus enfermedades, marchó al Hospital, muriendo al poco tiempo.

La gente de la huerta, con la facilidad que tiene todo el mundo para olvidar la desgracia ajena, apenas si de tarde en tarde recordaba la espantosa tragedia del tío Barret, preguntándose qué sería de sus hijas.*

Pero nadie olvidó los campos y la barraca, permaneciendo unos y otra en el mismo estado que el día en que la justicia expulsó al infortunado colono. Fue esto un acuerdo tácito de toda la huerta; una conjuración instintiva, en cuya preparación apenas si mediaron palabras; pero hasta los árboles y los caminos parecían entrar en ella.

Pimentó lo había dicho el mismo día de la catástrofe. « ¡A ver quién era el guapo que se atrevía a meterse en aquellas tierras! »

Y toda la gente de la huerta, hasta las mujeres y los niños, parecían contestar con sus miradas de mutua inteligencia: « Sí; a ver. »

Las plantas parásitas, los abrojos, comenzaron a surgir de la tierra maldita que el tío Barret había pateado y herido con su hoz la última noche, como presintiendo que por culpa de ella moriría en presidio.

Los hijos de don Salvador, unos ricachos tan avaros como su padre, creyéronse sumidos en la miseria porque el pedazo de tierra permanecía improductivo.

Un labrador habitante en otro distrito de la huerta, hombre que las echaba de guapo* y nunca tenía bastante tierra, sintióse tentado por el bajo precio del arrendamiento y apechugó con unos campos que a todos inspiraban miedo.

Iba a labrar la tierra con la escopeta al hombro; él y sus criados se reían de la soledad en que les dejaban los vecinos; las barracas se cerraban a su paso, y desde lejos les seguían miradas hostiles.

Vigiló mucho el labrador, presintiendo una emboscada; pero de nada le sirvió su cautela, pues una tarde en que regresaba solo a su casa, cuando aún no había terminado la roturación de sus nuevos campos, le largaron dos escopetazos, sin que viese al agresor, y salió milagrosamente ileso del puñado de postas que pasó junto a sus orejas.

En los caminos no se veía a nadie. Ni una huella reciente.

Le habían tirado desde alguna acequia, emboscado el tirador detrás de los cañares.

Con enemigos así no era posible luchar; y el valentón, en la misma noche, entregó las llaves de la barraca a sus amos.

Había que oír* a los hijos de don Salvador. ¿Es que no existían gobiernos ni seguridades para la propiedad... ni nada?

Indudablemente era Pimentó el autor de la agresión, el que impedía que los campos fuesen cultivados, y la Guardia Civil prendió al jaque de la huerta, llevándolo a la cárcel.

Pero cuando llegó el momento de las declaraciones, todo el distrito desfiló ante el juez afirmando la inocencia de Pimentó, sin que a aquellos rústicos socarrones se les pudiera arrancar una palabra contradictoria.

Todos recitaban la misma lección. Hasta viejas achacosas que jamás salían de sus barracas declararon que aquel día, a la misma hora en que sonaron los dos tiros, Pimentó estaba en una taberna de Alboraya de francachela* con sus amigos.

Nada se podía contra estas gentes de gesto imbécil y mirada cándida, que rascándose el cogote mentían con tanto aplomo; Pimentó fue puesto en libertad, y de todas las barracas salió un suspiro de triunfo y satisfacción.

Ya estaba hecha la prueba: todos sabrían en adelante que el cultivo de aquellas tierras se pagaba con la piel.*

Los avaros amos no cejaron. Cultivarían la tierra ellos mismos; y buscaron jornaleros entre la gente sufrida y sumisa que, oliendo a lana burda y miseria, baja en busca de trabajo, empujada por el hambre, desde lo último de la provincia, desde las montañas fronterizas a Aragón.

En la huerta compadecían a los pobres *churros*.* ¡Infelices! Iban a ganarse un jornal; ¿qué culpa tenían ellos? Y por la noche, cuando se retiraban con el azadón al hombro, no faltaba una buena alma que los llamase desde la puerta de la taberna de Copa. Los hacían entrar, los convidaban a beber y luego les iban hablando al oído con la cara ceñuda y el acento paternal y bondadoso, como quien aconseja a un niño que evite el peligro. Y el resultado era que los dóciles *churros*, al día siguiente, en vez de ir al campo, presentábanse en masa a los dueños de las tierras.

—Mi amo: venimos a que nos pague.

Y eran inútiles todos los argumentos de los dos solterones, furiosos al verse atacados en su avaricia.

—Mi amo—respondían a todo—: semos probes,* pero no nos hemos encontrao la vida tras un pajar.*

No sólo dejaban el trabajo, sino que pasaban aviso a todos sus paisanos para que huyesen de ganar un jornal en los campos de Barret, como quien huye del diablo.

Los dueños de las tierras pidieron protección hasta en los papeles públicos. Y parejas de la Guardia Civil fueron a correr la huerta, a apostarse en los caminos, a sorprender gestos y conversaciones, siempre sin éxito.

Todos los días veían lo mismo: las mujeres cosiendo y cantando bajo las parras; los hombres en los campos, encorvados, con la vista en el suelo, sin dar descanso a los activos brazos; Pimentó tendido a lo gran señor* ante las varitas de liga, esperando a los pájaros, o ayudando a Pepeta torpe y perezosamente; en la taberna de Copa unos cuantos viejos tomando el sol o jugando al truco. El paisaje respiraba paz y honrada bestialidad; era una Arcadia moruna. Pero los del gremio* no se fiaban; ningún labrador quería las tierras ni aun gratuitamente, y al fin los amos tuvieron que desistir de su empeño, dejando que se cubriesen de maleza y que la barraca se viniera abajo, mientras esperaban la llegada de un hombre de buena voluntad capaz de comprarlas o trabajarlas.

La huerta estremecíase de orgullo viendo cómo se perdía aquella riqueza y los herederos de don Salvador se hacían la santísima.*

Era un placer nuevo e intenso. Alguna vez se habían de imponer los pobres y quedar los ricos debajo. Y el duro pan parecía más sabroso, el vino mejor, el trabajo menos pesado, imaginándose las rabietas de los dos avaros, que con todo su dinero habían de sufrir que los rústicos de la huerta se burlasen de ellos.

Además, aquella mancha de desolación y miseria en medio de la vega servía para que los otros propietarios fuesen menos exigentes, y tomando ejemplo en el vecino no aumentaran los arrendamientos y se conformasen cuando los semestres tardaban en hacerse efectivos.

Los desolados campos eran el talismán que mantenía íntimamente unidos a los huertanos, en continuo tacto de codos: un monumento que proclamaba su poder sobre los dueños; el milagro de la solidaridad de la miseria contra las leyes y la riqueza de los que son señores de las tierras sin trabajarlas ni sudar sobre sus terrones.

Todo esto, pensado confusamente, les hacía creer que el día en que los campos de Barret fueran cultivados la huerta sufriría toda clase de desgracias. Y no se imaginaban, después de un triunfo de diez años, que pudiera entrar en los campos abandonados otra persona que el tío Tomba, un pastor ciego y parlanchín, que, a falta de auditorio, relataba todos los días sus hazañas de guerrillero a su rebaño de sucias ovejas.

De aquí las exclamaciones de asombro y el gesto de rabia de toda la huerta cuando Pimentó, de campo en campo y barraca en barraca, fue haciendo saber que las tierras de Barret tenían ya arrendatario, un desconocido, y que « él »... « ¡él! »—fuese quien fuese*—estaba allí con toda su familia, instalándose sin reparo... « ¡como si aquello fuese suyo! »

man moved to p 60 Barret's land

Batiste,* al inspeccionar las incultas tierras, se dijo que había allí trabajo para largo rato.

Mas no por esto sintió desaliento. Era un varón enérgico, emprendedor, avezado a la lucha para conquistar el pan. Allí lo había « muy largo »,* como decía él, y además se consolaba recordando que en peores trances se había visto.

Su vida pasada era un continuo cambio de profesión, siempre dentro del círculo de la miseria rural, mudando cada año de oficio, sin encontrar para su familia el bienestar mezquino que constituía toda su aspiración. *only wants a little*

Cuando conoció a su mujer, era mozo de molino en las inmediaciones de Sagunto. Trabajaba entonces « como un lobo »— así lo decía él—para que en su vivienda no faltase nada; y Dios premió su laboriosidad enviándole cada año un hijo, hermosas criaturas que parecían nacer con dientes, según la prisa que se daban en abandonar el pecho maternal para pedir pan a todas horas.

Resultado: que hubo de abandonar el molino y dedicarse a *cart driver* carretero, en busca de mayores ganancias.

La mala suerte le perseguía. Nadie como él cuidaba el ganado y vigilaba la marcha. Muerto de sueño, jamás se atrevía, como los compañeros, a dormir en el carro, dejando que las bestias marchasen guiadas por su instinto. Vigilaba a todas horas, permanecía siempre junto al rocín delantero, evitando los baches profundos y los malos pasos; y sin embargo, si algún carro volcaba era el suyo; si algún animal caía enfermo a causa de las lluvias era seguramente de Batiste, a pesar del cuidado paternal con que se apresuraba a cubrir los flancos de sus bestias con gualdrapas de arpillera apenas caían cuatro gotas.

En unos cuantos años de fatigosa peregrinación por las carreteras de la provincia, comiendo mal, durmiendo al raso y sufriendo el tormento de pasar meses enteros lejos de la familia, a la que adoraba con el afecto reconcentrado de hombre rudo y silencioso, Batiste sólo experimentó pérdidas y vio su situación cada vez más comprometida.

Se le murieron los rocines* y tuvo que entramparse para comprar otros. Lo que le valía el continuo acarreo de pellejos hinchados de vino o de aceite perdíase en manos de chalanes y constructores de carros, hasta que llegó el momento en que, viendo próxima su ruina, abandonó el oficio.

Tomó entonces unas tierras cerca de Sagunto: campos de secano,* rojos y eternamente sedientos, en los cuales retorcían sus troncos huecos algarrobos centenarios o alzaban los olivos sus redondas y empolvadas cabezas.

Fue su vida una continua batalla con la sequía, un incesante mirar al cielo, temblando de emoción cada vez que una nubecilla negra asomaba en el horizonte.

Llovió poco, las cosechas fueron malas durante cuatro años, y Batiste no sabía ya qué hacer ni adónde dirigirse, cuando en un viaje a Valencia conoció a los hijos de don Salvador, unos excelentes señores (Dios les bendiga), que le dieron aquella hermosura de campos, libres de arrendamiento por dos años, hasta que recobrasen por completo su estado de otros tiempos.

Algo oyó él de lo que había sucedido en la barraca, de las causas que obligaban a los dueños a conservar improductivas tan hermosas tierras; pero ¡iba transcurrido tanto tiempo!... Además, la miseria no tiene oídos; a él le convenían los campos, y en ellos se quedaba. ¿Qué le importaban las historias viejas de don Salvador y el tío Barret?...

Todo lo despreciaba y olvidaba contemplando sus tierras. Y Batiste sentíase poseído de un dulce éxtasis al verse cultivador en la huerta feraz que tantas veces había envidiado cuando pasaba por la carretera de Valencia a Sagunto.

Aquello eran tierras:* siempre verdes, con las entrañas incansables engendrando una cosecha tras otra, circulando el agua roja a todas horas como vivificante sangre por las innumerables acequias y regadoras que surcaban su superficie como una complicada red de venas y arterias; fecundas hasta alimentar familias enteras con cuadros que, por lo pequeños, parecían pañuelos de follaje. Los campos secos de Sagunto recordábalos como un infierno de sed, del que afortunadamente se había librado.

Ahora se veía de veras en el buen camino. ¡A trabajar! Los campos estaban perdidos;* había allí mucho que hacer; pero ¡cuando se tiene buena voluntad!... Y desperezándose, este hombretón recio, musculoso, de espaldas de gigante, redonda cabeza trasquilada* y rostro bondadoso sostenido por un grueso cuello de fraile, extendía sus poderosos brazos, habituados a levantar en vilo los sacos de harina y los pesados pellejos de la carretería.

Tan preocupado estaba con sus tierras, que apenas si se fijó en la curiosidad de los vecinos.

Asomando las inquietas cabezas por entre los cañares o tendidos sobre el vientre en los ribazos, le contemplaban hombres, chicuelos y hasta mujeres de las inmediatas barracas.

Batiste no hacía caso de ellos. Era la curiosidad, la expectación hostil que inspiran siempre los recién llegados. Bien sabía él lo que era aquello; ya se irían acostumbrando. Además, tal vez les interesaba ver cómo ardía la miseria que diez años de abandono habían amontonado sobre los campos de Barret.

Y ayudado por su mujer y los chicos, empezó a quemar al día siguiente de su llegada toda la vegetación parásita. Los arbustos, después de retorcerse entre las llamas, caían hechos brasas, escapando de sus cenizas asquerosos bichos chamuscados. La barraca aparecía como esfumada entre las nubes de humo de estas luminarias, que despertaban sorda cólera en toda la huerta.

Una vez limpias las tierras, Batiste, sin perder tiempo, procedió a su cultivo. Muy duras estaban; pero él, como labriego experto, quería trabajarlas poco a poco, por secciones; y marcando un cuadro cerca de su barraca, empezó a remover la tierra ayudado por su familia.

Los vecinos burlábanse de todos ellos con una ironía que delataba su sorda irritación. ¡Vaya una familia! Eran gitanos como los que duermen debajo de los puentes. Vivían en la vieja barraca lo mismo que los náufragos que se aguantan sobre un buque destrozado: tapando un agujero aquí, apuntalando allá, haciendo verdaderos prodigios para que se sostuviera la techumbre de paja, distribuyendo sus pobres muebles, cuidadosamente fregoteados,* en todos los cuartos, que eran antes madriguera de ratones y sabandijas.

En punto a laboriosos,* eran como un tropel de ardillas, no pudiendo permanecer quietos mientras el padre trabajaba. Teresa la mujer y Roseta* la hija mayor, con las faldas recogidas entre las piernas y azadón en mano, cavaban con más ardor que un jornalero, descansando solamente para echarse atrás las greñas caídas sobre la sudorosa y roja frente. El hijo mayor hacía continuos viajes a Valencia con la espuerta al hombro, trayendo estiércol y escombros, que colocaba en dos montones, como columnas de honor, a la entrada de la barraca. Los tres pequeñuelos, graves y laboriosos, como si comprendiesen la grave situación de la familia, iban a gatas tras los cavadores, arrancando de los terrones las duras raíces de los arbustos quemados. Duró esta faena preparatoria más de una semana, sudando y jadeando la familia desde el alba a la noche.

La mitad de las tierras estaban removidas. Batiste las entabló y labró con ayuda del viejo y animoso rocín, que parecía de la familia.

Había que proceder a su cultivo; estaban en San Martín, la época de la siembra, y el labrador dividió la tierra roturada en tres partes. La mayor para el trigo, un cuadro más pequeño para plantar habas y otro para el forraje, pues no era cosa de olvidar al Morrut, el viejo y querido rocín. Bien se lo había ganado.

Y con la alegría del que después de una penosa navegación descubre el puerto, la familia procedió a la siembra. Era el porvenir asegurado. Las tierras de la huerta no engañaban; de allí saldría el pan para todo el año.

La tarde en que se terminó la siembra vieron avanzar por el inmediato camino unas cuantas ovejas de sucios vellones, que se detuvieron medrosas en el límite del campo.

Tras ellas apareció un viejo apergaminado, amarillento, con los ojos hundidos en las profundas órbitas y la boca circundada por una aureola de arrugas. Iba avanzando lentamente, con pasos firmes, pero con el cayado por delante tanteando el terreno.

La familia le miró con atención. Era el único que en las dos semanas que allí estaban se atrevía a aproximarse a las tierras. Al notar la vacilación de sus ovejas, gritó para que pasasen adelante.

Batiste salió al encuentro del viejo. No se podía pasar: las tierras estaban ahora cultivadas. ¿No lo sabía?...

Algo de ello había oído el tío Tomba; pero en las dos semanas anteriores había llevado su rebaño a pastar los hierbajos del barranco de Carraixet, sin preocuparse de estos campos... ¿De veras que ahora estaban cultivados?

Y el anciano pastor avanzaba la cabeza haciendo esfuerzos para ver con sus ojos casi muertos al hombre audaz que osaba realizar lo que toda la huerta tenía por imposible.

Calló un buen rato, y al fin comenzó a murmurar tristemente:

«Muy mal; él también, en su juventud, había sido atrevido: le gustaba llevar a todos la contraria. ¡Pero cuando son muchos los enemigos!... Muy mal; se había metido en un paso difícil. Aquellas tierras, después de lo del pobre Barret, estaban malditas. Podía creerle a él, que era viejo y experimentado: le traerían desgracia.»

Y el pastor llamó a su rebaño, le hizo emprender la marcha por el camino, y antes de alejarse se echó la manta atrás, alzando sus descarnados brazos, y con cierta entonación de hechicero que augura el porvenir o de profeta que husmea la ruina, le gritó a Batiste:

—*Creume, fill meu: ¡te portarán desgrasia!**...

De este encuentro surgió un motivo más de cólera para toda la huerta.

El tío Tomba ya no podía meter sus ovejas en aquellas tierras, después de diez años de pacífico disfrute de sus pastos. Nadie decía una palabra sobre la legitimidad de la negativa de su ocupante al estar el terreno cultivado. Todos hablaban únicamente de los respetos que merecía el anciano pastor, un hombre que en sus mocedades se comía los franceses crudos,* que había visto mucho mundo, y cuya sabiduría, demostrada con medias palabras y consejos incoherentes, inspiraba un respeto supersticioso a la gente de las barracas.

Cuando Batiste y su familia vieron henchidas de fecunda simiente las entrañas de sus tierras, pensaron en la vivienda, a falta de trabajo más urgente.

El campo haría su deber. Ya era hora de pensar en ellos mismos.

Y por primera vez desde su llegada a la huerta, salió Batiste de las tierras para ir a Valencia a cargar en su carro todos los desperdicios de la ciudad que pudieran serle útiles.

Aquel hombre era una hormiga infatigable para la rebusca.* Los montones formados por Batistet* se agrandaron considerablemente con las expediciones del padre. La giba de estiércol, que formaba una cortina defensiva ante la barraca, creció rápidamente, y más allá amontonáronse centenares de ladrillos rotos, maderos carcomidos, puertas destrozadas, ventanas hechas astillas, todos los desperdicios de los derribos de la ciudad.

Contempló con asombro la gente de la huerta la prontitud y buena maña de los laboriosos intrusos para arreglarse su vivienda.

La cubierta de paja de la barraca apareció de pronto enderezada; las costillas de la techumbre, carcomidas por las lluvias, fueron reforzadas unas y sustituidas otras; una capa de paja nueva cubrió los dos planos pendientes del exterior. Hasta las crucecitas de sus extremos fueron sustituidas por otras que la navaja de Batiste trabajó cucamente, adornando sus aristas con dentelladas muescas; y no hubo en todo el contorno techumbre que se irguiera más gallarda.

Los vecinos, al ver cómo se reformaba la barraca de Barret, colocándose recta la montera, veían en esto algo de burla y de reto.

Después empezó la obra de abajo. ¡Qué modo de utilizar los escombros de Valencia!... Las grietas desaparecieron, y terminado el enlucido de las paredes, la mujer y la hija las enjalbegaron* de un blanco deslumbrante. La puerta nueva y pintada de azul parecía madre de todas las ventanillas, que asomaban por los huecos de las paredes sus cuadradas caras del mismo color. Bajo la parra hizo Batiste una plazoleta, pavimentada con ladrillos

rojos, para que las mujeres cosieran allí en las horas de la tarde.
El pozo, después de una semana de descensos y penosos acarreos,
quedó limpio de todas las piedras y la basura con que la pillería
huertana lo había atiborrado durante diez años, y otra vez su agua
limpia y fresca volvió a subir en musgoso pozal, con alegres
chirridos de la garrucha, que parecía reírse de las gentes del
contorno con una estridente carcajada de vieja maliciosa.

Devoraban los vecinos su rabia en silencio. ¡Ladrón, más que
ladrón! ¡Vaya un modo de trabajar!... Aquel hombre parecía
poseer con sus membrudos brazos dos varitas mágicas que lo
transformaban todo al tocarlo.

Diez semanas después de su llegada, aún no había salido de sus
tierras media docena de veces. Siempre en ellas, la cabeza
metida entre los hombros y el espinazo doblegado, embriagándose
en su labor; y la barraca de Barret presentaba un aspecto coquetón
y risueño, como jamás lo había tenido en poder de su antiguo
ocupante.

El corral, cercado antes con podridos cañizos, tenía ahora
paredes de estacas y barro, pintadas de blanco, sobre cuyos bordes
correteaban las rubias gallinas y se inflamaba el gallo, irguiendo
su cabeza purpúrea... En la plazoleta, frente a la barraca,
florecían macizos de dompedros y plantas trepadoras. Una fila
de pucheros desportillados pintados de azul servían de macetas
sobre el banco de rojos ladrillos, y por la puerta entreabierta—ah,
fanfarrón—veíase la cantarera* nueva, con sus chapas de blancos
azulejos y sus cántaros verdes de charolada panza: un conjunto de
reflejos insolentes que quitaban la vista al que pasaba por el
inmediato camino.

Todos, en su furia creciente, acudían a Pimentó. ¿Podía esto
consentirse? ¿Qué pensaba hacer el temible marido de Pepeta?
Y Pimentó se rascaba la frente oyéndoles, con cierta confusión.

¿Qué iba a hacer?... Su propósito era decirle dos palabritas a
aquel advenedizo que se metía a cultivar lo que no era suyo; una
indicación muy seria para que «no fuese tonto» y se volviera a su
tierra, pues allí nada tenía que hacer. Pero el tal sujeto no salía
de sus campos, y no era cosa de ir a amenazarle en su propia casa.

Esto sería « dar el cuerpo » demasiado,* teniendo en cuenta lo que podría ocurrir luego. Había que ser cauto y guardar la salida.* En fin... un poco de paciencia. Él, lo único que podía asegurar es que el tal sujeto no cosecharía el trigo, ni las habas, ni todo lo que había plantado en los campos de Barret. Aquello sería para el demonio.*

Las palabras de Pimentó tranquilizaban a los vecinos, y éstos seguían con mirada atenta los progresos de la maldita familia, deseando en silencio que llegase pronto la hora de su ruina.

Una tarde volvió Batiste de Valencia, muy contento del resultado de su viaje. No quería en su casa brazos inútiles. Batistet, cuando no había labor en el campo, buscaba ocupación yendo a la ciudad a recoger estiércol. Quedaba la chica, una mocetona que, terminado el arreglo de la barraca, no servía para gran cosa, y gracias a la protección de los hijos de don Salvador, que se mostraban contentísimos con el nuevo arrendatario, acababa de conseguir que la admitiesen en una fábrica de sedas.

Desde el día siguiente, Roseta formaría parte del rosario de muchachas que, despertando con la aurora, iban por todas las sendas con la falda ondeante y la cestita al brazo camino de la ciudad, para hilar el sedoso capullo entre sus gruesos dedos de hijas de la huerta.

Al llegar Batiste a las inmediaciones de la taberna de Copa, un hombre apareció en el camino saliendo de una senda inmediata y marchó hacia él lentamente, dando a entender su deseo de hablarle.

Batiste se detuvo, lamentando en su interior no llevar consigo ni una mala navaja, ni una hoz, pero sereno, tranquilo, irguiendo su cabeza redonda con la expresión imperiosa tan temida por su familia y cruzando sobre el pecho los forzudos brazos de antiguo mozo de molino.

Conocía a aquel hombre, aunque jamás había hablado con él. Era Pimentó.

Al fin ocurría el encuentro que tanto había temido.

El valentón midió con una mirada al odiado intruso, y le habló con voz melosa, esforzándose por dar a su ferocidad y mala intención un acento de bondadoso consejo.

Quería decirle dos razones: hacía tiempo que lo deseaba; pero ¿cómo hacerlo, si nunca salía de sus tierras?

—*Dos rahonetes no més**...

Y soltó el par de razones, aconsejándole que dejase cuanto antes las tierras del tío Barret. Debía creer a los hombres que le querían bien, a los conocedores de las costumbres de la huerta. Su presencia allí era una ofensa, y la barraca casi nueva un insulto a la pobre gente. Había que seguir su consejo, e irse a otra parte con su familia.

Batiste sonreía irónicamente mientras hablaba Pimentó, y éste, al fin, pareció confundido por la serenidad del intruso, anonadado al encontrar un hombre que no sentía miedo en su presencia.

«¿Marcharse él?... No había guapo que le hiciera abandonar lo que era suyo, lo que estaba regado con su sudor y había de dar el pan a su familia. Él era un hombre pacífico, ¿estamos? pero si le buscaban las cosquillas, era tan valiente como el que más.* Cada cual que se meta en su negocio, y él haría bastante cumpliendo con el suyo sin faltar a nadie.* »

Luego, pasando ante el matón, continuó su camino, volviéndole la espalda con una confianza despectiva.

Pimentó, acostumbrado a que le temblase toda la huerta, se mostraba cada vez más desconcertado por la serenidad de Batiste.

—¿*Es la darrera paraula?**—le gritó cuando estaba ya a cierta distancia.

—*Sí; la darrera*—contestó Batiste sin volverse.

Y siguió adelante, desapareciendo en una revuelta del camino. A lo lejos, en la antigua barraca de Barret, ladraba el perro olfateando la proximidad de su amo.

Al quedar solo, Pimentó recobró su soberbia. «¡Cristo! ¡Y cómo se había burlado de él aquel tío!» Masculló algunas maldiciones, y cerrando el puño señaló amenazante la curva del camino por donde había desaparecido Batiste.

—*Tú me les pagarás**... ¡*Me les pagarás, morral!**

En su voz, trémula de rabia, vibraban condensados todos los odios de la huerta.

IV

Era jueves, y según una costumbre que databa de cinco siglos, el Tribunal de las Aguas* iba a reunirse en la puerta de los Apóstoles de la Catedral de Valencia.

El reloj de la torre llamada el Miguelete señalaba poco más de las diez y los huertanos juntábanse en corrillos o tomaban asiento en los bordes del tazón de la fuente que adorna la plaza, formando en torno al vaso una animada guirnalda de mantas azules y blancas, pañuelos rojos y amarillos o faldas de indiana de colores claros.

Llegaban unos tirando de sus caballejos con el serón* cargado de estiércol, contentos de la colecta hecha en las calles; otros en sus carros vacíos, procurando enternecer a los guardias municipales para que les dejasen permanecer allí; y mientras los viejos conversaban con las mujeres, los jóvenes se metían en el cafetín cercano, para matar el tiempo ante la copa de aguardiente, mascullando su cigarro de tres céntimos.

Toda la huerta que tenía agravios que vengar estaba allí, gesticulante y ceñuda, hablando de sus derechos, impaciente por soltar ante los síndicos o jueces de las siete acequias el interminable rosario de sus quejas.

El alguacil del tribunal, que llevaba más de cincuenta años de lucha con esta tropa insolente y agresiva, colocaba a la sombra de la portada ojival las piezas de un sofá* de viejo damasco, y tendía después una verja baja, cerrando el espacio de acera que había de servir de sala de audiencia.

La puerta de los Apóstoles, vieja, rojiza, carcomida por los siglos, extendiendo sus roídas bellezas a la luz del sol, formaba un fondo digno del antiguo tribunal: era como un dosel de piedra fabricado para cobijar una institución de cinco siglos.

En el tímpano aparecía la Virgen con seis ángeles de rígidas albas y alas de menudo plumaje, mofletudos, con llameante tupé

65

y pesados tirabuzones, tocando violas y flautas, caramillos y tambores. Corrían por los tres arcos superpuestos de la portada tres guirnaldas de figurillas, ángeles, reyes y santos, cobijándose en calados doseletes. Sobre robustos pedestales exhibíanse los doce apóstoles; pero tan desfigurados, tan maltrechos, que no los hubiera conocido Jesús: los pies roídos, las narices rotas, las manos cortadas; una fila de figurones, que más que apóstoles parecían enfermos escapados de una clínica mostrando dolorosamente sus informes muñones. Arriba, al final de la portada, abríase, como gigantesca flor cubierta de alambrado, el rosetón de colores que daba luz a la iglesia, y en la parte baja, en la base de las columnas adornadas con escudos de Aragón, la piedra estaba gastada, las aristas y los follajes borrosos por el frote de innumerables generaciones.

En este desgaste de la portada adivinábase el paso de la revuelta y el motín. Junto a estas piedras se había aglomerado y confundido todo un pueblo; allí se había agitado en otros siglos, vociferante y rojo de rabia, el valencianismo levantisco, y los santos de la portada, mutilados y lisos como momias egipcias, al mirar al cielo con sus rotas cabezas, parecían estar oyendo aún la revolucionaria campana de la Unión o los arcabuzazos de las Germanías.*

Terminó el alguacil de arreglar el tribunal y plantóse a la entrada de la verja, esperando a los jueces.

Iban llegando, solemnes, con una majestad de labriegos ricos, vestidos de negro, con blancas alpargatas y pañuelo de seda bajo el ancho sombrero. Cada uno llevaba tras sí un cortejo de guardas de acequia, de pedigüeños que antes de la hora de la justicia buscaban predisponer el ánimo del tribunal en su favor.

La gente labradora miraba con respeto a estos jueces salidos de su clase, cuyas deliberaciones no admitían apelación. Eran los amos del agua; en sus manos estaba la vida de las familias, el alimento de los campos, el riego oportuno, cuya carencia mata una cosecha. Y los habitantes de la extensa vega cortada por el río nutridor, como una espina erizada de púas que eran sus canales, designaban a los jueces por el nombre de las acequias que representaban.

Un vejete seco, encorvado, cuyas manos rojas y cubiertas de escamas temblaban al apoyarse en el grueso cayado, era Cuart de Faitanar; el otro, grueso y majestuoso, con ojillos que apenas si se veían bajo los dos puñados de pelo blanco de sus cejas, era Mislata; poco después llegaba Rascaña, un mocetón de planchada blusa y redonda cabeza de lego;* y tras ellos iban presentándose los demás, hasta siete: Favara, Robella, Tormos y Mestalla.

Ya estaba allí la representación de las dos vegas: la de la izquierda del río, la de las cuatro acequias, la que encierra la huerta de Ruzafa con sus caminos de frondoso follaje que van a extinguirse en los límites del lago de la Albufera, y la vega de la derecha del Turia, la poética, la de las fresas de Benimaclet, las chufas* de Alboraya y los jardines siempre exuberantes de flores.

Los siete jueces se saludaron como gente que no se ha visto en una semana. Luego hablaron de sus asuntos particulares junto a la puerta de la Catedral. De vez en cuando, abriéndose las mamparas cubiertas de anuncios religiosos, esparcíase en el ambiente cálido de la plaza una fresca bocanada de incienso, semejante a la respiración húmeda de un lugar subterráneo.

A las once y media, terminados los oficios divinos, cuando ya no salía de la Basílica más que alguna devota retrasada, comenzó a funcionar el tribunal.

Sentáronse los siete jueces en el viejo sofá; corrió de todos los lados de la plaza la gente huertana para aglomerarse en torno a la verja, estrujando sus cuerpos sudorosos, que olían a paja y lana burda, y el alguacil se colocó, rígido y majestuoso, junto al mástil rematado por un gancho de bronce, símbolo de la acuática justicia.

Descubriéronse las siete « acequias », quedando con las manos sobre las rodillas y la vista en el suelo, y el más viejo pronunció la frase de costumbre:

—*S'òbri el tribunal.*

Silencio absoluto. Toda la muchedumbre, guardando un recogimiento religioso, estaba allí, en plena plaza, como en un templo. El ruido de los carruajes, el arrastre de los tranvías, todo el estrépito de la vida moderna pasaba, sin rozar ni conmover esta institución antiquísima, que permanecía allí tranquila, como quien se halla en su casa, insensible al paso del tiempo, sin fijarse en el cambio radical de cuanto le rodeaba, incapaz de reforma alguna. Mostrábanse orgullosos los huertanos de su tribunal. Aquello era hacer justicia; la pena sentenciada inmediatamente, y nada de papeles, pues éstos sólo sirven para enredar a los hombres honrados.

La ausencia del papel sellado* y del escribano aterrador era lo que más gustaba a unas gentes acostumbradas a mirar con miedo supersticioso el arte de escribir, por lo mismo que lo desconocen. Allí no había secretarios, ni plumas, ni días de angustia esperando la sentencia, ni guardias terroríficos, ni nada más que palabras.

Los jueces guardaban las declaraciones de los testigos en su memoria y sentenciaban inmediatamente, con la tranquilidad del que sabe que sus decisiones han de ser cumplidas. Al que se insolentaba con el tribunal, multa; al que se negaba a cumplir la sentencia, le quitaban el agua para siempre y se moría de hambre.

Con este tribunal no jugaba nadie. Era la justicia patriarcal y sencilla del buen rey de las leyendas saliendo por las mañanas a la puerta del palacio para resolver las quejas de sus súbditos; el sistema judicial del jefe de cabila sentenciando a la entrada de su tienda. Así, así es como se castiga a los pillos* y triunfa el hombre honrado y hay paz.

Y el público, no queriendo perder palabra, hombres, mujeres y chicos estrujábanse contra la verja, retrocediendo algunas veces con violentos movimientos de espaldas para librarse de la asfixia. Iban compareciendo los querellantes al otro lado de la verja, ante aquel sofá tan venerable como el tribunal.

El alguacil les recogía las varas y cayados, considerándolos armas ofensivas, incompatibles con el respeto al tribunal. Los empujaba luego hasta dejarlos plantados a pocos pasos de los jueces, con la manta doblada sobre las manos; y si andaban remisos en descubrirse, de dos repelones les arrancaba el pañuelo de la cabeza. ¡Duro! A esta gente socarrona había que tratarla así.

Era el desfile una continua exposición de cuestiones intrincadas, que los jueces legos resolvían con pasmosa facilidad.

Los guardas de las acequias y los «atandadores»* encargados de establecer el turno en el riego formulaban sus denuncias, y comparecían los querellados a defenderse con razones. El viejo dejaba hablar a los hijos, que sabían expresarse con más energía; la viuda acudía acompañada de algún amigo del difunto, decidido protector que llevaba la voz por ella.

Asomaba la oreja* el ardor meridional en todos los juicios. En mitad de la denuncia del guarda, el querellado no podía contenerse. «¡Mentira! Lo que decían contra él era falso y malo. ¡Querían perderle!»

Pero las siete acequias acogían estas interrupciones con furibundas miradas. Allí nadie podía hablar mientras no le llegase el turno. A la otra interrupción pagaría tantos sueldos de multa. Y había testarudo que pagaba *sous** y más *sous*, impulsado por una rabiosa vehemencia que no le permitía callar ante el acusador.

Sin abandonar su asiento, los jueces juntaban sus cabezas como cabras juguetonas, cuchicheaban sordamente algunos segundos, y el más viejo, con voz reposada y solemne, pronunciaba la sentencia, marcando las multas en libras y sueldos, como si la moneda no hubiese sufrido ninguna transformación y aún fuese a pasar por el centro de la plaza el majestuoso Justicia,* gobernador popular de la Valencia antigua, con su gramalla roja y su escolta de ballesteros de la Pluma.

Eran más de las doce, y las siete acequias empezaban a mostrarse cansadas de tanto derramar pródigamente el caudal de su justicia, cuando el alguacil llamó a gritos a Bautista Borrull, denunciado por infracción y desobediencia en el riego.

Atravesaron la verja Pimentó y Batiste, y la gente aun se apretó más contra los hierros.

Veíanse en esta muchedumbre muchos de los que vivían en las inmediaciones de las antiguas tierras de Barret.

Este juicio tardío iba a ser interesante. El odiado novato había sido denunciado por Pimentó, que era el «atandador» de la partida o distrito.

Mezclándose en elecciones y galleando en toda la contornada, el valentón había conquistado este cargo, que le daba cierto aire de autoridad y consolidaba su prestigio entre los convecinos, los cuales le mimaban y le convidaban en días de riego para tenerle propicio.

Batiste estaba asombrado por la injusta denuncia. Su palidez era de indignación. Miraba con ojos de rabia todas las caras conocidas y burlonas que se agolpaban en la verja. Luego volvía los ojos hacia su enemigo Pimentó, que se contoneaba altivamente, como hombre acostumbrado a comparecer ante el tribunal y que se creía poseedor de una pequeña parte de su indiscutible autoridad.

—*Parle vosté**—dijo avanzando un pie la acequia más vieja, pues por vicio secular, el tribunal, en vez de valerse de las manos, señalaba con la blanca alpargata al que debía hablar.

Pimentó soltó su acusación. Aquel hombre que estaba junto a él, tal vez por ser nuevo en la huerta, creía que el reparto del agua era cosa de broma y que podía hacer su santísima voluntad.

Él, Pimentó, el «atandador» que representaba la autoridad de la acequia en su partida, había dado a Batiste la hora para regar su trigo: las dos de la mañana. Pero sin duda, el señor, no queriendo levantarse a tal hora, había dejado perder su turno, y a las cinco, cuando el agua era ya de otros, había alzado la compuerta sin permiso de nadie (primer delito), había robado el riego a los demás vecinos (segundo delito) e intentado regar sus campos, queriendo oponerse a viva fuerza a las órdenes del «atandador», lo que constituía el tercero y último delito.

El triple delincuente, volviéndose de mil colores e indignado por las palabras de Pimentó, no pudo contenerse:

—*¡Mentira y recontramentira!*

El tribunal se indignó ante la energía y la falta de respeto con que protestaba aquel hombre.

Si no guardaba silencio, se le impondría una multa. Pero ¡gran cosa eran las multas* para su reconcentrada cólera de hombre pacífico! Siguió protestando contra la injusticia de los hombres, contra el tribunal, que tenía por servidores a pillos y embusteros como Pimentó.

Alteróse el tribunal; las siete acequias se encresparon.

—¡*Cuatre sòus de multa!**—dijo el presidente.

Batiste, dándose cuenta de su situación, calló asustado por haber incurrido en multa, mientras sonaban al otro lado de la verja las risas y los aullidos de alegría de sus contrarios.

Quedó inmóvil, con la cabeza baja y los ojos empañados por lágrimas de cólera mientras su brutal enemigo acababa de formular la denuncia.

—*Parle vosté*—le dijo el tribunal.

Pero en las miradas de los jueces se notaba poco interés por este intruso alborotador que venía a turbar con sus protestas la solemnidad de las deliberaciones.

Batiste, trémulo por la ira, balbuceó, no sabiendo cómo empezar su defensa, por lo mismo que la creía justísima.

Había sido engañado; Pimentó era un embustero y además su enemigo implacable. Le había dicho que su riego era a las cinco (se acordaba muy bien), y ahora afirmaba que a las dos; todo para hacerle incurrir en multa, para matar unos trigos en los que estaba la vida futura de su familia... ¿Valía para el tribunal la palabra de un hombre honrado? Pues ésta era la verdad, aunque no podía presentar testigos. ¡Parecía imposible que los señores síndicos, todos buenas personas, se fiasen de un pillo como Pimentó!...

La blanca alpargata del presidente hirió una baldosa de la acera, conjurando el chaparrón de protestas y faltas de respeto que veía en lontananza.

—*Calle vosté.**

Y Batiste calló, mientras el monstruo de las siete cabezas, replegándose en el sofá de damasco, cuchicheaba preparando la sentencia.

—*El tribunal sentènsia**...—dijo la acequia más vieja; y se hizo un silencio absoluto.

Toda la gente de la verja mostraba en sus ojos cierta ansiedad, como si ellos fuesen los sentenciados. Estaban pendientes de los labios del viejo síndico.

—*Pagará el Batiste Borrull dos lliures de pena** y cuatre sòus de multa.*

Esparcióse un murmullo de satisfacción en el público, y hasta una vieja empezó a palmotear, gritando «¡vítor! ¡vítor!», entre las risotadas de la gente.

Batiste salió ciego* del tribunal, con la cabeza baja, como si fuera a embestir, y Pimentó permaneció prudentemente a sus espaldas.

Si la gente no se aparta,* abriéndole paso, seguramente hubiese disparado sus puños de hombre forzudo, aporreando allí mismo a la canalla hostil.

Inmediatamente se alejó. Iba a casa de sus amos a contarles lo ocurrido, la mala voluntad de aquella gente, empeñada en amargar su existencia; y una hora después, ya más calmado por las buenas palabras de los señores, emprendió el camino hacia su casa.

¡Insufrible tormento! Marchando junto a sus carros cargados de estiércol o montados en sus borricos sobre los serones vacíos, encontró en el hondo camino de Alboraya a muchos de los que habían presenciado el juicio.

Eran gentes enemigas, vecinos a los que no saludaba nunca.

Al pasar él junto a ellos, callaban, hacían esfuerzos para conservar su gravedad, aunque les brillaba en los ojos la alegre malicia; pero según iba alejándose, estallaban a su espalda insolentes risas, y hasta oyó la voz de un mozalbete que, remedando el grave tono del presidente del tribunal, gritaba:

—¡Cuatre sòus de multa!

Vio a lo lejos, en la puerta de la taberna de Copa, a su enemigo Pimentó, con el porrón* en la mano, ocupando el centro de un corro de amigos, gesticulante y risueño, como si imitase las protestas y quejas del denunciado. Su condena era un tema de regocijo para la huerta. Todos reían.

¡Rediós! Ahora comprendía él, hombre de paz y padre bondadoso, por qué los hombres matan.

Se estremecieron sus poderosos brazos; sintió una cruel picazón en las manos. Luego fue moderando el paso al acercarse a casa de Copa. Quería ver si se burlaban de él en su presencia.

Hasta pensó—novedad extraña—entrar por primera vez en la

taberna para beber un vaso de vino cara a cara con sus enemigos; pero las dos libras de multa las llevaba en el corazón, y se arrepintió de su generosidad. ¡Dichosas dos libras! Aquella multa era una amenaza para el calzado de sus hijos; iba a llevarse el montoncito de ochavos recogido por Teresa para comprar alpargatas nuevas a los pequeños.

Al pasar frente a la taberna, se ocultó Pimentó con la excusa de llenar el porrón, y sus amigos fingieron no ver a Batiste.

Su aspecto de hombre resuelto a todo imponía respeto a los enemigos.

Pero este triunfo le llenaba de tristeza. ¡Cómo le odiaba la gente! La vega entera alzábase ante él a todas horas, ceñuda y amenazante. Aquello no era vivir. Hasta de día evitaba el abandonar sus campos, rehuyendo el roce con los vecinos.

No les temía; pero, como hombre prudente, evitaba las cuestiones con ellos.

De noche dormía con zozobra, y muchas veces, al menor ladrido del perro, saltaba de la cama, lanzándose fuera de la barraca escopeta en mano. En más de una ocasión creyó ver negros bultos que huían por las sendas inmediatas.

Temía por su cosecha, por el trigo, que era la esperanza de la familia, y cuyo crecimiento seguían todos los de la barraca silenciosamente con miradas ávidas.

Conocía las amenazas de Pimentó, el cual, apoyado por toda la huerta, juraba que aquel trigo no había de segarlo su sembrador, y Batiste casi olvidaba a sus hijos para pensar en sus campos, en el oleaje verde que crecía y crecía bajo los rayos del sol y había de convertirse en rubios montones de mies.

El odio silencioso y reconcentrado le seguía en su camino. Apartábanse las mujeres frunciendo los labios, sin dignarse saludarle, como es costumbre en la huerta. Los hombres que trabajaban en los campos cercanos al camino llamábanse unos a otros con expresiones insolentes que indirectamente iban dirigidas a Batiste, y los chicuelos, desde lejos, gritaban: «¡*Morralón!** ¡*chodío!** », sin añadir más a tales insultos, como si estos sólo pudiesen ser aplicables al enemigo de la huerta.

¡Ah! Si él no tuviera sus puños de gigante, las espaldas enormes y aquel gesto de pocos amigos,* ¡qué pronto hubiera dado cuenta de él toda la vega!* Esperando cada uno que fuese su vecino el primero en atreverse, se contentaban con hostilizarle desde lejos.

Batiste, en medio de la tristeza que le infundía este vacío, experimentó una ligera satisfacción. Cerca ya de la barraca, cuando oía los ladridos de su perro, que le había adivinado, vio un muchacho, un zagalón, que, sentado en un ribazo, con la hoz entre las piernas y teniendo al lado unos montones de broza segada, se incorporó para saludarle:

—¡Bòn día, siñor Batiste!

Y el saludo, la voz trémula de muchacho tímido con que le habló, le impresionaron dulcemente.

Poca cosa era el afecto de este adolescente, y sin embargo experimentó la dulce impresión del calenturiento al sentir la frescura del agua.

Miró con cariño sus ojazos azules, su cara sonrosada cubierta por un vello rubio, y buscó en su memoria quién podía ser este mozo. Al fin recordó que era nieto del tío Tomba, el pastor ciego a quien respetaba toda la huerta; un buen muchacho, que servía de criado al carnicero de Alboraya, cuyo rebaño cuidaba el anciano.

—¡Grasies, chiquet, grasies!*—murmuró agradeciendo el saludo.

Y siguió adelante, siendo recibido por su perro, que saltaba ante él, restregando sus lanas en la pana de los pantalones.

Junto a la puerta de la barraca estaba la esposa, rodeada de los pequeños, esperando impaciente, por ser ya pasada la hora de comer.

Batiste miró sus campos, y toda la rabia sufrida una hora antes ante el Tribunal de las Aguas volvió de golpe, como una oleada furiosa, a invadir su cerebro.

Su trigo sufría sed. No había más que verlo. Tenía la hoja arrugada, y el tono verde, antes tan lustroso, era ahora de una amarilla transparencia. Le faltaba el riego, la tanda* que le había robado Pimentó con sus astucias de mal hombre, y no volvería a corresponderle hasta pasados quince días,* porque el agua escaseaba.   Y encima de esta desdicha, todo el rosario condenado de libras y sueldos de multa.   ¡Cristo!...

Comió sin apetito, contando a su mujer lo ocurrido en el tribunal.

La pobre Teresa escuchó a su marido, pálida, con la emoción de la campesina que siente punzadas en el corazón cada vez que ha de deshacer el nudo de la media guardadora del dinero en el fondo del arca.   «¡Reina soberana!*   ¡Se habían propuesto arruinarles!   ¡Qué disgusto a la hora de comer!... »

Y dejando caer su cuchara en la sartén de arroz, lloriqueó largamente, bebiéndose las lágrimas.   Después enrojeció con repentina rabia, mirando el pedazo de vega que se veía a través de la puerta, con sus blancas barracas y su oleaje verde, y extendiendo los brazos gritó: «¡Pillos!   ¡pillos!»

La gente menuda, asustada por el ceño del padre y los gritos de la madre, no se atrevía a comer.   Mirábanse unos a otros con indecisión y extrañeza, hurgábanse las narices por hacer algo* y acabaron todos por imitar a la madre, llorando sobre el arroz.

Batiste, excitado por el coro de gemidos, se levantó furioso. Casi volcó la pequeña mesa con una de sus patadas, y se lanzó fuera de la barraca.

¡Qué tarde!...   La sed de su trigo y el recuerdo de la multa eran dos feroces perros agarrados a su corazón.   Cuando el uno, cansado de morderle, iba durmiéndose, llegaba el otro a todo correr y le clavaba los dientes.

Quiso distraerse con el trabajo, y se entregó con toda su voluntad a la obra que llevaba entre manos: una pocilga levantada* en el corral.

Pero su trabajo adelantó poco.   Ahogábase entre las tapias; necesitaba ver su campo, como los que necesitan contemplar su desgracia para anegarse en la voluptuosidad del dolor.   Y con las manos llenas de barro volvió a salir de la barraca, quedando plantado ante su bancal de mustio trigo.

A pocos pasos, por el borde del camino, pasaba murmurando la acequia, henchida de agua roja.

La vivificante sangre de la huerta iba lejos, para otros campos cuyos dueños no tenían la desgracia de ser odiados; y su pobre trigo allí, arrugándose, languideciendo, agitando su cabellera verde, como si hiciera señas al agua para que se aproximara y le acariciase con un fresco beso.

A Batiste le pareció que el sol era más caliente que otros días. Caía el astro en el horizonte, y sin embargo, el pobre labriego se imaginó que sus rayos eran verticales y lo incendiaban todo.

Su tierra se resquebrajaba, abríase en tortuosas grietas, formando mil bocas que en vano esperaban un sorbo.

No aguantaría el trigo su sed hasta el próximo riego. Moriría antes seco, la familia no tendría pan; y después de tanta miseria, ¡multa encima!*... ¿Y aún dicen si los hombres se pierden?*...

Movíase furioso en los linderos de su bancal. « ¡Ah, Pimentó! ¡Grandísimo granuja!... ¡Si no hubiera Guardia Civil!»

Y como los náufragos agonizantes de hambre y de sed, que en sus delirios sólo ven mesas de festín y clarísimos manantiales, Batiste contempló imaginariamente campos de trigo con los tallos verdes y erguidos y el agua entrando a borbotones por las bocas de los ribazos, extendiéndose con un temblor luminoso, como si riera suavemente al sentir las cosquillas de la tierra sedienta.

Al ocultarse el sol, experimentó Batiste cierto alivio, como si el astro se apagara para siempre y su cosecha quedase salvada.

Se alejó de sus campos, de su barraca, yendo insensiblemente camino abajo, con paso lento, hacia la taberna de Copa. Ya no pensaba en la existencia de la Guardia Civil y acogía con gusto la posibilidad de un encuentro con Pimentó, que no debía andar lejos de la taberna.

Venían hacia él por los bordes del camino los veloces rosarios de muchachas, cesta al brazo y falda revoloteante, de regreso de las fábricas de la ciudad.

Azuleaba la huerta bajo el crepúsculo. En el fondo, sobre las obscuras montañas, coloreábanse las nubes con resplandor de lejano incendio; por la parte del mar temblaban en el infinito las primeras estrellas; ladraban los perros tristemente; con el canto monótono de ranas y grillos confundíase el chirrido de carros invisibles alejándose por todos los caminos de la inmensa llanura.

Batiste vio venir a su hija, separada de las otras muchachas, caminando con paso perezoso. Sola no. Creyó ver que hablaba con un hombre, el cual seguía la misma dirección que ella, aunque algo separado, como van siempre los novios en la huerta, pues la aproximación es para ellos signo de pecado.*

Al distinguir a Batiste en medio del camino, el hombre fue retrasando su marcha y quedó lejos cuando Roseta llegó junto a su padre.

Éste permaneció inmóvil, con el deseo de que el desconocido siguiese adelante, para conocerle.

—¡Bòna nit,* siñor Batiste!

Era la misma voz tímida que le había saludado a mediodía: el nieto del tío Tomba. Este zagal no parecía tener otra ocupación que vagar por los caminos para saludarle y metérsele por los ojos con blanda dulzura.

Miró a su hija, que enrojecía bajando los ojos.

—¡A casa, a casa! ¡Yo t'arreglaré!*

Y con la terrible majestad del padre latino, señor absoluto de sus hijos, más propenso a infundir miedo que a inspirar afecto, empezó a andar seguido por la trémula Roseta, la cual, al acercarse a su barraca, creía marchar hacia una paliza segura.

Se equivocó. El pobre padre no tenía en aquel momento más hijos en el mundo que su cosecha, el trigo enfermo, arrugado, sediento, que le llamaba a gritos pidiendo un sorbo para no morir.

Y en esto pensó mientras su mujer arreglaba la cena. Roseta iba de un lado a otro fingiendo ocupaciones para no llamar la atención, esperando de un momento a otro el estallido de la cólera paternal. Y Batiste seguía pensando en su campo, sentado ante la mesilla enana, rodeado de toda su familia menuda, que a la luz del candil miraba con avaricia una cazuela humeante de bacalao* con patatas.

La mujer todavía suspiraba pensando en la multa, y establecía sin duda comparaciones entre la cantidad fabulosa que iban a arrancarle y el desahogo con que toda la familia movía sus mandíbulas.

Batiste apenas comió, ocupado en contemplar la voracidad de

los suyos. Batistet, el hijo mayor, hasta se apoderaba con fingida distracción de los mendrugos de los pequeños. A Roseta, el miedo le daba un apetito feroz.

Nunca como entonces comprendió Batiste la carga que pesaba sobre sus espaldas. Aquellas bocas que se abrían para tragarse los escasos ahorros de la familia quedarían sin alimento si lo de fuera* llegaba a secarse.

¿Y todo por qué? Por la injusticia de los hombres, porque hay leyes para molestar a los trabajadores honrados... No debía pasar por ello. Su familia antes que nadie. ¿No estaba dispuesto a defender a los suyos de los mayores peligros? ¿No tenía el deber de mantenerles?... Hombre era él capaz de convertirse en ladrón para darles de comer. ¿Por que había de someterse, cuando no se trataba de robar, sino de la salvación de su cosecha, de lo que era muy suyo?*

La imagen de la acequia que a poca distancia arrastraba su caudal murmurante para otros, era para él un martirio. Enfurecíale que la vida pasase junto a su puerta sin poder aprovecharla, porque así lo querían las leyes.

De repente se levantó, como hombre que adopta una resolución y para cumplirla lo atropella todo:

—¡A regar! ¡a regar!

La mujer se asustó, adivinando instantáneamente todo el peligro de tan desesperada resolución. «¡Por Dios, Batiste!... Le impondrían una multa mayor; tal vez los del tribunal, ofendidos por la rebeldía, le quitasen el agua para siempre. Había que pensarlo... Era mejor esperar.»

Pero Batiste tenía la cólera firme de los hombres flemáticos y cachazudos, que cuando pierden la calma tardan mucho a recobrarla.

—¡A regar! ¡a regar!

Y Batistet, repitiendo alegremente las palabras de su padre, cogió los azadones y salió de la barraca seguido de su hermana y los pequeños.

Todos querían tomar parte en este trabajo, que parecía una fiesta.

La familia sentía el alborozo de un pueblo que con la rebeldía recobra la libertad.

Marcharon todos hacia la acequia, que murmuraba en la sombra. La inmensa vega perdíase en azulada penumbra; ondulaban los cañares como rumorosas y obscuras masas, y las estrellas parpadeaban en el espacio negro.

Batiste se metió en la acequia hasta las rodillas, colocando la barrera* que había de detener las aguas, mientras su hijo, su mujer y hasta su hija atacaban con los azadones el ribazo, abriendo boquetes por donde entraba el riego a borbotones.

Toda la familia experimentó una sensación de frescura y bienestar.

La tierra cantaba de alegría con un goloso glu-glu que les llegaba al corazón a todos ellos. « ¡Bebe, bebe, pobrecita!» Y hundían sus pies en el barro, yendo encorvados de un lado a otro del campo, para ver si el agua llegaba a todas partes.

Batiste mugió con la satisfacción cruel que produce el goce de lo prohibido. ¡Qué peso se quitaba de encima!... Podían venir ahora los del tribunal y hacer lo que quisieran. Su campo bebía; esto era lo importante.

Y como su fino oído de hombre habituado a la soledad creyó percibir cierto rumor inquietante en los vecinos cañares, corrió a la barraca, para volver inmediatamente empuñando su escopeta nueva.

Con el arma sobre el brazo y el dedo en el gatillo, estuvo más de una hora junto a la barrera de la acequia.

El agua no pasaba adelante: se derramaba en los campos de Batiste, que bebían y bebían con la sed del hidrópico.

Tal vez los de abajo se quejaban; tal vez Pimentó, advertido como «atandador», rondaba por las inmediaciones, indignado por el insolente ataque a la ley.

Pero allí estaba Batiste como centinela de su cosecha, desesperado héroe de la lucha por la vida, guardando los suyos, que se agitaban sobre el campo extendiendo el riego, dispuesto a soltarle un escopetazo al primero que intentase echar la barrera restableciendo el curso legal del agua.

Era tan fiera su actitud destacándose erguido en medio de la acequia, se adivinaba en este fantasma negro tal resolución de recibir a tiros al que se presentase, que nadie salió de los inmediatos cañares, y bebieron sus campos durante una hora sin protesta alguna.

Y lo que es más extraño: el jueves siguiente, el « atandador » no le hizo comparecer ante el Tribunal de las Aguas.

La huerta se había enterado de que en la antigua barraca de Barret el único objeto de valor era una escopeta de dos cañones, comprada recientemente por el intruso con esa pasión africana del valenciano, que se priva gustoso del pan por tener detrás de la puerta de su vivienda un arma nueva que excite envidias e inspire respeto.

V

Todos los días, al amanecer, saltaba de la cama Roseta, la hija de Batiste, y con los ojos hinchados por el sueño, extendiendo los brazos con gentiles desperezos que estremecían todo su cuerpo de rubia esbelta, abría la puerta de la barraca.

Chillaba la garrucha del pozo, saltaba ladrando de alegría junto a sus faldas el feo perrucho que pasaba la noche fuera de la barraca, y Roseta, a la luz de las últimas estrellas, echábase en cara y manos todo un cubo de agua fría sacada de aquel agujero redondo y lóbrego, coronado en su parte alta por espesos manojos de hiedra.

Después, a la luz del candil, iba y venía por la barraca preparando su viaje a Valencia.

La madre la seguía sin verla desde la cama, para hacerle toda clase de indicaciones. Podía llevarse las sobras de la cena; con esto y tres sardinas que encontraría en el vasar tenía bastante. Cuidado con romper la cazuela, como el otro día. ¡Ah! Y que no olvidase comprar hilo, agujas y unas alpargatas para el pequeño. ¡Criatura más destrozona!*... En el cajón de la mesita encontraría el dinero.

Y mientras la madre daba una vuelta en la cama, dulcemente acariciada por el calor del *estudi*, proponiéndose dormir media hora más junto al enorme Batiste, que roncaba sonoramente, Roseta seguía sus evoluciones. Colocaba la mísera comida en una cestita, se pasaba un peine por los pelos de un rubio claro, como si el sol hubiese devorado su color, se anudaba el pañuelo bajo la barba, y antes de salir volvíase con un cariño de hermana mayor para ver si los chicos estaban bien tapados, inquieta por esta gente menuda, que dormía en el suelo de su mismo *estudi*, y acostada en orden de mayor a menor—desde el grandullón Batistet hasta el pequeñuelo que apenas hablaba—, parecía la tubería de un órgano.

—*Vaya, adiós. ¡Hasta la nit!**—gritaba la animosa muchacha pasando su brazo por el asa de la cestita, y cerraba la puerta de la barraca, echando la llave por el resquicio inferior.

Ya era de día. Bajo la luz acerada del amanecer veíase por sendas y caminos el desfile laborioso marchando en una sola dirección, atraído por la vida de la ciudad.

Pasaban los grupos de airosas hilanderas con un paso igual, moviendo garbosamente el brazo derecho, que cortaba el aire como un remo, y chillando todas a coro cada vez que algún mocetón las saludaba desde los campos vecinos con palabras amorosas.

Roseta marchaba sola hacia la ciudad. Bien sabía la pobre lo que eran sus compañeras, hijas y hermanas de los enemigos de su familia.

Varias de ellas trabajaban en su fábrica, y la pobre rubita, más de una vez, haciendo de tripas corazón,* había tenido que defenderse a arañazo limpio. Aprovechando sus descuidos, arrojaban cosas infectas en la cesta de su comida; romperle la cazuela lo habían hecho varias veces, y no pasaban junto a ella en el taller sin que dejasen de empujarla sobre el humeante perol donde era ahogado el capullo,* llamándola hambrona* y dedicando otros elogios parecidos a su familia.

En el camino huía de todas ellas como de un tropel de furias, y únicamente sentíase tranquila al verse dentro de la fábrica, un caserón antiguo cerca del Mercado, cuya fachada, pintada al fresco en el siglo XVIII, todavía conservaba entre desconchaduras y grietas ciertos grupos de piernas de color rosa y caras de perfil bronceado, restos de medallones y pinturas mitológicas.

Roseta era de toda la familia la más parecida a su padre: «una fiera para el trabajo», como decía Batiste de sí mismo. El vaho ardoroso de los pucheros donde se ahogaba el capullo subíasele a la cabeza, escaldándole los ojos; pero a pesar de esto, permanecía firme en su sitio, buscando en el fondo del agua hirviente los cabos sueltos de aquellas cápsulas de seda blanducha, de un suave color de caramelo, en cuyo interior acababa de morir achicharrado el gusano laborioso, la larva de preciosa baba, por el delito de fabricarse una rica mazmorra para su transformación en mariposa.

Reinaba en el caserón un estrépito de trabajo ensordecedor y fatigoso para las hijas de la huerta, acostumbradas a la calma de la inmensa llanura, donde la voz se transmite a enormes distancias. Abajo mugía la máquina de vapor, dando bufidos espantosos que se transmitían por las múltiples tuberías; rodaban poleas y tornos con un estrépito de mil diablos; y por si no bastase tanto ruido, las hilanderas, según costumbre tradicional, cantaban a coro con voz gangosa el *Padre nuestro*, el *Ave María* y el *Gloria Patri*, con la misma tonadilla del llamado Rosario de la Aurora, procesión que desfila por los senderos de la huerta los domingos al amanecer.

Esta devoción no les impedía que riesen cantando, y por lo bajo, entre oración y oración, se insultasen y apalabrasen para darse cuatro arañazos a la salida, pues estas muchachas morenas, esclavizadas por la rígida tiranía que reina en la familia labriega y obligadas por preocupación hereditaria a estar siempre ante los hombres con los ojos bajos, eran allí verdaderos demonios al verse juntas y sin freno, complaciéndose sus lenguas en soltar todo lo oído en los caminos a carreteros y labradores.

Roseta era la más callada y laboriosa. Para no distraerse en su trabajo, se abstenía de cantar y jamás provocó riñas. Tenía tal facilidad para aprenderlo todo, que a las pocas semanas ganaba tres reales diarios, casi el máximum del jornal, con grande envidia de las otras.

Mientras las bandas de muchachas despeinadas salían de la fábrica a la hora de comer para engullirse el contenido de sus cazuelas en los portales inmediatos, hostilizando a los hombres con miradas insolentes para que les dijesen algo y chillar después falsamente escandalizadas, emprendiendo con ellos un tiroteo de desvergüenzas, Roseta quedábase en un rincón del taller sentada en el suelo, con dos o tres jóvenes que eran de la otra huerta, de la orilla derecha del río, y maldito si les interesaba la historia del tío Barret y los odios de sus compañeras.

En las primeras semanas, Roseta veía con cierto terror la llegada del anochecer, y con él la hora de la salida...

Temiendo a las compañeras que seguían su mismo camino, entreteníase en la fábrica algún tiempo, dejándolas salir delante como una tromba, de la que partían escandalosas risotadas, aleteos de faldas, atrevidos dicharachos y olor de salud, de miembros ásperos y duros.

Caminaba perezosamente por las calles de la ciudad en los fríos crepúsculos de invierno, comprando los encargos de su madre, deteniéndose embobada ante los escaparates que empezaban a iluminarse, y al fin, pasando el puente, se metía en los obscuros callejones de los arrabales para salir al camino de Alboraya.

Hasta aquí todo iba bien. Pero después caía en la huerta obscura, con sus ruidos misteriosos, sus bultos negros y alarmantes que pasaban saludándola con un «¡Bòna nit!» lúgubre, y comenzaban para ella el miedo y el castañeteo de dientes.

No la intimidaban el silencio y la obscuridad. Como buena hija del campo, estaba acostumbrada a ellos. La certeza de que no iba a encontrar a nadie en el camino la hubiera dado confianza. En su terror, jamás pensaba, como sus compañeras, en muertos, ni en brujas y fantasmas. Los que la inquietaban eran los vivos. Recordaba con pavor ciertas historias de la huerta oídas en la fábrica: el miedo de las jóvenes a Pimentó y otros jaques de los que se reunían en casa de Copa: desalmados que, aprovechándose de la obscuridad, empujaban a las muchachas solas al fondo de las regaderas en seco o las hacían caer detrás de los pajares. Y Roseta, que ya no era inocente* después de su entrada en la fábrica, dejaba correr su imaginación hasta los últimos límites de lo horrible, viéndose asesinada por uno de estos monstruos, con el vientre abierto y rebañado por dentro lo mismo que los niños de que hablaban las leyendas de la huerta, a los cuales unos verdugos misteriosos sacaban las mantecas, confeccionando milagrosos medicamentos para los ricos.*

En los crepúsculos de invierno, obscuros y muchas veces lluviosos, salvaba Roseta temblando más de la mitad del camino. Pero el trance más cruel, el obstáculo más temible, estaba casi al final, cerca ya de su barraca, y era la famosa taberna de Copa.

Allí estaba la cueva de la fiera. Era este trozo de camino el más concurrido e iluminado. Rumor de voces, estallidos de risas, guitarreos y coplas a grito pelado salían por aquella puerta roja como una boca de horno, que arrojaba sobre el camino negro un cuadro de luz cortado por la agitación de grotescas sombras. Y sin embargo, la pobre hilandera, al llegar cerca de allí, deteníase indecisa, temblorosa, como las heroínas de los cuentos ante la cueva del ogro, dispuesta a meterse a campo traviesa para dar vuelta por detrás del edificio, a hundirse en la acequia que bordeaba el camino y deslizarse agazapada por entre los ribazos; a cualquier cosa, menos a pasar frente a la rojiza boca que despedía el estrépito de la borrachera y la brutalidad.

Al fin se decidía. Realizaba un esfuerzo de voluntad, como el que va a arrojarse de una altura, y siguiendo el borde de la acequia, con paso ligerísimo y el equilibrio portentoso que da el miedo, pasaba veloz ante la taberna.

Era una exhalación, una sombra blanca que no llegaba a fijarse por su rapidez en los turbios ojos de los parroquianos de Copa. Pasada la taberna, la muchacha corría y corría, creyendo que alguien iba a sus alcances, esperando sentir en su falda el tirón de una zarpa poderosa.

No se serenaba hasta escuchar el ladrido del perro de su barraca, aquel animal feísimo, que por antítesis sin duda era llamado Lucero, y el cual la recibía en medio del camino con cabriolas, lamiendo sus manos.

Nunca le adivinaron a Roseta en su casa los terrores pasados en el camino. La pobre muchacha componía el gesto al entrar en la barraca, y a las preguntas de su madre, inquieta, contestaba echándola de valerosa y afirmando que había llegado con unas compañeras.

No quería que su padre tuviese que salir por las noches al camino para acompañarla. Conocía el odio de la vecindad; la taberna de Copa con su gente pendenciera le inspiraba mucho miedo.

Y al día siguiente volvía a la fábrica, para sufrir los mismos temores al regreso, animada únicamente por la esperanza de que pronto vendría la primavera, con sus tardes más largas y los crepúsculos luminosos, que la permitirían volver a la barraca antes que obscureciese.

Una noche experimentó Roseta cierto alivio. Cerca aún de la ciudad, salió al camino un hombre que empezó a marchar al mismo paso que ella.

—¡Bòna nit!

Y mientras la hilandera iba por el alto ribazo que bordeaba el camino, el hombre marchaba por el fondo, entre los profundos surcos abiertos por las ruedas de los carros, tropezando en ladrillos rotos, pucheros desportillados y hasta objetos de vidrio, con los que manos previsoras querían cegar los baches de remoto origen.

Roseta se mostraba tranquila: había conocido a su compañero apenas la saludó. Era Tonet,* el nieto del tío Tomba el pastor: un buen muchacho, que servía de criado al carnicero de Alboraya, y de quien se burlaban las hilanderas al encontrarle en el camino, complaciéndose en ver cómo enrojecía, volviendo la cara, a la menor palabra.

¡Chico más tímido!... No tenía en el mundo otros parientes que su abuelo; trabajaba hasta en los domingos, y lo mismo iba a Valencia a recoger estiércol para los campos de su amo, como le ayudaba en las matanzas de reses y labraba la tierra o llevaba carne a las alquerías ricas. Todo a cambio de malcomer él y su abuelo y de ir hecho un rotoso,* con ropas viejas de su amo. No fumaba; había entrado dos o tres veces en su vida en casa de Copa, y los domingos, si tenía algunas horas libres, en vez de estarse en la plaza de Alboraya puesto en cuclillas como los demás, viendo a los mozos guapos jugar a la pelota, íbase al campo, vagando sin rumbo por la enmarañada red de sendas, y si encontraba algún árbol cargado de pájaros, allí se quedaba embobado por el revoloteo y los chillidos de estos bohemios de la huerta. La gente veía en él algo de la extravagancia misteriosa de su abuelo el pastor, y todos lo consideraban como un infeliz, tímido y dócil.

La hilandera se animó con su compañía. Era más seguro para ella marchar al lado de un hombre, y más si éste era Tonet, que inspiraba confianza.

Le habló, preguntándole de dónde venía, y el joven sólo supo contestar vagamente con su habitual timidez: « *D'ahí**... *d'ahí*... » Luego calló, como si estas palabras le costasen inmenso esfuerzo. Siguieron el camino en silencio, separándose cerca de la barraca.

—*¡Bòna nit y grasies!**—dijo la muchacha.

—*¡Bòna nit!*—y desapareció Tonet marchando hacia el pueblo.

Fue para ella un incidente sin importancia, un encuentro agradable, que la había quitado el miedo; nada más. Y sin embargo, Roseta aquella noche cenó y se acostó pensando en el nieto del tío Tomba.

Ahora recordaba las veces que le había encontrado por la mañana en el camino, y hasta le parecía que Tonet procuraba marchar siempre al mismo paso que ella, aunque algo separado para no llamar la atención de las mordaces hilanderas... En ciertas ocasiones, al volver bruscamente la cabeza, creía haberle sorprendido con los ojos fijos en ella...

Y la muchacha, como si estuviera hilando un capullo, agarraba estos cabos sueltos de su memoria y tiraba y tiraba, recordando todo lo de su existencia que tenía relación con Tonet: la primera vez que lo vio, y su compasiva simpatía por las burlas de las hilanderas, que él soportaba cabizbajo y tímido, como si estas arpías en banda le inspirasen miedo; después, los frecuentes encuentros en el camino y las miradas fijas del muchacho, que parecían querer decirla algo.

Al ir a Valencia en la mañana siguiente, no le vio; pero por la noche, al emprender el regreso a su barraca, no sentía miedo, a pesar de que el crepúsculo era obscuro y lluvioso. Presentía la aparición del tranquilizante compañero, y efectivamente, le salió al paso casi en el mismo punto que el día anterior.

Fue tan expresivo como siempre: « *¡Bòna nit!* », y siguió andando al lado de ella.

Roseta se mostró más locuaz. ¿De dónde venía? ¡Qué casualidad, encontrarse dos días seguidos! Y él, tembloroso, cual si las palabras le costasen gran esfuerzo, contestaba como siempre: « *D'ahí*... *d'ahí*... »

La muchacha, que en realidad era tan tímida como él, sentía sin embargo deseos de reírse de su turbación. Ella habló de su miedo, de los sustos que durante el invierno pasaba en el camino; y Tonet, halagado por el servicio que prestaba a la joven, despegó los labios al fin, para decirla que la acompañaría con frecuencia. Él siempre tenía asuntos de su amo que le obligaban a marchar por la vega.

Se despidieron con el laconismo del día anterior; pero aquella noche la muchacha se revolvió en la cama, inquieta, nerviosa, soñando mil disparates, viéndose en un camino negro, muy negro, acompañada por un perro enorme que le lamía las manos y tenía la misma cara que Tonet. Después salía un lobo a morderla, con un hocico que recordaba vagamente al odiado Pimentó, y reñían los dos animales a dentelladas, y salía su padre con un garrote, y ella lloraba como si la soltasen en las espaldas los garrotazos que recibía su pobre perro; y así seguía desbarrando su imaginación, pero viendo siempre en las atropelladas escenas de su ensueño al nieto del tío Tomba, con sus ojos azules y su cara de muchacha cubierta por un vello rubio, que era el primer asomo de la edad viril.

Se levantó quebrantada, como si saliese de un delirio. Aquel día era domingo y no iba a la fábrica. Entraba el sol por el ventanillo de su *estudi* y toda la gente de la barraca estaba ya fuera de la cama. Roseta comenzó a arreglarse para ir con su madre a misa.

El endiablado ensueño aún la tenía trastornada. Sentíase otra, con distintos pensamientos, cual si la noche anterior fuese una pared que dividía en dos partes su existencia.

Cantaba alegre como un pájaro, mientras iba sacando la ropa del arca y la colocaba sobre su lecho, aún caliente y con las huellas de su cuerpo.

Mucho le gustaban los domingos, con su libertad para levantarse más tarde, sus horas de holganza y su viajecito a Alboraya para oír la misa; pero aquel domingo era mejor que los otros, brillaba más el sol, cantaban con más fuerza los pájaros, entraba por el ventanillo un aire que olía a gloria: ¡cómo decirlo!... en fin, que la mañana tenía para ella algo nuevo y extraordinario.

Se echaba en cara haber sido hasta entonces una mujer sin cuidados para sí misma.* A los diez y seis años ya era hora de que pensase en arreglarse. ¡Cuán estúpida había sido al reír de su madre siempre que la llamaba desgarbada!...

Y como si fuese una gala nueva que veía por primera vez, metióse por la cabeza con gran cuidado, cual si fuese de sutiles blondas, la saya de percal de todos los domingos. Luego se apretó mucho el corsé, como si no le oprimiese aún bastante aquel armazón de altas palas,* un verdadero corsé de labradora, que aplastaba con crueldad el naciente pecho, pues en la huerta valenciana es impudor que las solteras no oculten los seductores adornos de la Naturaleza, para que nadie pueda pecaminosamente suponer en la virgen la futura maternidad.

Por primera vez en su vida pasó la hilandera más de un cuarto de hora ante el medio palmo de cristal con azogue* y marco de pino barnizado que le regaló su padre, espejo en el que había que contemplar la cara por secciones.

Ella no era gran cosa,* lo reconocía; pero de más feas se encontraban a docenas en la huerta. Y sin saber por qué, se deleitaba contemplando sus ojos de un verde claro; las mejillas moteadas de esas pecas que el sol hace surgir de la piel tostada; el pelo rubio blanquecino, con la finura flácida de la seda; la naricita de alas palpitantes cobijando una boca sombreada por el vello de un fruto sazonado, y que al entreabrirse mostraba una dentadura fuerte e igual, de blancura de leche, cuyo brillo parecía iluminar su rostro: una dentadura de pobre.

Su madre tuvo que aguardar. En vano la pobre mujer la dio prisa, revolviéndose impaciente en la barraca, como espoleada por la campana que sonaba a lo lejos. Iban a perder la misa. Mientras tanto, Roseta se peinaba con calma, para deshacer a continuación su obra, poco satisfecha de ella. Luego se arreglaba la mantilla con tirones de enfado, no encontrándola nunca de su gusto.

En la plaza de Alboraya, al entrar y al salir de la iglesia, Roseta, levantando apenas sus ojos, escudriñó la puerta del carnicero, donde la gente se agolpaba en torno a la mesa de venta.

Allí estaba él, ayudando a su amo, dándole pedazos de carnero desollado y espantando las nubes de moscas que cubrían la carne.

¡Cómo enrojeció el borregote viéndola!... Al pasar ella por segunda vez, quedó como encantado, con una pierna de cordero en la diestra sin dársela a su panzudo patrón, que en vano la esperaba, y el cual, soltando un taco redondo, llegó a amenazarle con su cuchilla.

La tarde fue triste. Sentada a la puerta de su barraca, creyó sorprenderle varias veces rondando por sendas algo lejanas, o escondiéndose en los cañares para mirarla. La hilandera deseaba que llegase pronto el lunes, para ir a la fábrica y pasar al regreso el horrible camino acompañada por Tonet.

No dejó de presentarse el muchacho al anochecer el día siguiente.

Más cerca aun de la ciudad que en los otros días, salió al encuentro de Roseta.

—¡*Bòna nit!*

Pero después de la salutación de costumbre no calló. Aquel tímido parecía haber progresado mucho durante el día de descanso.

Y torpemente, acompañando sus expresiones con muecas y arañazos en las perneras del pantalón, fue explicándose, aunque entre palabra y palabra transcurrían a veces dos minutos. Se alegraba de verla buena... (Sonrisa de Roseta y un «*grasies*» murmurado tenuemente.) ¿Se había divertido mucho el domingo?... (Silencio.) Él lo había pasado bastante mal. Se aburría. Sin duda la costumbre... pues... parecía que le faltaba algo... ¡Claro! le había tomado ley al camino... no, al camino no; lo que le gustaba era acompañarla...

Y aquí paró en seco. Hasta le pareció a Roseta que se mordía nerviosamente la lengua para castigarla por su atrevimiento, y se pellizcaba en los sobacos por haber ido tan lejos.

Caminaron mucho rato en silencio. La muchacha no contestaba; seguía su marcha con el contoneo airoso de las hilanderas, la cesta en la cadera izquierda y el brazo derecho cortando el aire con un vaivén de péndulo.

Pensaba en su ensueño. Se imaginó estar en pleno delirio, viendo extravagancias, y varias veces volvió la cabeza creyendo percibir en la obscuridad aquel perro que le lamía las manos y tenía la cara de Tonet, recuerdo que aún le hacía reír. Pero no; lo que llevaba al lado era un buen mozo capaz de defenderla; algo tímido y encogido, eso sí, con la cabeza baja, como si las palabras que aún tenía por decir se le hubieran deslizado hasta el pecho y allí estuviesen pinchándole.

Roseta aun le confundió más. « Vamos a ver: ¿por qué hacía aquello? ¿por qué salía a acompañarla en su camino? ¿qué diría la gente? Si su padre se enteraba, ¡qué disgusto!... »

—¿Per qué?*... ¿per qué?—preguntaba la muchacha.

Y el mozo, cada vez más triste, más encogido, como un reo convicto que oye su acusación, nada contestó. Marchaba al mismo paso que la joven, pero separándose de ella, dando tropezones en el borde del camino. Roseta hasta creyó que iba a llorar.

Pero cerca ya de la barraca, cuando iban a separarse, Tonet tuvo un arranque de tímido. Habló con la misma violencia que había callado; y como si no hubiesen transcurrido muchos minutos, contestó a la pregunta de la muchacha:

—¿Per qué?... Perque 't vullc.*

Lo dijo aproximándose a ella hasta lanzarle su aliento a la cara, brillándole los ojos como si por ellos se le saliera toda la verdad; y después de esto, arrepentido otra vez, miedoso, aterrado por sus palabras, echó a correr como un niño.

¡Tonet la quería!... Hacía dos días que la muchacha esperaba estas palabras, y sin embargo le causaron el efecto de una revelación inesperada. También ella le quería; y toda la noche, hasta en sueños, estuvo oyendo, murmuradas por mil voces junto a sus oídos, la misma frase: « Perque 't vullc. »

No esperó Tonet a la noche siguiente. Al amanecer le vio Roseta en el camino, casi oculto tras el tronco de una morera, mirándola con zozobra, como un niño que teme la reprimenda y está arrepentido, dispuesto a huir al primer gesto de desagrado. Pero la hilandera sonrió ruborizándose, y ya no hubo más.*

Todo estaba hablado; no volvieron a decirse que se querían,

pero era cosa convenida el noviazgo, y Tonet no faltó ni una sola vez a acompañarla en su camino.

El panzudo carnicero bramaba de coraje con el repentino cambio de su criado, antes tan diligente y ahora siempre inventando pretextos para pasar horas y más horas en la huerta, especialmente al anochecer.

Pero con el egoísmo de su dicha, Tonet se preocupaba tanto de los tacos y amenazas de su amo, como la hilandera de su temido padre, ante el cual sentía ordinariamente más miedo aun que respeto.

Roseta tenía siempre en su *estudi* algún nido, que decía haber encontrado en el camino. Su novio no sabía presentarse con las manos vacías, y exploraba todos los cañares y árboles de la huerta para regalar a la hilandera ruedas de pajas y ramitas, en cuyo fondo unos cuantos pilluelos, con la rosada piel cubierta de finísimo pelo y el trasero desnudo, piaban desesperadamente, abriendo un pico descomunal jamás ahito de migas.

Roseta guardaba el regalo en su cuarto, como si fuese la misma persona de su novio, y lloraba cuando sus hermanos, la gente menuda que tenía por nido la barraca, en fuerza de admirar a los pajaritos, acababan por retorcerles el pescuezo.

Otras veces aparecía Tonet con un bulto en el vientre: la faja llena de altramuces* y cacahuetes, comprados en casa de Copa; y siguiendo el camino lentamente, comían y comían, mirándose el uno en los ojos del otro, sonriendo como unos tontos sin saber de qué, sentándose muchas veces en un ribazo sin darse cuenta de ello.

Ella era la más juiciosa, y le reprendía. ¡Siempre gastando dinero! Eran dos reales o poco menos lo que en una semana había dejado en la taberna con tantos obsequios. Y él se mostraba generoso. ¿Para quién quería los cuartos sino para ella? Cuando se casaran—alguna vez habría de ser—ya guardaría el dinero. La cosa sería de allí a diez o doce años; no había prisa; todos los noviazgos de la huerta duraban una temporada así.

Lo del casamiento hacía volver a Roseta a la realidad. El día que su padre supiera todo aquello... ¡Virgen santísima! iba a deslomarla a garrotazos. Y hablaba de la futura paliza serenamente, sonriendo como una muchacha fuerte acostumbrada a esa autoridad paternal, rígida, imponente y honradota, que se manifiesta a bofetadas y palos.

Sus relaciones eran inocentes. Jamás asomó entre ellos el punzante deseo, la audacia de la carne. Marchaban por el camino casi desierto, en la penumbra del anochecer, y la misma soledad parecía alejar de su pensamiento todo propósito impuro. Una vez que Tonet rozó involuntariamente la cintura de Roseta, ruborizóse como si fuese él la muchacha.

Estaban los dos muy distantes de creer que en sus encuentros diarios podía llegarse a algo que no fuese hablar y mirarse. Era el primer amor, la expansión de la juventud apenas despierta, que se contenta con verse, con hablar y reír, sin sombra alguna de deseo. La hilandera, que en sus noches pavorosas tanto había deseado la llegada de la primavera, vio con inquietud desarrollarse los crepúsculos largos y luminosos.

Ahora se reunía con su novio en pleno día, y nunca faltaban en el camino compañeras de la fábrica o mujeres del vecindario, que al verles juntos sonreían maliciosamente adivinándolo todo.

En la fábrica comenzaron las bromas por parte de sus enemigas, que le preguntaban irónicamente cuándo se casaba, y la llamaban de apodo « la Pastora », por tener amores con el nieto del tío Tomba.

Temblaba de inquietud la pobre Roseta. ¡Qué paliza iba a ganarse! Cualquier día llegaba* la noticia a su padre. Y fue por entonces cuando Batiste, el día de su sentencia en el Tribunal de las Aguas, la vio en el camino acompañada de Tonet.

Pero no ocurrió nada. El dichoso incidente del riego salvó a la muchacha. Su padre, contento de haber librado su cosecha, limitóse a mirarla varias veces con el entrecejo fruncido. Luego la advirtió con voz lenta, un índice en alto y el acento imperativo, que en adelante cuidase de volver sola de la fábrica, pues de lo contrario sabría quién era él.

Y sola volvió durante toda una semana. Tonet le tenía cierto respeto al señor Batiste, y se contentaba con emboscarse cerca del camino, para ver pasar a la hilandera o seguirla después de muy lejos.

Como los días eran más largos, había mucha gente en el camino.

Pero este alejamiento no podía prolongarse para los novios impacientes, y un domingo por la tarde, Roseta, inactiva, cansada de pasear frente a la puerta de su barraca y creyendo ver a Tonet en todos los que pasaban por las sendas lejanas, agarró un cántaro barnizado de verde, y dijo a su madre que iba a traer agua de la fuente de la Reina.

La madre la dejó ir. Debía distraerse; ¡pobre muchacha! no tenía amigas, y a la juventud hay que darle lo suyo.*

La fuente de la Reina era el orgullo de toda aquella parte de la huerta, condenada al agua de los pozos y al líquido bermejo y fangoso que corría por las acequias.

Estaba frente a una alquería abandonada, y era « cosa antigua y de mucho mérito », al decir de los más sabios de la huerta: obra de los moros, según Pimentó; monumento de la época en que los apóstoles* iban bautizando pillos por el mundo, según declaraba con majestad de oráculo el tío Tomba.

Al atardecer avanzaban por los caminos, orlados de álamos con inquieto follaje de plata, grupos de muchachas que llevaban su cántaro inmóvil y derecho sobre la cabeza, recordando con su rítmico paso y su figura esbelta a las canéforas griegas. Este desfile daba a la huerta valenciana algo de sabor bíblico. Recordaba la poesía árabe cantando a la mujer junto a la fuente con el cántaro a sus pies, uniendo en un solo cuadro las dos pasiones más vehementes del oriental: la belleza y el agua.

La fuente de la Reina era una balsa cuadrada, con muros de piedra roja, y teniendo su agua mucho más baja que el nivel del suelo. Descendíase al fondo por seis escalones, siempre resbaladizos y verdosos por la humedad. En la cara del rectángulo de piedra fronterizo a la escalera destacábase un bajo relieve con figuras borrosas que era imposible adivinar bajo la capa de enjalbegado.

Debía ser la Virgen rodeada de ángeles: una obra del arte grosero y cándido de la Edad Media; algún voto de los tiempos de la conquista; pero unas generaciones picando la piedra para marcar mejor las figuras borradas por los años, y otras blanqueándola con escrúpulos de bárbara curiosidad, habían dejado la losa de tal modo que sólo se distinguía un bulto informe de mujer, « la reina », que daba su nombre a la fuente: « reina de los moros », como forzosamente han de serlo todas en los cuentos del campo.

No eran allí escasas la algazara y la confusión los domingos por la tarde. Más de treinta muchachas agolpábanse con sus cántaros, deseosas todas ellas de ser las primeras en llenar, pero sin prisa de irse. Empujábanse en la estrecha escalerilla, con las faldas recogidas entre las piernas para inclinarse y hundir su cántaro en el pequeño estanque. Estremecíase éste con las burbujas acuáticas surgidas incesantemente del fondo de arena, donde crecían manojos de plantas gelatinosas, verdes cabelleras ondeantes, moviéndose en su cárcel de cristal líquido a impulsos de la corriente. Los insectos llamados « tejedores » rayaban con sus patas inquietas esta clara superficie.

Las que ya habían llenado sus cántaros sentábanse en los borde de la balsa, con las piernas colgando sobre el agua, encogiéndolas luego con escandalizados chillidos cada vez que algún muchacho bajaba a beber y miraba a lo alto.

Era una reunión de gorriones revoltosos. Todas hablaban a un tiempo; unas se insultaban, otras iban despellejando a los ausentes haciendo público todos los escándalos de la huerta. La juventud, libre de la severidad paternal, se desprendía del gesto hipócrita fabricado para la casa, y se mostraba con toda la acometividad de una rudeza falta de expansión.* Aquellos ángeles morenos, que tan mansamente cantaban gozos y letrillas en la iglesia de Alboraya al celebrarse la fiesta de las solteras, enardecíanse a solas y matizaban su conversación con votos de carretero, hablando de cosas internas* con el aplomo de una comadrona.

Allí cayó Roseta con su cántaro, sin haber encontrado al novio en el camino, a pesar de que anduvo lentamente, volviendo con frecuencia la cabeza, esperando a cada momento que saliese de una senda.

La ruidosa tertulia de la fuente callóse al verla. Causó estupefacción en el primer momento la presencia de Roseta: algo así como la entrada de un moro en la iglesia de Alboraya en plena misa mayor. ¿A qué venía allí aquella «hambrienta»?...

Saludó Roseta a dos o tres que eran de su fábrica, y apenas si le contestaron, apretando los labios y con un retintín de desprecio.

Las demás, repuestas de la sorpresa, siguieron hablando, como si nada hubiera pasado, no queriendo conceder a la intrusa ni el honor del silencio.

Bajó Roseta a la fuente, y después de llenar el cántaro, sacó, al incorporarse, su cabeza por encima del muro, lanzando una mirada ansiosa por toda la vega.

—*Mira, mira, que no vindrá.**

Era una sobrina de Pimentó, hija de una hermana de Pepeta, la que decía esto; morenilla, nerviosa, de nariz arremangada e insolente, orgullosa de ser única en su casa y de que su padre no fuese arrendatario de nadie, pues los cuatro campos que trabajaba eran muy suyos.

Sí; podía mirar cuanto quisiera, que no vendría. ¿No sabían las otras a quién esperaba? Pues a su novio, el nieto del tío Tomba. ¡Vaya un acomodo!

Y las treinta bocas crueles empezaron a reír como si mordieran; no porque encontrasen gran chiste a la cosa, sino por abrumar a la hija del odiado Batiste.

—*¡La «Pastora»!**... dijeron algunas—. ¡La «Divina Pastora»!...

Roseta alzó los hombros con expresión de indiferencia. Esperaba este apodo. Además, las bromas de la fábrica habían embotado su susceptibilidad.

Cargóse el cántaro y subió los peldaños, pero en el postrero le detuvo la vocecita mimosa de la sobrina de Pimentó. ¡Cómo mordía esta sabandija!...

Nunca sería la mujer del nieto del tío Tomba. Era un infeliz, un «muerto de hambre», pero muy honrado e incapaz de emparentar con una familia de ladrones.

Casi soltó su cántaro Roseta. Enrojeció, como si estas palabras, rasgándole el corazón, hubieran hecho subir toda la sangre a su cara, y después quedóse blanca, con palidez de muerte.

—¿Quí es lladre?* ¿Quí?—preguntó con una voz temblona que hizo reír a todas las de la fuente.

¿Quién? Su padre. Pimentó, su tío, lo sabía bien, y en casa de Copa no se hablaba de otra cosa. ¿Creían que el pasado iba a estar oculto? Habían huido de su pueblo porque les conocían allá demasiado; por eso habían venido a la huerta a apoderarse de lo que no era suyo. Hasta se tenían noticias de que el señor Batiste había estado en presidio por cosas feas...

Y así continuó la viborilla, soltando todo lo oído en su casa y en la vega: las mentiras fraguadas por los perdidos de casa de Copa, toda una urdimbre de calumnias inventada por Pimentó, que cada vez se sentía menos dispuesto a atacar cara a cara a Batiste, y pretendía hostilizarlo, cansarlo y herirlo por medio del insulto.

La firmeza del padre surgió de pronto en Roseta, trémula, balbuciente de rabia y con los ojos veteados de sangre. Soltó el cántaro, que se hizo pedazos, mojando a las muchachas más inmediatas, que protestaron a coro llamándola bestia. ¡Pero buena estaba ella para fijarse en tales cosas!

—¡Mon pare!...—gritó avanzando hacia la insolente—. ¿Mon pare lladre?... Tórnau a repetir y et trenque 'ls morros.*

Pero no pudo repetirlo la morenilla, porque antes de que llegase a abrir la boca, recibió un puñetazo en ella, al mismo tiempo que Roseta hundía la otra mano en su moño. Instintivamente, movida por el dolor, se agarró también a los rubios pelos de la hilandera, y durante algunos minutos se las vio a las dos encorvadas, lanzando gritos de dolor y rabia, con las frentes cerca del suelo, arrastrándose mutuamente con los crueles tirones que cada una daba a la cabellera de la otra. Caían las horquillas al deshacerse las trenzas. Parecían sus opulentas cabelleras estandartes guerreros, no flotantes y victoriosos, sino enroscados y martirizados por las manos del enemigo.

Pero Roseta, más fuerte o más furiosa, logró desasirse, e iba a arrastrar a su adversaria, tal vez a propinarla una zurra interior,* pues con la mano libre pugnaba por despojarse de un zapato, cuando ocurrió algo inaudito, irritable, brutal.

Sin acuerdo previo, como si los odios de sus familias, las frases y maldiciones oídas en sus barracas surgiesen en ellas de golpe, todas cayeron a un tiempo sobre la hija de Batiste.

—¡Lladrona!* ¡lladrona!...

Desapareció Roseta bajo los amenazantes brazos. Su cara cubrióse de rasguños. Agobiada por tantos golpes, ni caer pudo, pues las mismas apreturas de sus enemigas la mantenían derecha. Pero empujada de un lado a otro, acabó rodando por los resbaladizos escalones, y su frente chocó contra una arista de la piedra.

¡Sangre!... Fue como una pedrada en un árbol cargado de pájaros. Salieron todas corriendo en diversas direcciones, con los cántaros en la cabeza, y al poco rato no se veía en las cercanías de la fuente de la Reina más que a la pobre Roseta, con el pelo suelto, las faldas desgarradas, la cara sucia de polvo y sangre, caminando llorosa hacia su casa.

¡Cómo gritó de angustia la madre al verla entrar y cómo protestó luego al enterarse de lo ocurrido! Aquellas gentes eran peores que judíos. ¡Señor! ¡Señor! ¿Podía ocurrir tal crimen en tierra de cristianos?...

Ya no les bastaba a los de la huerta con que los hombres molestasen a su pobre Batiste, calumniándolo ante el tribunal para que le impusieran multas injustas. Ahora eran sus hijas las que perseguían a la pobre Roseta, como si la infeliz tuviese culpa alguna. ¿Y todo por qué?... Porque querían vivir trabajando, sin ofender a nadie, como Dios manda.

Batiste, al ver a su hija ensangrentada y llorosa, palideció, dando algunos pasos hacia el camino con la vista fija en la barraca de Pimentó, cuya techumbre asomaba sobre los cañares.

Pero se detuvo y acabó por reñir dulcemente a Roseta. Lo ocurrido la enseñaría a no pasear por gusto en la huerta. Ellos debían evitar todo roce con los demás: vivir juntos y unidos en su barraca, no separarse nunca de unas tierras que eran su vida.

Dentro de su casa ya se guardarían* los enemigos de venir a buscarles.

BI always wanted to help poor people – decided eventually that education was necessary + importantísimo. Believed education absolutely indispensable

VI → pg 110

wasp's nest — beehive

Era un rumor de avispero, un susurro de colmena, lo que oían mañana y tarde los huertanos al pasar frente al molino de la Cadena, por el camino que va al mar.

little square

Una espesa cortina de álamos cerraba la plazoleta formada por el camino al ensancharse ante el amontonamiento de viejos tejados, paredes agrietadas y negros ventanucos del molino, fábrica antigua y ruinosa, montada sobre la acequia y apoyada en dos gruesos machones, por entre los cuales caía la corriente en espumosa cascada. foaming

El ruido lento y monótono que surgía entre los árboles era el de la escuela de don Joaquín, establecida en una barraca oculta por la fila de álamos. → knowledge/learning

Nunca el saber se vio peor alojado; y eso que, por lo común, no habita palacios. lodged/housed

Era una barraca vieja, sin más luz que la de la puerta y la que se colaba por las grietas de la techumbre; las paredes de dudosa blancura, pues la señora maestra, mujer obesa que vivía pegada a su silleta de esparto, pasaba el día oyendo y admirando a su esposo;* unos cuantos bancos, tres carteles de abecedario mugrientos, rotos por las puntas, pegados al muro con pan mascado, y en el cuarto inmediato a la escuela unos muebles, pocos y viejos, que parecían haber corrido media España.

En toda la barraca no había mas que un objeto nuevo: la luenga caña que el maestro tenía detrás de la puerta, y que renovaba cada dos días en el cañaveral vecino, siendo una felicidad que el género resultase tan barato, pues se gastaba rápidamente sobre las duras y esquiladas testas de aquellos pequeños salvajes.

Libros, apenas si se veían tres en la escuela: una misma cartilla servía a todos. ¿Para qué más?... Allí imperaba el método moruno: canto y repetición, hasta meter las cosas con un continuo martilleo en las duras cabezas.

* man / close-cropped heads.

A causa de esto, desde la mañana hasta el anochecer, la vieja barraca soltaba por su puerta una melopea fastidiosa, de la que se burlaban todos los pájaros del contorno.

—Pa... dre... nuestro, que... estás... en los cielos...

—Santa... María...

—Dos por dos... cuuuatro...

Y los gorriones, los pardillos y las calandrias, que huían de los chicos como del demonio cuando los veían en cuadrilla por los senderos, posábanse con la mayor confianza en los árboles inmediatos, y hasta se paseaban con sus saltadoras patitas frente a la puerta de la escuela, riéndose con escandalosos gorjeos de sus fieros enemigos al verlos enjaulados, bajo la amenaza de la caña, condenados a mirarlos de reojo, sin poder moverse y repitiendo un canto tan fastidioso y feo.

De vez en cuando enmudecía el coro y sonaba majestuosa la voz de don Joaquín soltando su chorro de sabiduría.

—¿Cuántas son las obras de misericordia?...

—Dos por siete, ¿cuántas son?...

Y rara vez quedaba contento de las contestaciones.

—Son ustedes unos bestias. Me oyen como si les hablase en griego. ¡Y pensar que les trato con toda finura, como en un colegio de la ciudad, para que aprendan ustedes buenas formas y sepan hablar como las personas!... En fin, tienen ustedes a quien parecerse: son tan brutos como sus señores padres, que ladran,* les sobra dinero para ir a la taberna, e inventan mil excusas para no darme el sábado los dos cuartos que me pertenecen.

Y paseábase indignado, especialmente al quejarse de los olvidos del sábado. Bien se notaba en el aspecto de su persona, que parecía dividida en dos partes.

Abajo, alpargatas rotas, siempre manchadas de barro; viejos pantalones de pana; manos escamosas, ásperas, conservando en las grietas de la piel la tierra de su huertecito, un cuadrado de hortalizas que tenía frente a la barraca, y muchas veces era lo único que llenaba su puchero. Pero de cintura arriba mostrábase el señorío, «la dignidad del sacerdote de la instrucción», como él afirmaba; lo que le distinguía de toda la gente de las barracas, gusarapos pegados al surco: una corbata de colores chillones sobre la sucia pechera, bigote cano y cerdoso partiendo su rostro mofletudo y arrebolado, y una gorra azul con visera de hule, recuerdo de uno de los muchos empleos que había desempeñado en su accidentada vida.

Esto era lo que le consolaba de su miseria; especialmente la corbata, adorno que nadie llevaba en todo el contorno y él lucía cual un signo de suprema distinción; algo así como el Toisón de Oro* de la huerta.

La gente de las barracas respetaba a don Joaquín, aunque en lo concerniente a sostener su miseria anduviese remisa y remolona. ¡Lo que aquel hombre había visto!... ¡Lo que llevaba corrido por el mundo!*... Unas veces empleado ferroviario; otras ayudando a cobrar contribuciones en las más apartadas provincias de España; hasta se decía que había estado en Cuba como guardia civil. En fin, que era un pájaro gordo venido a menos.*

—Don Joaquín—decía su gruesa mujer, que era la primera en sostenerle el tratamiento*—nunca se ha visto como hoy; somos de muy buena familia. La desgracia nos ha traído aquí, pero hemos « paleado » las onzas.*

Y las comadres de la huerta, sin perjuicio de olvidarse alguno que otro sábado de los dos cuartos de la escuela, respetaban como un ser superior a don Joaquín, reservándose un poco de burla para la casaquilla verde con faldones cuadrados que se endosaba los días de fiesta, cuando cantaba en el coro de la iglesia de Alboraya durante la misa mayor.

Empujado por la miseria, había caído allí con su enorme y blanducha mitad como podía haber caído en otra parte. Ayudaba al secretario del pueblo cercano en los trabajos extraordinarios, preparaba con hierbas de él tan sólo conocidas* ciertos cocimientos que operaban milagros en las barracas. Todos reconocían que « aquel tío sabía mucho », y sin título de maestro ni miedo a que nadie se acordase de él para quitarle una escuela que no daba ni para pan, iba logrando a fuerza de repeticiones y cañazos que deletreasen y permanecieran inmóviles

todos los pillos de cinco a diez años que en días de fiesta apedrea-
ban a los pájaros, robaban la fruta y perseguían a los perros en los
caminos de la huerta.

¿De dónde era el maestro? Todas las vecinas lo sabían: de
muy lejos, de allá de la *churrería.** Y en vano se pedían más
explicaciones, pues para la ciencia geográfica de la huerta todo el
que no habla valenciano es de la *churrería.*

No eran flojos los trabajos sufridos por don Joaquín para
hacerse entender de sus discípulos y que no reculasen ante el
idioma castellano. Los había de ellos que llevaban dos meses en
la escuela y abrían desmesuradamente los ojos y se rascaban el
cogote sin entender lo que el maestro quería decirles con unas
palabras jamás oídas en su barraca.

¡Cómo sufría el pobre señor! ¡Él que cifraba los triunfos de la
enseñanza en su «finura», en su distinción de modales, en lo
« bienhablado » que era,* según declaración de su esposa!

Cada palabra que sus discípulos pronunciaban mal—y no
decían bien una sola—le hacía dar bufidos y levantar las manos con
indignación hasta tocar el ahumado techo* de su vivienda. Estaba
orgulloso de la urbanidad con que trataba a sus discípulos.

—Esta barraca humilde—decía a los treinta chicuelos que se
apretaban y empujaban en los estrechos bancos, oyéndole entre
aburridos y temerosos de la caña*—la deben mirar ustedes como
si fuese el templo de la cortesía y la buena crianza. ¡Qué digo el
templo!* Es la antorcha que brilla y disuelve las sombras de
barbarie de esta huerta. Sin mí, ¿qué serían ustedes? Unas
bestias, y perdonen la palabra: lo mismo que sus señores padres, a
los que no quiero ofender. Pero con la ayuda de Dios, han de
salir ustedes de aquí como personas cumplidas, sabiendo presentarse en cualquier parte, ya que han tenido la buena suerte de
encontrar un maestro como yo. ¿No es así?...

Y los muchachos contestaban con furiosas cabezadas, chocando
algunos la testa con la del vecino, y hasta su mujer, conmovida por
lo del templo y la antorcha, cesaba de hacer media y echaba atrás la
silleta de esparto, para envolver a su esposo en una mirada de
admiración.

Interpelaba a toda aquella pillería roñosa, de pies descalzos y faldones al aire, con desmesurada urbanidad.

—A ver, señor de Llopis,* levántese usted.

Y el «señor de Llopis», un granuja de siete años, con el pantalón a media pierna sostenido por un tirante,* echábase del banco abajo y se cuadraba ante el maestro, mirando de reojo la temible caña.

—Hace un rato que veo a usted hurgándose las narices y haciendo pelotillas. Vicio feo, señor de Llopis; crea usted a su maestro. Por esta vez pase,* porque es usted aplicado y sabe la tabla de multiplicar; pero la sabiduría es poca cosa cuando no va acompañada por la buena crianza. No olvide usted esto, señor de Llopis.

Y el de las pelotillas lo aprobaba todo, contento con salir de la advertencia sin cañazo, cuando otro grandullón que estaba a su lado en el banco y debía guardar antiguos resentimientos, al verle de pie y con las posaderas libres, le aplicó en ellas un pellizco traidor.

—¡Ay! ¡ay!... *Siñor maestro*—gritó el muchacho—, «*Morros d'aca*» me pellisca.*

¡Qué explosión de cólera la de don Joaquín! Lo que más le irritaba era la afición de los muchachos a llamarse por los apodos de sus padres y aun a fabricarlos nuevos.

—¿Quién es *Morros d'aca?*... El señor de Peris,* querrá usted decir. ¡Qué modo de hablar, Dios mío! Parece que esto sea una taberna... ¡Si a lo menos hubiese usted dicho *Morros de jaca*! Descrísmese usted enseñando a estos imbéciles.* ¡Brutos!...

Y enarbolando la caña empezó a repartir sonoros golpes: al uno por el pellizco y al otro por «impropiedad de lenguaje», como decía bufando don Joaquín sin parar en sus cañazos. Tan a ciegas iban los golpes, que los demás muchachos se apretaban en los bancos, se encogían, escondiendo cada cual la cabeza en el hombro del vecino; y a un chiquitín, el hijo pequeño de Batiste, asustado por el estrépito de la caña, se le fue el cuerpo.*

Esto amansó al profesor y le hizo recobrar su perdida majestad, mientras el apaleado auditorio se tapaba las narices.

—Doña Pepa—dijo a su mujer—, llévese usted al señor de Borrull, que está indispuesto, y límpielo detrás de la escuela.

Y la mujerona, que tenía cierto afecto a los tres hijos de Batiste porque pagaban todos los sábados, agarró de una mano al «señor de Borrull», el cual salió de la escuela balanceándose sobre las tiernas piernecitas, llorando todavía del susto y enseñando algo más que el faldón por la abertura trasera de los calzones.

Pasados estos incidentes volvía otra vez la lección cantada, y la arboleda parecía estremecerse de fastidio al tamizar entre su ramaje este monótono sonsonete.

Algunas tardes oíase un melancólico son de esquilas, y toda la escuela se agitaba de contento. Era el rebaño del tío Tomba que se aproximaba. Todos sabían que llegando el viejo con su ganado había un par de horas de asueto. Si parlanchín era el pastor, no le iba en zaga el maestro.* Ambos emprendían una interminable conversación, y los discípulos abandonaban los bancos para oírles de cerca o iban a jugar con las ovejas que rumiaban la hierba de los ribazos cercanos.

A don Joaquín le inspiraba gran simpatía el viejo. Había corrido mundo, tenía la deferencia de hablarle siempre en castellano, era entendido en hierbas medicinales, sin arrebatarle por esto sus clientes; en fin, que resultaba la única persona de la huerta capaz de «alternar» con él.

La aparición era siempre igual. Primero llegaban las ovejas a la puerta de la escuela, metían la cabeza, husmeaban curiosas e iban retirándose con cierto desprecio, convencidas de que allí no había más pasto que el intelectual y valía poco. Después se presentaba el tío Tomba caminando con seguridad por aquella tierra conocida, pero con el cayado por delante, único auxilio de sus moribundos ojos. Sentábase en el banco de ladrillos inmediato a la puerta, y el maestro y el pastor hablaban, admirados en silencio por doña Josefa y los más grandecitos de la escuela, que lentamente se iban aproximando para formar corro.

El tío Tomba, que hasta por las sendas iba siempre conversando con sus ovejas, hablaba al principio con lentitud, como hombre que teme revelar su defecto; pero la charla del maestro iba enardeciéndole, y no tardaba a lanzarse en el inmenso mar de sus eternas historias. Lamentábase de lo pésimamente que «va España», repetía las noticias de los que venían de la ciudad, abominaba de los malos gobiernos, que tienen la culpa de las malas cosechas, y acababa por decir lo de siempre.

—Aquellos tiempos, don *Juaquín*, aquellos tiempos míos eran otros. Usted no los ha conocido; pero también los de usted eran mejores que éstos. Vamos cada vez peor... ¡Lo que verá toda esa gente menuda cuando sean hombres!

Ya se sabía que esto era el exordio de su historia.

—¡Si usted nos hubiera visto a los de la partida del *Flaire*!*— el pastor nunca pudo decir fraile—. Aquéllos eran españoles; ahora sólo hay guapos en casa de Copa. Yo tenía diez y ocho años, un morrión con un águila de cobre, que le quité a un muerto, y un fusil más grande que yo. ¡Y el *Flaire*!... ¡Qué hombre! Ahora hablan del general tal y del cual.* ¡Mentira, todo mentira! ¡Donde estaba el padre Nevot no podía existir otro! Había que verlo con el hábito arremangado, sobre su jaca, con sable corvo y pistolas. ¡Lo que corríamos! Unas veces aquí, otras en la provincia de Alicante, después por cerca de Albacete: siempre nos iban pisando los talones; pero nosotros, francés que pillábamos lo hacíamos polvo. Aún me parece que los veo: «¡*Musiú... pardón!*»* Y yo, ¡zas, zas! bayonetazo limpio.

El arrugado viejo se erguía, sus mortecinos ojos brillaban como débiles pavesas; movía el cayado cual si aún estuviese pinchando a los enemigos. Luego venían los consejos: detrás del viejo bondadoso levantábase el hombre feroz, de entrañas duras, formado en una guerra sin cuartel. Hacíanse visibles sus fieros instintos, petrificados en plena juventud e insensibles al paso del tiempo. Hablaba en valenciano a los muchachos, regalándoles el fruto de su experiencia. Debían creerle a él, que había visto mucho. En la vida, paciencia para vengarse del enemigo; aguardar la pelota, y cuando viene bien, jugarla con fuerza. Y al dar estos consejos feroces guiñaba sus ojos, que en el fondo de las profundas órbitas parecían estrellas moribundas próximas a extinguirse. Delataba con su malicia senil un pasado de luchas en la huerta, de emboscadas y astucias, un completo desprecio por la vida de sus semejantes.

El maestro, temeroso de que esto quebrantase la moral de su gente, cambiaba el curso de la conversación hablando de Francia, el gran recuerdo del tío Tomba.

Era tema para muchas horas. Conocía aquel país como si hubiese nacido en él. Al rendirse Valencia al mariscal Suchet,* le habían llevado prisionero, con unos cuantos miles más, a una gran ciudad: Tolosa de Francia. Y mezclaba en la conversación, horriblemente desfiguradas, las palabras francesas que aún podía recordar después de tantos años. ¡Qué país! Allá los hombres van con unos sombreros blancos y felpudos, casacas de color con los cuellos hasta el cogote, botas altas como las de la caballería; las mujeres con unas faldas como fundas de flauta, tan estrechas, que se les marca todo lo que queda dentro. Y así seguía hablando de los trajes y costumbres del tiempo del Imperio, imaginándose que aún subsistía todo y la Francia de hoy era como a principios del siglo.

Mientras detallaba sus recuerdos, el maestro y su mujer le oían atentamente, y algunos muchachos, abusando del inesperado asueto, iban alejándose de la barraca atraídos por las ovejas, que huían de ellos como del demonio. Las tiraban del rabo, cogíanlas de las piernas, obligándolas a andar con las patas delanteras, las hacían rodar por los ribazos o intentaban cabalgarlas colocándose de un salto sobre sus sucios vellones. Y los pobres animales en vano protestaban con tiernos balidos, pues no los oía el pastor, ocupado en relatar con fruición la agonía del último francés matado por él.

—¿Y como cuántos cayeron?—preguntaba el maestro al final del relato.

—Cuestión de ciento veinte o ciento treinta. No recuerdo bien.

El matrimonio se miraba sonriendo. Desde la última conversación había aumentado veinte franceses. Según pasaban los años se agrandaban sus hazañas y el número de víctimas.

Los quejidos del rebaño llamaban finalmente la atención del maestro.

—Señores míos—gritaba a los audaces discípulos al mismo tiempo que requería la caña—, todos aquí. ¿Se imaginan que no hay más que pasar el día divirtiéndose?... En este centro se trabaja.

Y para demostrarlo con el ejemplo, movía la caña que era un gusto, introduciendo a golpes en el redil de la sabiduría a todo el rebaño de pilletes juguetones.

—Con permiso de usted, tío Tomba: hace más de dos horas que estamos hablando. Tengo que continuar la lección.

Y mientras el pastor, despedido cortésmente, guiaba sus ovejas hacia el molino, para repetir allí sus historias, empezaba de nuevo en la escuela el canturreo de la tabla de multiplicar, que era para los discípulos de don Joaquín el gran alarde de sabiduría.

A la caída del sol soltaban los muchachos su último cántico, dando gracias al Señor « porque les había asistido con sus luces »,* y recogía cada cual el saquillo de la comida, pues como las distancias en la huerta no eran poca cosa, los chicos salían por la mañana de sus barracas con provisiones para pasar el día en la escuela. Esto hacía decir a algunos enemigos de don Joaquín que el maestro era aficionado a castigar a sus discípulos mermándoles la ración, para subsanar de este modo las deficiencias de la cocina de doña Pepa.

Los viernes, al salir de la escuela, oían invariablemente todos ellos el mismo discurso:

—Señores míos: mañana es sábado; recuérdenlo ustedes a sus señoras madres y háganlas saber que el que mañana no traiga los dos cuartos no entrará en la escuela. A usted se lo digo especialmente, « señor de... tal », y a usted, « señor de... cual »—y así soltaba una docena de nombres—. Tres semanas que no traen ustedes el estipendio prometido, y así no es posible la instrucción, ni puede procrear la ciencia, ni combatirse con desahogo la barbarie nativa de estos campos. Yo lo pongo todo:* mi sabiduría, mis libros—y miraba las tres cartillas que iba recogiendo su mujer cuidadosamente para guardarlas en la vieja cómoda—, y

ustedes no traen nada. Lo dicho:* el que mañana llegue con
las manos vacías no pasará de esa puerta. Aviso a las señoras
madres.

Formaban los muchachos por parejas, cogidos de la mano
—lo mismo que en los colegios de Valencia; ¿qué se creían algunos?*—, y salían de la barraca, besando antes la diestra escamosa
de don Joaquín y repitiendo todos de corrido al pasar junto a él:

—¡Usted lo pase bien! ¡Hasta mañana si Dios quiere!

Acompañábales el maestro hasta la plazoleta del molino, que
era una estrella de caminos y sendas, y allí deshacíase la for-
mación en pequeños grupos, alejándose hacia distintos puntos de
la vega.

—¡Ojo, señores míos, que yo les vigilo!—gritaba don Joaquín
como última advertencia—. Cuidado con robar fruta, hacer
pedreas o saltar acequias. Yo tengo un pájaro que todo me lo
comunica; y si mañana sé algo malo, andará la caña suelta como
un demonio.

Y plantado en la plazoleta, seguía mucho rato con la vista al
grupo más numeroso, que se alejaba camino de Alboraya.

Estos discípulos eran los que pagaban mejor. Iban entre ellos
los tres hijos de Batiste, para los cuales se convertía muchas veces
el camino en una calle de Amargura.*

Cogidos los tres de la mano, procuraban andar a la zaga de los
otros muchachos, que, por ser de las barracas inmediatas a la
suya, sentían el mismo odio de sus padres contra Batiste y su
familia, y no perdían ocasión de molestarles.

Los dos mayorcitos sabían defenderse, y con arañazo más o
menos, hasta salían en ciertas ocasiones vencedores. Pero el más
pequeño, Pascualet, un chiquillo regordete y panzudo, que sólo
tenía cinco años, y a quien adoraba la madre por su dulzura y su
mansedumbre, prometiéndose hacerlo capellán, lloraba apenas
veía a sus hermanos enzarzados en terrible pelea con los otros
condiscípulos.

Muchas veces los dos mayores llegaban a casa sudorosos y
llenos de polvo, como si se hubieran revolcado en el camino, con
los pantalones rotos y la camisa desgarrada. Eran las señales del

combate; el pequeño lo contaba todo llorando. Y la madre tenía que curar a alguno de los mayores aplicándole una pieza de dos cuartos bien apretada sobre el chichón levantado por una piedra traidora.

Alborotábase Teresa al conocer los atentados de que eran objeto sus hijos, y como mujer ruda y valerosa nacida en el campo, sólo se tranquilizaba oyendo que los suyos habían sabido defenderse, dejando al enemigo malparado.

¡Por Dios, que cuidasen de Pascualet ante todo!... Y el hermano mayor, indignado por los relatos de los pequeños, prometía una paliza a toda la garrapata enemiga cuando la encontrase en las sendas.

Todas las tardes, apenas don Joaquín perdía de vista el grupo, empezaban las hostilidades.

Los enemigos, hijos o sobrinos de los que en la taberna juraban acabar con Batiste, iban acortando el paso, para hacer menor la distancia entre ellos y los tres hermanos.

Aún sonaban en sus oídos las palabras del maestro: la amenaza del maldito pájaro que todo lo veía y todo lo contaba. Algunos se reían incrédulamente, pero de dientes afuera. ¡Aquel «tío» sabía tanto!...

Pero según se iban alejando amortiguábanse las amenazas del maestro. Comenzaban por caracolear en torno a los tres hermanos, a perseguirse riendo—pretexto malicioso inspirado por la instintiva hipocresía de la infancia—, para empujarles al pasar, con el santo deseo de arrojarlos en la acequia que bordeaba el camino.

Después, cuando estaba agotada sin éxito alguno esta maniobra, iniciaban los pescozones y repelones a todo correr.

—¡Lladres! ¡lladres!

Y lanzándoles este insulto, les tiraban de la oreja y se alejaban trotando, para retroceder un poco más allá y repetir las mismas palabras.

Esta calumnia, inventada por los enemigos de su padre, era lo que más enfurecía a los muchachos. Los dos mayores, abandonando a Pascualet, que se refugiaba lloriqueante detrás de un árbol, agarraban piedras y entablábase una batalla en medio del camino.

Silbaban los guijarros entre las ramas, haciendo caer una lluvia de hojas y rebotando contra troncos y ribazos; los perros barraqueros salían con ladridos feroces, atraídos por el estrépito de la lucha, y las mujeres, en las puertas de sus casas, levantaban los brazos al cielo, gritando indignadas:

—¡Condenats! ¡Dimònis!*...

Estos escándalos indignaban a don Joaquín y le hacían mover su caña inexorable al día siguiente. ¡Qué dirían de su escuela, templo de la buena crianza!...

La lucha no tenía fin hasta que pasaba algún carretero que enarbolaba el látigo, o salía de las barracas algún viejo, garrote en mano. Los agresores huían, se desbandaban, y arrepentidos de su hazaña al verse solos, pensaban aterrados, con el fácil cambio de impresiones de la infancia, en aquel pájaro que lo sabía todo y en lo que les guardaba don Joaquín para el día siguiente.

Mientras tanto, los tres hermanos seguían su camino rascándose las descalabraduras de la lucha.

Una tarde, la pobre mujer de Batiste apeló a gritos a Dios y a los santos viendo el estado en que llegaban sus pequeños.

Aquel día la batalla había sido dura. ¡Ah, los bandidos! Los dos mayores estaban magullados; era lo de siempre: no había que hacer caso. Pero el pequeñín, el Obispo, como cariñosamente le llamaba su madre, estaba mojado de pies a cabeza, y lloraba temblando de miedo y de frío.

La feroz pillería lo había arrojado en una acequia de aguas estancadas, y de allí le sacaron sus hermanos cubierto de légamo nauseabundo.

Teresa le acostó en su cama al ver que el pobrecillo seguía temblando entre sus brazos, agarrándose a su cuello y murmurando con voz semejante a un balido:

—¡Mare!* ¡mare!...

La madre reanudó sus lamentaciones.

«¡Señor! ¡dadnos paciencia!» Toda aquella gentuza, grandes y chicos, se habían propuesto acabar con la familia.

VII

Triste y ceñudo, como si fuese a un entierro, emprendió Batiste el camino de Valencia un jueves por la mañana. Era día de mercado de animales en el cauce del río, y llevaba en la faja, como una gruesa protuberancia, el saquito de arpillera con el resto de sus ahorros.

Llovían desgracias sobre la barraca. Sólo faltaba que se derrumbase su techumbre encima de ellos, aplastándolos a todos... ¡Qué gente! ¡Dónde se había metido!...

El chiquitín cada vez peor, temblando de fiebre en los brazos de su madre, que lloraba a todas horas, y visitado dos veces al día por el médico. En resumen, una enfermedad que iba a costarle doce o quince duros: ¡como quien dice nada!*

El mayor, Batistet, apenas si podía ir más allá de sus campos. Aún tenía la cabeza envuelta en trapos y la cara cruzada de chirlos, luego del descomunal combate que una mañana sostuvo en el camino con otros de su edad que iban como él a recoger estiércol en Valencia. Todos los *fematers** del contorno se habían unido contra Batistet, y el pobre muchacho no podía asomarse al camino.

Los dos pequeños ya no iban a la escuela, por miedo a las peleas que debían sostener al regreso.

Y Roseta, ¡pobre muchacha! era la que se mostraba más triste. El padre, con gesto fosco y severas ojeadas, le recordaba mudamente que debía mostrarse indiferente, ya que sus penas eran un atentado a su autoridad paternal. Pero a solas, el buen Batiste lamentaba la tristeza de la pobre muchacha. Él también había sido joven y sabía cuán pesadas resultan las penas del querer.

Todo se había descubierto. Después de la famosa riña en la fuente de la Reina, la huerta entera estuvo varios días hablando de los amores de Roseta con el nieto del tío Tomba.

El carnicero de Alboraya bufó de coraje contra su criado. ¡Ah, grandísimo pillo! Ahora comprendía él por qué olvidaba sus deberes, por qué perdía las tardes vagando por la huerta como un gitano. El señor se permitía tener novia, como si fuese un hombre capaz de mantenerla. ¡Y qué novia, Santo Dios! No había más que oír a los parroquianos cuando parloteaban ante su mesa. Todos decían lo mismo: se extrañaban de que un hombre como él, religioso, honrado y sin otro defecto que robar algo en el peso, permitiera que su criado acompañase a la hija del enemigo de la huerta, de un hombre malo, del cual se afirmaba que había estado en presidio.

Y como todo esto, en concepto del ventrudo patrón, era una deshonra para su establecimiento, al escuchar las murmuraciones de las comadres volvía a enfurecerse, amenazando con su cuchilla al tímido criado, o increpaba al tío Tomba para que corrigiese al pillete de su nieto.

Total: que el carnicero despidió al muchacho, y su abuelo le buscó colocación en Valencia en casa de otro cortante, rogando que no le concediesen libertad ni aun en días de fiesta, para que no volviera a esperar en el camino a la hija de Batiste.

Tonet partió sumiso, con los ojos húmedos, como uno de los borregos que tantas veces había llevado a rastras hasta el cuchillo de su amo. No volvería más a la huerta. En la barraca quedaba la pobre muchacha ocultándose en su *estudi* para gemir, haciendo esfuerzos por no mostrar su dolor ante la madre, que, irritada por tantas contrariedades, se mostraba intratable, y ante el padre, que hablaba de hacerla pedazos si volvía a tener novio y daba que hablar con ello* a los enemigos del contorno.

Al pobre Batiste, tan severo y amenazador, lo que más le dolía de todas sus desgracias era el desconsuelo de la pobre muchacha, falta de apetito, amarillenta, ojerosa, haciendo esfuerzos por mostrarse indiferente, sin dormir apenas, lo que no impedía que todas las mañanas marchase puntualmente a la fábrica, con una vaguedad en las pupilas reveladora de que su pensamiento rodaba lejos, de que estaba soñando por dentro a todas horas.

¿Eran posibles más desgracias?... Sí, aún quedaban otras.

En aquella barraca, ni las bestias se libraban de la atmósfera envenenada de odio que parecía flotar sobre su techumbre. Al que no lo atropellaban le hacían sin duda mal de ojo, y por eso su pobre Morrut, el caballo viejo, un animal que era como de la familia, que había arrastrado por los caminos el pobre ajuar y los chicos en las peregrinaciones de miseria, se iba debilitando poco a poco en el establo nuevo, el mejor alojamiento durante su larga vida de trabajo.

Se portó como persona honrada en la época peor, cuando, recién establecida la familia en la barraca, había que arar la tierra maldita, petrificada por diez años de abandono; cuando había que hacer continuos viajes a Valencia en busca del cascote de los derribos y las maderas viejas; cuando el pasto no era mucho y el trabajo abrumante. Y ahora que frente al ventanuco de la cuadra se extendía un gran campo de hierba fresca, erguida, ondeante, toda para él; ahora que tenía la mesa puesta, con aquel verde y jugoso mantel que olía a gloria; ahora que engordaba, se redondeaban sus ancas puntiagudas y su dorso nudoso, moría de repente, sin saber de qué, tal vez en uso de su perfecto derecho al descanso, después de sacar a flote la familia.

Se acostó un día sobre la paja, negándose a salir, mirando a Batiste con ojos vidriosos y amarillentos que hacían expirar en los labios del amo los votos y amenazas de la indignación. Parecía una persona el pobre Morrut; Batiste, al recordar su mirada, sentía muchas veces deseos de llorar. La barraca sufrió una conmoción, y tal desgracia hasta hizo que la familia olvidase momentáneamente al pobre Pascualet, que temblaba de fiebre en la cama.

Lloró la mujer de Batiste. Aquel animal alargando su manso hocico había visto venir al mundo a casi todos sus hijos. Aún recordaba ella, como si fuera ayer, cuando lo compraron en el mercado de Sagunto, pequeño, sucio, lleno de costras y asquerosidades, como un jaco de desecho. Era alguien de la familia que se iba. Y cuando unos tíos repugnantes llegaron en un carro para llevarse su caballo a la «Caldera»,* donde convertirían su esqueleto en hueso de pulida brillantez y sus carnes en abono fecundizante, lloraban los chicos, gritando desde la puerta un adiós interminable al pobre Morrut, que se alejaba con las patas rígidas y la cabeza balanceante, mientras la madre, como si tuviese un horrible presentimiento, se arrojaba con los brazos abiertos sobre el enfermito.

Recordaba a sus hijos cuando se introducían en la cuadra para tirar de la cola al Morrut, el cual aguantaba con dulce pasividad todos los juegos de los chicos. Veía al pequeñín cuando lo colocaba su padre sobre la dura espina del animal, golpeando con sus piececitos los lustrosos flancos y gritando «¡arre!¡arre!» con infantil balbuceo. Con la muerte de esta pobre bestia creía Teresa que iba a quedar abierta una brecha en la familia por donde se irían otros. ¡Señor, que la engañasen sus presentimientos de madre dolorosa; que fuese sólo este sufrido animal el que se iba; que no se llevase sobre sus lomos al pobre chiquitín camino del cielo, como en otros tiempos le llevaba por las sendas de la huerta agarrado a sus crines, a paso lento, para no derribarlo!

Y el pobre Batiste, con el pensamiento ocupado por tantas desgracias, barajando en su imaginación el niño enfermo, el caballo muerto, el hijo descalabrado y la hija con su reconcentrado pesar, llegó a los arrabales de la ciudad y pasó el puente de Serranos.*

Al extremo del puente, en una planicie entre dos jardines, frente a las ochavadas torres que asomaban sobre la arboleda sus arcadas ojivales, sus barbacanas y la corona de sus almenas, se detuvo Batiste, pasándose las manos por el rostro. Tenía que visitar a los amos, los hijos de don Salvador, y pedirles a préstamo un piquillo para completar la cantidad que iba a costarle la compra de un rocín que sustituyese al Morrut. Y como el aseo es el lujo del pobre, se sentó en un banco de piedra, esperando que le llegara el turno para limpiarse de unas barbas de dos semanas, punzantes y duras como púas, que ennegrecían su cara.

A la sombra de los altos plátanos funcionaban las peluquerías de la gente huertana, los barberos de «cara al sòl».* Un par de sillones con asiento de esparto y brazos pulidos por el uso, un anafe en el que hervía el puchero del agua, los paños de dudoso color y unas navajas melladas, que arañaban el duro cutis de los parroquianos con rascones espeluznantes, constituían toda la fortuna de estos establecimientos al aire libre.

Muchachos cerriles que aspiraban a ser mancebos en las barberías de la ciudad hacían allí sus primeras armas;* y mientras se amaestraban infiriendo cortes o poblando las cabezas de trasquilones y peladuras, el amo daba conversación a los parroquianos sentados en el banco del paseo, o leía en alta voz un periódico a este auditorio, que, con la quijada en ambas manos, escuchaba impasible.

A los que se sentaban en el sillón de los tormentos pasábanles un pedazo de jabón de piedra por las mejillas, y frota que frota,* hasta que levantaba espuma. Después venía el navajeo cruel, los cortes, que aguantaba firmemente el cliente con la cara manchada de sangre. Un poco más allá sonaban las enormes tijeras en continuo movimiento, pasando y repasando sobre la redonda testa de algún mocetón presumido, que quedaba esquilado como perro de aguas; el colmo de la elegancia: larga greña sobre la frente y la media cabeza de atrás cuidadosamente rapada.

Batiste fue afeitado con bastante suerte, mientras escuchaba, hundido en el sillón de esparto y teniendo los ojos entornados, la lectura del «maestro», hecha con voz nasal y monótona, sus comentarios y glosas de hombre experto en la cosa pública. No sacó más que tres raspaduras y un corte en la oreja. Otras veces había sido más. Dio su medio real, y se metió en la ciudad por la puerta de Serranos.

Dos horas después volvió a salir, y se sentó en el banco de piedra, entre el grupo de los parroquianos, para oír otra vez al maestro mientras llegaba la hora del mercado.

Los amos acababan de prestarle el piquillo que le faltaba para la compra del rocín. Ahora lo importante era tener buen ojo para escoger; serenidad para no dejarse engañar por la astuta gitanería que pasaba ante él con sus bestias, descendiendo luego por una rampa al cauce del río.

Las once. El mercado debía estar en su mayor animación.

Llegaba hasta Batiste el confuso rumor de un hervidero invisible; subían los relinchos y las voces desde el fondo del cauce. Dudaba, permanecía quieto, como el que desea retrasar el momento de una resolución importante, y al fin se decidió a bajar al mercado.

El cauce del Turia estaba, como siempre, casi seco. Algunas vetas de agua, escapadas de los azudes y presas que refrescan la vega, serpenteaban formando curvas e islas en un suelo polvoriento, ardoroso, desigual, que más parecía de desierto africano que lecho de un río.

A tales horas estaba todo él blanco de sol, sin la menor mancha de sombra.

Los carros de los labriegos, con sus toldos claros, formaban un campamento en el centro del cauce, y a lo largo de la ribera de piedra, puestas en fila, estaban las bestias a la venta: mulas negras y coceadoras, con rojos caparazones y ancas brillantes agitadas por nerviosa inquietud; caballos de labor, fuertes pero tristes, cual siervos condenados a eterna fatiga, mirando con sus ojos vidriosos a todos los que pasaban, como si adivinasen al nuevo tirano, y pequeñas y vivarachas jacas, hiriendo el polvo con sus cascos, tirando del ronzal que las mantenía atadas al muro.

Junto a la rampa de bajada estaban los animales de desecho: asnos sin orejas, de pelo sucio y asquerosas pústulas; caballos tristes, cuyo pellejo parecía agujerearse con lo anguloso de la descarnada osamenta; mulas cegatas, con cuello de cigüeña; toda la miseria del mercado, los náufragos del trabajo, que con el cuero rayado a palos, el estómago contraído y las excoriaciones inflamadas por las moscas verdosas y panzudas, esperaban la llegada del contratista de las corridas de toros* o del mendigo, que aún sabrían utilizarlos.

Junto a las corrientes de agua, en el centro del cauce y en las riberas que la humedad había cubierto de una débil capa de césped, trotaban las manadas de potros sin domar, al aire la luenga crin, arrastrando la cola por el suelo. Más allá de los puentes, al través de sus arcos de piedra, veíanse los rebaños de toros, con las patas encogidas, rumiando tranquilamente la hierba que les arrojaban los pastores, o andando perezosamente por el suelo abrasado, sintiendo la nostalgia de las frescas dehesas, plantándose fieramente cada vez que los chicuelos les silbaban desde los pretiles.

La animación del mercado iba en aumento. En torno a cada caballería cuya venta se estaba ajustando se formaban grupos de gesticulantes y parlanchines labriegos en mangas de camisa, con una vara de fresno en la diestra. Los gitanos, secos, bronceados, de zancas largas y arqueadas, zamarra con remiendos y gorra de pelo, bajo la cual brillaban sus ojos con resplandor de fiebre, hablaban sin cesar, echando su aliento a la cara del comprador como si quisieran hipnotizarle.

—Pero fíjese usted bien en la jaca. Repare en sus líneas... ¡si parece una señorita!*

Y el labriego, insensible a las melosidades gitanas, encerrado en sí mismo, pensativo e incierto, miraba al suelo, miraba a la bestia, se rascaba el cogote, y acababa diciendo con energía de testarudo:

—Bueno; pues no done més.*

Para concertar los *chambos** y solemnizar las ventas buscábase el amparo de un sombrajo, bajo el cual una mujerona vendía bollos adornados por las moscas o llenaba pegajosas copas con el contenido de media docena de botellas alineadas sobre una mesa de cinc.

Batiste pasó y repasó varias veces entre las bestias, sin hacer caso de los vendedores que le asediaban adivinando su intención.

Ninguna le gustaba. ¡Ay, pobre Morrut! ¡Cuán difícil era encontrarle un sucesor! De no verse acosado por la necesidad, se hubiera ido sin comprar; creía ofender al difunto fijando su atención en aquellas bestias antipáticas.

Al fin se detuvo ante un rocín blanco, no muy gordo ni lustroso, con algunas rozaduras en las piernas y cierto aire de cansancio; una bestia de trabajo que, no obstante su aspecto de abrumamiento, parecía fuerte y animosa.

Apenas pasó una mano por las ancas del rocín, apareció junto a éste un gitano, obsequioso, campechanote, tratándole como si le conociese toda su vida.

—Es un animal de perlas; bien se ve que usted conoce las buenas bestias... Y barato: me parece que no reñiremos.. ¡Monote! Sácalo de paseo, para que vea el señor con qué garbo bracea.

Y el aludido Monote, un gitanillo con el trasero al aire por las roturas del pantalón y la cara llena de costras, cogió el caballo del ronzal y salió corriendo por los altibajos de arena seguido de la pobre bestia, que trotaba displicente, como fatigada de una operación tantas veces repetida.

Corrió la gente curiosa, agrupándose en torno a Batiste y el gitano, que seguían con sus miradas la marcha del animal. Cuando volvió Monote con el caballo, el labriego lo examinó detenidamente. Metió sus dedos entre la amarillenta dentadura, pasó sus manos por las ancas, levantó sus cascos para inspeccionarlos, lo registró cuidadosamente entre las piernas.

—Mire usted, mire usted—decía el gitano—, que para eso está*... Más limpio que la patena.* Aquí no se engaña a nadie: todo natural. No se arreglan los animales, como hacen otros, que desfiguran un burro en un santiamén. Lo compré la semana pasada y ni me he cuidado de arreglarle esas cosillas que tiene en las piernas. Ya ha visto usted con qué salero bracea. ¿Y tirar de un carro?... Ni un elefante tiene su empuje. Ahí en el cuello verá usted las señales.

Batiste no parecía descontento del examen, pero hizo esfuerzos por mostrarse disgustado, valiéndose de mohines y toses. Sus infortunios como carretero le habían hecho conocer las bestias, y se reía interiormente de algunos curiosos que, influidos por el mal aspecto del caballo, discutían con el gitano, diciendo que sólo era bueno para enviarlo a la « Caldera ». Su aspecto triste y cansado era el de los animales de trabajo que obedecen con resignación mientras pueden sostenerse.

Llegó el momento decisivo. Se quedaría con él... ¿Cuánto?

—Por ser para usted, que es un amigo—dijo el gitano palmeándole en la espalda—, por ser para usted, persona simpática que sabrá tratar bien a esta prenda... lo dejaremos en cuarenta duros y trato hecho.

Batiste aguantó el disparo con calma, como hombre acostumbrado a tales discusiones, y sonrió socarronamente:

—Bueno: pos* por ser tú, rebajaré poco. ¿Quieres *ventisinco?**

El gitano extendió sus brazos con teatral indignación, retrocedió algunos pasos, se arañó la gorra de pelo e hizo toda clase de extremos grotescos para expresar su asombro.

—¡Mare de Dios! ¡Veinticinco duros!... ¿Pero se ha fijao* usted en el animal? Ni robao* se lo podría dar a tal precio.

Pero Batiste a todas sus lamentaciones contestaba siempre lo mismo:

—*Ventisinco*... ni un *chavo* más.

Y el gitano, apuradas sus razones, que no eran pocas, apeló a supremo argumento.

—Monote... saca el animal... que el señor se fije bien.

Y allá fue Monote otra vez, trotando y tirando del ronzal delante del pobre caballo, cada vez más aburrido de tantos paseos.

—¡Qué meneo! ¿eh?—dijo el gitano—. ¡Si parece una marquesa en un baile! ¿Y eso vale para usted veinticinco duros?...

—Ni un *chavo* más—repitió el testarudo.

—Monote... vuelve. Ya hay bastante.

Y fingiendo indignación, volvió el gitano la espalda al comprador como si diese por fracasado todo arreglo; pero al ver que Batiste se iba verdaderamente, desapareció su seriedad.

—Vamos, señor... ¿cuál es su gracia?... ¿Batiste? ¡Ah! Pues mire usted, señor Bautista: para que vea que le quiero y deseo que esa joya sea suya, voy a hacer lo que no haría por nadie. ¿Conviene en treinta y cinco duros? Vamos, que sí. Le juro por su salú que no haría esto ni por mi pare.

Esta vez aun fue más viva y gesticulante su protesta al ver que el labrador no se ablandaba con la rebaja y a duras penas le ofrecía dos duros más.

—¿Pero tan poco cariño le inspira esta perla fina? ¿Es que no tiene usté ojos para apreciarla? A ver, Monote: a sacarlo otra vez.*

Mas no tuvo Monote que echar de nuevo los bofes, pues Batiste se alejó fingiendo haber desistido de tal compra.

Vagó por el mercado, mirando de lejos otros animales, pero vigilando siempre con el rabillo de un ojo al gitano, el cual, fingiendo igualmente indiferencia, le seguía, le espiaba.

Se acercó a un caballote fuerte y de pelo brillante, que no pensaba comprar, adivinando su alto precio. Apenas le pasó la mano por las ancas, sintió junto a sus orejas un aliento ardoroso y un murmullo:

—Treinta y tres... Por la salú de sus pequeños, no diga que no; ya ve que me pongo en razón.

—*Ventiocho*—dijo Batiste sin volverse.

Cuando se cansó de admirar aquella hermosa bestia siguió adelante, y por hacer algo presenció cómo una vieja labradora regateaba un borriquillo.

El gitano había vuelto a colocarse junto a su caballo y le miraba desde lejos, agitando la cuerda del ronzal como si le llamase. Batiste se aproximó lentamente, simulando distracción, mirando los puentes, por donde pasaban como cúpulas movibles de colores las abiertas sombrillas de las mujeres de la ciudad.

Era ya mediodía. Abrasaba la arena del cauce; el aire, encajonado entre los pretiles, no se conmovía con la más leve ráfaga. En este ambiente cálido y pegajoso, el sol, cayendo de plano, pinchaba la piel y abrasaba los labios.

El gitano avanzó algunos pasos hacia Batiste, ofreciéndole el extremo de la cuerda como una toma de posesión:

—Ni lo de usted ni lo mío.* Treinta, y bien sabe Dios que nada gano... Treinta, no me diga que no, porque me muero de rabia. Vamos... choque usted.

Batiste agarró la cuerda y tendió una mano al vendedor, que se la apretó enérgicamente. Trato cerrado.

El labrador fue sacando de su faja toda aquella indigestión de ahorros que le hinchaba el vientre: un billete que le había prestado el amo, unas cuantas piezas de a duro, un puñado de plata menuda envuelta en un cucurucho de papel; y cuando la cuenta estuvo completa no pudo librarse de ir con el gitano al sombrajo para convidarle a una copa y dar unos cuantos céntimos a Monote por sus trotes.

—Se lleva usted la joya del mercado. Hoy es buen día para usted, señó Bautista: se ha santiguao con la mano derecha, y la Virgen ha salío a verle.*

Aún tuvo que beber una segunda copa, obsequio del gitano, y al fin, cortando en seco su raudal de ofrecimientos y zalamerías, cogió el ronzal de su nuevo caballo, y con ayuda del ágil Monote, montó en el desnudo lomo, saliendo a paso corto del ruidoso mercado.

Iba satisfecho del animal: no había perdido el día. Apenas si se acordaba del pobre Morrut, y sintió el orgullo del propietario cuando en el puente y en el camino volviéronse algunos de la huerta a examinar el blanco caballejo.

Su mayor satisfacción fue al pasar frente a la casa de Copa. Hizo emprender al rocín un trotecillo presuntuoso, cual si fuese un caballo de casta, y vio cómo después de pasar él se asomaban a la puerta Pimentó y todos los vagos del distrito con ojos de asombro. ¡Miserables! Ya estarían convencidos de que era difícil hincarle el diente, de que sabía defenderse solo. Bien podían verlo: caballo nuevo. ¡Ojalá lo que ocurría dentro de la barraca pudiera arreglarse tan facilmente!

Sus trigos, altos y verdes, formaban como un lago de inquietas ondas al borde del camino; la alfalfa mostrábase lozana, con un perfume que hizo dilatarse las narices del caballo. No podía quejarse de sus tierras; pero dentro de la barraca era donde temía encontrar a la desgracia, eterna compañera de su existencia, esperándole para clavar en él sus uñas.

Al oír el trote del rocín, salió Batistet con la cabeza cubierta de trapos, para apoderarse del ronzal mientras su padre desmontaba. El muchacho se mostró entusiasmado por la nueva bestia. La acarició, metióle sus manos entre los morros, y con el ansia de tomar posesión de ella, puso un pie sobre el corvejón, se agarró a la cola y montó por la grupa como un moro.

Batiste entró en la barraca, blanca y pulcra como siempre, con los azulejos luminosos y todos los muebles en su sitio, pero que parecía envuelta en la misma tristeza de una sepultura limpia y brillante.

Su mujer salió a la puerta del cuarto con los ojos hinchados, enrojecidos, y el pelo en desorden, revelando en su aspecto cansado varias noches pasadas en vela.

Acababa de marcharse el médico; lo de siempre: pocas esperanzas. Después de examinar un rato al pequeño, se había ido sin recetar nada nuevo. Únicamente al montar en su jaca había dicho que volvería al anochecer. Y el niño siempre igual, con una fiebre que devoraba su cuerpecillo cada vez más extenuado.

Era lo de todos los días. Se habían acostumbrado ya a aquella desgracia: la madre lloraba automáticamente, y los demás, con una expresión triste seguían dedicándose a sus habituales ocupaciones.

Después, Teresa, mujer hacendosa, preguntó a su marido por el resultado del viaje, quiso ver el caballo, y hasta la triste Roseta olvidó sus pesares amorosos para enterarse de la adquisición.

Todos, grandes y pequeños, fuéronse al corral para ver el caballo, que Batistet acababa de instalar en el establo. El niño quedó abandonado en el camón del *estudi*, revolviéndose con los ojos empañados por la enfermedad, y balando débilmente: «¡Mare! ¡mare!»

Teresa, mientras tanto, examinaba con rostro grave la compra de su marido, calculando detenidamente si aquello valía treinta duros; la hija buscaba diferencias entre la nueva bestia y el Morrut, de feliz memoria; y los dos pequeños, con repentina confianza, tirábanle de la cola y le acariciaban el vientre, rogando en vano al hermano mayor que los subiera sobre su blanco lomo.

Decididamente, gustaba a todos este nuevo individuo de la familia, que hociqueaba el pesebre con extrañeza, como si encontrase en él algún lejano olor del compañero muerto.

Comió toda la familia, y era tal la fiebre de la novedad, el entusiasmo por la adquisición, que varias veces Batistet y los pequeños escaparon de la mesa para ir a echar una mirada al establo, como si temiesen que al caballo le hubieran salido alas y ya no estuviese allí.

La tarde transcurrió sin ningún accidente. Batiste tenía que labrar una parte del terreno que aún conservaba inculto, pre-

parando la cosecha de hortalizas, y él y su hijo engancharon el
caballo, enorgulleciéndose al ver la mansedumbre con que
obedecía y la fuerza con que tiraba del arado.

Al anochecer, cuando ya iban a retirarse, les llamó a grandes gritos
Teresa desde la puerta de la barraca. Era como si pidiese socorro.

—¡Batiste! ¡Batiste!... *Vine pronte.**

Y Batiste corrió a través del campo, asustado por el tono de voz
de su mujer. Luego vio que se mesaba los cabellos gimiendo.

El chico se moría: bastaba verlo para convencerse. Batiste, al
entrar en el *estudi* e inclinarse sobre la cama, se agitó con un
estremecimiento de frío, algo así como si acabasen de soltarle un
chorro de agua por la espalda. El pobre Obispo apenas si se
movía: únicamente su pecho continuaba agitándose con penoso
estertor. Sus labios tomaban un tinte violáceo; sus ojos casi
cerrados dejaban entrever un globo empañado e inmóvil. Eran
unos ojos que ya no miraban, y su morena carita parecía ennegrecida por misteriosa lobreguez, como si sobre ella proyectasen su
sombra las alas de la muerte. Lo único que brillaba en su
cabeza eran los pelitos rubios, tendidos sobre las almohadas, y en
esta madeja rizosa quebrábase con extraña luz el resplandor del
candil.

La madre lanzaba gemidos desesperados, aullidos de fiera
enfurecida. Su hija, llorando silenciosamente, tenía necesidad
de contenerla, de sujetarla, para que no se arrojase sobre el pequeño o se estrellara la cabeza contra la pared. Fuera lloriqueaban
los pequeños sin atreverse a entrar, como si les infundieran terror
los lamentos de su madre; y junto a la cama estaba Batiste,
absorto, apretando los puños, mordiéndose los labios, con la vista
fija en aquel cuerpecito, al que tantas angustias y estremecimientos costaba soltar la vida. La falsa calma del hombretón, sus
ojos secos agitados por nervioso parpadeo, la frente inclinada
sobre su hijo, ofrecían una expresión aun más dolorosa que los
lamentos de la madre.

De pronto se fijó en que Batistet estaba junto a él. Le había
seguido, alarmado por los gritos de su madre. Batiste se en-
fadó al saber que dejaba abandonado el caballo en medio del

campo, y el muchacho, enjugándose las lágrimas, salió corriendo para traer la bestia al establo.

Al poco rato nuevos gritos sacaron a Batiste de su doloroso estupor.

—¡Pare!... ¡pare!

Era Batistet llamándole desde la puerta de la barraca. El padre, presintiendo una nueva desgracia, corrió tras él, sin comprender sus atropelladas palabras. «El caballo... el pobre Blanco... estaba en el suelo... sangre... »

Y a los pocos pasos lo vio caído sobre sus ancas, enganchado aún al arado, pero intentando en vano levantarse, tendiendo su cuello, relinchando dolorosamente, mientras de su costado, junto a una pata delantera, manaba lentamente un líquido negruzco, del que se iban empapando los surcos recién abiertos.

Se lo habían herido; tal vez iba a morir. ¡Recristo! Un animal tan necesario para él como la propia vida y que le había costado empeñarse con el amo...

Miró en torno, buscando al criminal. Nadie. En la vega, que azuleaba bajo el crepúsculo, no se oía más que un ruido lejano de carros, el susurro de los cañares y los gritos con que se llamaban de una barraca a otra. En los caminos inmediatos, en las sendas, ni una persona.

Batistet intentó disculparse ante su padre de este descuido. Cuando corría hacia la barraca, asustado por los gritos de su madre, había visto venir por el camino un grupo de hombres, gente alegre que reía y cantaba, regresando sin duda de la taberna. Tal vez eran ellos.

El padre no quiso oír más... ¡Pimentó! ¿quién otro podía ser? El odio de la huerta le asesinaba un hijo, y ahora aquel ladrón le mataba su caballería, adivinando lo necesaria que era para su existencia. ¡Cristo! ¿No había ya bastante para que un cristiano se perdiese?...

Y no razonó más. Sin saber lo que hacía, regresó a la barraca, cogió su escopeta detrás de la puerta, y salió corriendo, mientras instintivamente abría la recámara de su arma para ver si los dos cañones estaban cargados.

Batistet se quedó junto al caballo, intentando restañarle la sangre con su pañuelo de la cabeza.

Sintió miedo viendo a su padre correr por el camino con la escopeta preparada, ansioso de dar desahogo a su furor matando.

Era terrible el aspecto de aquel hombretón siempre tranquilo y cachazudo. Despertaba la fiera en él, cansado de que lo hostigasen un día y otro día. En sus ojos inyectados de sangre brillaba la fiebre del asesinato; todo su cuerpo se estremecía de cólera, esa terrible cólera del pacífico, que cuando rebasa el límite de la mansedumbre es para caer en la ferocidad.

Como un jabalí furioso se entró por los campos, pisoteando las plantas, saltando las arterias regadoras, tronchando cañares. Si abandonó el camino, fue por llegar antes a la barraca de Pimentó.

Alguien estaba en la puerta. La ceguera de la cólera y la penumbra crepuscular no le permitieron distinguir si era hombre o mujer, pero vio cómo de un salto se metía dentro y cerraba la puerta de golpe, asustado por aquella aparición próxima a echarse la escopeta a la cara.

Batiste se detuvo ante la barraca cerrada.

—¡Pimentó!... ¡Lladre! ¡asómat!*

Y su propia voz le causaba extrañeza, como si fuera de otro. Era una voz trémula y aflautada por la sofocación de la cólera.

Nadie contestó. La puerta seguía cerrada: cerradas las ventanas y las tres aspilleras del remate de la fachada que daban luz al piso alto, a la cambra,* donde eran guardadas las cosechas.

El bandido le estaría mirando tal vez por algún agujero; tal vez preparaba su escopeta para dispararla traidoramente desde uno de los ventanillos altos; e instintivamente, con esa previsión moruna atenta a suponer en el enemigo toda clase de males artes, resguardó su cuerpo con el tronco de una higuera gigantesca que sombreaba la barraca de Pimentó.

El nombre de éste sonaba sin cesar en el silencio del crepúsculo, acompañado de toda clase de insultos.

—¡Baixa, cobarde!* ¡Asómat, morral!

Y la barraca permanecía silenciosa y cerrada, como si la hubiesen abandonado.

Creyó Batiste oír gritos ahogados de mujer, choque de muebles, algo que le hizo adivinar una lucha de la pobre Pepeta deteniendo a Pimentó, el cual quería salir para dar respuesta a sus insultos. Después no oyó nada, y sus improperios siguieron sonando en un silencio desesperante.

Esto le enfurecía más aun que si el enemigo se hubiera presentado. Parecíale que la muda barraca se burlaba de él; y abandonando su escondrijo, se arrojó contra la puerta, golpeándola a culatazos.

Las maderas se estremecieron con este martilleo loco. Quería saciar su rabia en la vivienda, ya que no podía hacer añicos al dueño, y tan pronto aporreaba la puerta como daba de culatazos a las paredes, arrancando enormes yesones. Hasta se echó varias veces la escopeta a la cara, queriendo disparar los dos tiros contra las ventanillas de la *cambra*, deteniéndole únicamente el miedo a quedar desarmado.

Su cólera iba en aumento: rugía los insultos; sus ojos inyectados ya no podían ver; se tambaleaba como si estuviera ebrio. Iba a caer al suelo, apoplético, agonizante de cólera, asfixiado por la rabia; pero se salvó, pues de repente, las nubes rojas que lo envolvían se rasgaron, al furor sucedió la debilidad, y viendo toda su desgracia, se sintió anonadado. Su cólera, quebrantada al fin por tan horrible tensión, empezó a desvanecerse, y Batiste, repitiendo su rosario de insultos, sintió de pronto que su voz se ahogaba hasta convertirse en un gemido. Al fin rompió a llorar.

Ya no injurió más al matón. Fue poco a poco retrocediendo hasta llegar al camino y se sentó en un ribazo con la escopeta a sus pies. Allí lloró y lloró, sintiendo con esto un gran alivio, acariciado por las sombras de la noche, que parecían tomar parte en su pena, pues cada vez se hacían más densas, ocultando su llanto infantil.

¡Cuán desgraciado era! ¡Solo contra todos!... Al pequeñín lo encontraría muerto al volver a su barraca; el caballo, que era su vida, inutilizado por aquellos traidores; el mal llegando a él de todas partes, surgiendo de los caminos, de las casas, de los cañares, aprovechando todas las ocasiones para herir a los suyos; y él, inerme, sin poder defenderse de aquel enemigo que se desvanecía apenas intentaba revolverse contra él, cansado de sufrir.

¡Gran Dios! ¿qué había hecho él para padecer tanto? ¿No era un hombre bueno?...

Sintióse cada vez más anonadado por el dolor. Allí se quedaría clavado en el ribazo; podían venir sus enemigos: no tenía fuerzas para coger la escopeta caída a sus pies.

Resonó en el camino un lento campanilleo, poblando la obscuridad de misteriosas vibraciones. Batiste pensó en su pequeño, en el pobre Obispo, que ya habría muerto. Tal vez este sonido tan dulce era de los ángeles que habían bajado para llevárselo, y revoloteaban por la huerta no encontrando su pobre barraca. ¡Ay, si no quedasen los otros... los que necesitaban sus brazos para vivir!... El pobre hombre ansiaba su anonadamiento. Pensó en la felicidad de dejar allí mismo, junto a un ribazo, aquel corpachón cuyo sostenimiento tanto le costaba, y agarrado a la almita de su hijo, de aquel inocente, volar, volar como los bienaventurados que él había visto conducidos por ángeles en los cuadros de las iglesias.

El melancólico campanilleo sonaba ahora junto a él, y empezaron a pasar por el camino bultos informes que su vista turbia por las lágrimas no acertaba a definir. Sintió que le tocaban con la punta de un palo; y levantando la cabeza, vio una escueta figura, una especie de espectro que se inclinaba hacia él.

Reconoció al tío Tomba: el único de la huerta a quien no debía ningún pesar.

El pastor, tenido por brujo, poseía la adivinación asombrosa de los ciegos. Apenas reconoció a Batiste pareció comprender toda su desgracia. Tentó con el palo la escopeta que estaba a sus pies, y volvió la cabeza, como si buscase en la obscuridad la barraca de Pimentó.

Hablaba con lentitud, con una tristeza reposada, como hombre acostumbrado a las miserias de un mundo del que pronto había de salir. Adivinó el llanto de Batiste.

—¡*Fill meu!*... ¡*fill meu!*...

Todo lo que ocurría ahora lo esperaba él ¡hijo mío! Ya se lo había dicho el primer día que le encontró instalado en las tierras malditas: «¡Le traerían desgracia!...»

Acababa de pasar frente a su barraca y había visto luces por la puerta abierta... Luego había oído gritos de desesperación; el perro aullaba... El pequeño había muerto, ¿verdad? Y el padre allí, creyendo estar sentado en un ribazo, cuando en realidad donde estaba era con un pie en el presidio. Así se pierden los hombres y se disuelven las familias. Acabaría matando tontamente como el pobre Barret, y muriendo como él, en perpetuo encierro. Era algo fatal: aquellas tierras habían sido maldecidas por los pobres, y no podían dar más que frutos de maldición.

Y mascullando sus terribles profecías, el pastor se alejó detrás de sus ovejas, camino del pueblo, mientras aconsejaba al pobre Batiste que se marchase también, pero lejos, muy lejos, donde no tuviera que ganar el pan luchando contra el odio de tantas miserias coligadas.

Invisible ya, hundido en las sombras, Batiste escuchó todavía su voz lenta y triste:

—*Creume, fill meu: ¡te portarán desgrasia!*

VIII

Batiste y su familia no se dieron cuenta de cómo se inició el suceso inaudito, inesperado; quién fue el primero que se decidió a pasar el puentecillo que unía el camino con los odiados campos.

No estaban en la barraca para fijarse en tales pormenores. Agobiados por el dolor, vieron que la huerta venía repentinamente hacia ellos; y no protestaron, porque la desgracia necesita consuelo, pero tampoco agradecieron el inesperado movimiento de aproximación.

La muerte del pequeño se había transmitido rápidamente por todo el contorno, gracias a la extraña velocidad con que circulan en la huerta las noticias, saltando de barraca en barraca en alas del chismorreo, el más rápido de los telégrafos.

Aquella noche, muchos durmieron mal. Parecía que el pequeñín, al irse del mundo, hubiese dejado clavada una espina en la conciencia de los vecinos. Más de una mujer revolvióse en la cama, turbando con su inquietud el sueño de su marido, que protestaba indignado. «¡Pero maldita! ¿no pensaba en dormir?...» «No; no podía: aquel niño turbaba su sueño. ¡Pobrecito! ¿Qué le contaría al Señor cuando entrase en el cielo?...»

A todos alcanzaba algo de responsabilidad en esta muerte; pero cada uno, con hipócrita egoísmo, atribuía al vecino la principal culpa de la enconada persecución, cuyas consecuencias habían caído sobre el pequeño; cada comadre inventaba una responsabilidad para la que tenía por enemiga. Y al fin, dormíanse con el propósito de deshacer al día siguiente todo el mal causado, de ir por la mañana a ofrecerse a la familia, a llorar sobre el pobre niño; y entre las nieblas del sueño creían ver a Pascualet, blanco y luminoso como un ángel, mirando con ojos de reproche a los que tan duros habían sido con él y su familia.

Todos los vecinos se levantaron rumiando mentalmente la forma de acercarse a la barraca de Batiste y entrar en ella. Era un examen de conciencia, una explosión de arrepentimiento que afluía a la pobre vivienda de todos los extremos de la vega.

Cuando apenas acababa de amanecer, ya se colaron en la barraca dos viejas que vivían en una alquería vecina. La familia, consternada, apenas si mostró extrañeza por la presentación de estas dos mujeres en aquella casa donde nadie había entrado durante seis meses. Querían ver el niño, el pobre *albaet*;* y entrando en el *estudi*, le contemplaron todavía en la cama, el embozo de la sábana hasta el cuello, marcando apenas el bulto de su cuerpo bajo la cubierta, con la cabeza rubia inerte sobre el almohadón. La madre no sabía más que llorar, metida en un ángulo del cuarto, encogida, apelotonada, pequeña como una niña, como si se esforzase por anularse y desaparecer.

Después de estas mujeres entraron otras y otras. Era un rosario de comadres llorosas que iban llegando de todos los lados de la huerta, y rodeaban la cama, besaban el pequeño cadáver y parecían apoderarse de él como si fuera cosa suya, dejando a un lado a Teresa y su hija. Éstas, rendidas por el insomnio y el llanto, parecían idiotas, descansando sobre el pecho la cara enrojecida y escaldada por las lágrimas.

Batiste, sentado en una silleta de esparto en medio de la barraca, miraba con expresión estúpida el desfile de estas gentes que tanto lo habían maltratado. No las odiaba, pero tampoco sentía gratitud. De la crisis de la víspera había salido anonadado, y miraba todo esto con indiferencia, como si la barraca no le perteneciese ni el pobrecito que estaba en la cama fuese su hijo. Únicamente el perro, enroscado a sus pies, parecía conservar recuerdos y sentir odio. Hociqueaba con hostilidad toda la procesión de faldas entrante y saliente, y gruñía como si deseara morder, conteniéndose por no dar un disgusto a sus amos.

La gente menuda participaba del enfurruñamiento del perro. Batistet ponía mal gesto a todas aquellas «tías»* que tantas veces se burlaron de él cuando pasaba ante sus barracas, y acabó por refugiarse en la cuadra, para no perder de vista al pobre caballo y continuar curándole con arreglo a las instrucciones del veterinario, llamado en la noche anterior. Mucho quería a su hermanito;

pero la muerte no tiene remedio, y lo que ahora le preocupaba a él era que el caballo no quedase cojo.

Los dos pequeños, satisfechos en el fondo de una desgracia que atraía sobre la barraca la atención de toda la vega, guardaban la puerta, cerrando el paso a los chicos que, como bandadas de gorriones, llegaban por caminos y sendas con la malsana y excitada curiosidad de ver al muertecito. Ahora llegaba la suya:* ahora eran los amos. Y con el valor del que está en su casa, amenazaban y despedían a unos, dejaban entrar a otros, concediéndoles su protección según les habían tratado en las sangrientas y accidentadas peregrinaciones por el camino de la escuela... ¡Pillos! Hasta los había que se empeñaban en entrar después de haber sido de* la riña en la que el pobre Pascualet cayó en la acequia, pillando su enfermedad mortal.

La aparición de una mujercilla débil y pálida pareció animar con una ráfaga de penosos recuerdos a toda la·familia. Era Pepeta, la mujer de Pimentó. ¡Hasta ésta venía!...

Hubo en Batiste y su mujer un intento de rebelión; pero su voluntad no tenía fuerzas... ¿Para qué? Bien venida, y si entraba para gozarse en su desgracia, podía reír cuanto quisiera. Allí estaban ellos inertes, aplastados por el dolor. Dios, que lo ve todo, ya daría a cada cual lo suyo.*

Pero Pepeta se fue rectamente a la cama, apartando a las otras mujeres. Llevaba en los brazos un enorme haz de flores y hojas, que esparció sobre el lecho. Los primeros perfumes de la naciente primavera se extendieron por el cuarto, que olía a medicinas, y cuyo ambiente pesadísimo parecía cargado de insomnio y suspiros.

Pepeta, la pobre bestia de trabajo, muerta para la maternidad* y casada sin la esperanza de ser madre, perdió su calma a la vista de aquella cabecita de marfil orlada por la revuelta cabellera como un nimbo de oro.

—¡*Fill meu*!... ¡*Pobret meu*!*...

Y lloró con toda su alma, inclinándose sobre el muertecito, rozando apenas con sus labios la frente pálida y fría, como si temiese despertarle.

Al oír sus sollozos, Batiste y su mujer levantaron la cabeza como asombrados. Ya sabían que era una buena mujer; el marido era el malo. Y la gratitud paternal brillaba en sus miradas.

Batiste hasta se estremeció viendo cómo la pobre Pepeta abrazaba a Teresa y su hija, confundiendo sus lágrimas con las de éstas. No; allí no había doblez: era una víctima; por eso sabía comprender la desgracia de ellos, que eran víctimas también.

La mujercita se enjugó las lágrimas. Reapareció en ella la hembra animosa y fuerte, acostumbrada a un trabajo brutal para mantener su casa. Miró asombrada en torno. Aquello no podía quedar así; ¡el niño en la cama y todo desarreglado! Había que acicalar al *albat** para su último viaje, vestirle de blanco, puro y resplandeciente como el alba, de la que llevaba el nombre.

Y con un instinto de ser superior nacido para el mando y que sabe imponer la obediencia, comenzó a dar órdenes a todas las mujeres, que rivalizaban por servir a la familia antes odiada.

Ella iría a la ciudad con dos compañeras, para comprar la mortaja y el ataúd; otras fueron al pueblo o se esparcieron por las barracas inmediatas, buscando los objetos encargados por Pepeta.

Hasta el odioso Pimentó, que permanecía invisible, tuvo que trabajar en tales preparativos. Su mujer, al encontrarle en el camino, le ordenó que buscase músicos para la tarde. Eran, como él, vagos y borrachines; seguramente los encontraría en casa de Copa. Y el matón, que aquel día se mostraba pensativo, oyó a su mujer sin réplica alguna y sufrió el tono imperioso con que le hablaba, mirando al mismo tiempo el suelo, como avergonzado.

Desde la noche anterior se sentía otro. Aquel hombre que le había desafiado, insultándole impunemente mientras le tenía metido en su barraca como una gallina; su mujer que por primera vez le imponía su voluntad, quitándole la escopeta; su falta de valor para colocarse frente a la víctima cargada de razón: todo eran motivos para que se sintiese confuso y atolondrado.

Ya no era el Pimentó de otros tiempos; empezaba a conocerse. Hasta llegó a sospechar si todo lo que llevaba hecho contra Batiste y su familia era un crimen. Hubo un momento en que llegó a despreciarse. ¡Vaya una hazaña de hombre la suya!... Todas las perrerías de él y los demás vecinos sólo habían servido para quitar la vida a un pobre chicuelo. Y siguiendo su costumbre en los días negros, cuando alguna inquietud fruncía su entrecejo, se fue a la taberna, buscando los consuelos que guardaba Copa en su famosa bota del rincón.*

A las diez de la mañana, cuando Pepeta con sus dos compañeras regresó de Valencia, estaba la barraca llena de gente.

Algunos hombres de los más cachazudos, «hombres de su casa»,* que apenas habían tomado parte en la cruzada contra los forasteros, formaban corro con Batiste en la puerta de la barraca: unos en cuclillas, a lo moro, otros sentados en silletas de esparto, fumando y hablando lentamente del tiempo y las cosechas.

Dentro, mujeres y más mujeres estrujándose en torno a la cama, abrumando a la madre con su charla, hablando algunas de los hijos que habían perdido, instaladas otras en los rincones como en su propia casa, repitiendo todas las murmuraciones de la vecindad. Aquel día era extraordinario; no importaba que sus barracas estuviesen sucias y la comida por hacer: había excusa; y las criaturas, agarradas a sus faldas, lloraban y aturdían con sus gritos, queriendo unas volver a casa, pidiendo otras que les enseñasen el *albaet*.

Algunas viejas se habían apoderado de la alacena, y a cada momento preparaban grandes vasos de agua con vino y azúcar, ofreciéndolos a Teresa y a su hija para que llorasen con más «desahogo». Y cuando las pobres, hinchadas ya por esta inundación azucarada, se negaban a beber, las oficiosas comadres iban por turno echándose al gaznate los refrescos, pues también necesitaban que les pasase el disgusto.

Pepeta comenzó a dar gritos queriendo imponer su autoridad en esta confusión. «¡Gente afuera! En vez de estar molestando, lo que debían hacer era llevarse a las dos pobres mujeres, extenuadas por el dolor, idiotas por tanto ruido.»

Teresa se resistió a abandonar a su hijo aunque sólo fuera por breve rato: pronto dejaría de verlo; que no la robasen el tiempo que le quedaba de contemplar a su tesoro. Y prorrumpiendo en lamentos más fuertes, se abalanzó sobre el frío cadáver, queriendo abrazarle.

Pero los ruegos de su hija y la voluntad de Pepeta pudieron más, y escoltada por muchas mujeres, salió de la barraca con el delantal en la cara, gimiendo, tambaleándose, sin prestar atención a las que tiraban de ella disputándose el llevarla cada una a su casa.

Comenzó Pepeta el arreglo de la fúnebre pompa. Primeramente colocó en el centro de la entrada la mesita blanca de pino en que comía la familia, cubriéndola con una sábana y clavando los extremos con alfileres. Encima tendió una colcha de almidonadas randas, y puso sobre ella el pequeño ataúd traído de Valencia, una monada, que admiraban todas las vecinas: un estuche blanco galoneado de oro, mullido en su interior como una cuna.

Pepeta sacó de un envoltorio las últimas galas del muertecito: un hábito de gasa tejida con hebras de plata, unas sandalias, una guirnalda de flores, todo blanco, de rizada nieve, como la luz del alba, cuya pureza simbolizaba la del pobrecito *albat*.

Lentamente, con mimo maternal, fue amortajando el cadáver. Oprimía el cuerpecillo frío contra su pecho con arrebatos de estéril pasión, introducía en la mortaja los rígidos bracitos con escrupuloso cuidado, como fragmentos de vidrio que podían quebrarse al menor golpe, y besaba sus pies de hielo antes de acoplarlos a tirones en las sandalias.

Sobre sus brazos, como una paloma blanca yerta de frío, trasladó al pobre Pascualet a la caja, a aquel altar levantado en medio de la barraca, ante el cual iba a pasar toda la huerta atraída por la curiosidad.

Aún no estaba todo; faltaba lo mejor: la guirnalda, un bonete de flores blancas con colgantes que pendían sobre las orejas; un adorno de salvaje, igual a los de los indios de teatro. La piadosa mano de Pepeta, empeñada en tenaz batalla con la muerte, tiñó las pálidas mejillas con rosado colorete; la boca del muertecito, ennegrecida, se reanimó bajo una capa de encendido bermellón; pero en vano pugnó la sencilla labradora por abrir desmesuradamente sus flojos párpados. Volvían a caer, cubriendo los ojos mates, entelados, sin reflejo, con la tristeza gris de la muerte.

¡Pobre Pascualet!... ¡Infeliz Obispillo! Con su guirnalda extravagante y su cara pintada estaba hecho un mamarracho. Más ternura dolorosa inspiraba su cabecita pálida, con el verdor de la muerte, caída en la almohada de su madre, sin más adornos que sus cabellos rubios.

Pero todo esto no impedía que las buenas huertanas se entusiasmasen ante su obra. «¡Miradlo!... ¡Si parecía dormido! ¡Tan hermoso! ¡tan sonrosado!...» Jamás se había visto un *albaet* como éste.

Y llenaban de flores los huecos de su caja: flores sobre la blanca vestidura, flores esparcidas en la mesa, apiladas, formando ramos en los extremos. Era la vega entera abrazando el cuerpo de aquel niño que tantas veces había visto saltar por sus senderos como un pájaro, extendiendo sobre su frío cuerpo una oleada de perfumes y colores.

Los dos hermanos pequeños contemplaban a Pascualet asombrados, con devoción, como un ser superior que iba a levantar el vuelo de un momento a otro. El perro rondaba el fúnebre catafalco, estirando el hocico, queriendo lamer las frías manecitas de cera, y prorrumpía en un lamento casi humano, un gemido de desesperación, que ponía nerviosas a las mujeres y hacía que persiguiesen a patadas a la pobre bestia.

Al mediodía, Teresa, escapándose casi a viva fuerza del cautiverio en que la guardaban las vecinas, volvió a la barraca. Su cariño de madre la hizo sentir una viva satisfacción ante los atavíos del pequeño. Le besó en la pintada boca, y redobló sus gemidos.

Era la hora de comer. Batistet y los hermanos pequeños, en los cuales el dolor no lograba acallar el estómago, devoraron un mendrugo ocultos en los rincones. Teresa y su hija no pensaron en comer. El padre, siempre sentado en una silleta de esparto bajo el emparrado de la puerta, fumaba cigarro tras cigarro, impasible como un oriental, volviendo la espalda a su vivienda,

cual si temiera ver el blanco catafalco que servía de altar al
cadáver de su hijo.

Por la tarde aun fueron más numerosas las visitas. Las
mujeres llegaban con el traje de los días de fiesta, puestas de
mantilla para asistir al entierro; las muchachas disputábanse con
tenacidad ser de las cuatro que habían de llevar al pobre *albaet*
hasta el cementerio.

Andando lentamente por el borde del camino y huyendo del
polvo como de un peligro mortal, llegó una gran visita: don
Joaquín y doña Pepa, el maestro y su « señora ». Aquella tarde,
con motivo del « infausto suceso »—palabras de él—, no había
escuela. Bien se adivinaba viendo la turba de muchachos
atrevidos y pegajosos que se iban colando en la barraca, y cansados
de contemplar, hurgándose las narices, el cadáver de su compañero, salían a perseguirse por el camino inmediato o a saltar las
acequias.

Doña Josefa, con un vestido algo raído de lana y gran mantilla
de un negro ya amarillento, entró solemnemente en la barraca, y
después de algunas frases vistosas pilladas al vuelo* a su marido,
aposentó* su robusta humanidad en un sillón de cuerda y allí
se quedó, muda y como soñolienta, contemplando el ataúd.
La buena mujer, habituada a oír y admirar a su esposo, no podía
seguir una conversación.

El maestro, que lucía su casaquilla verdosa de los días de gran
ceremonia y su corbata de mayor tamaño, tomó asiento fuera,
al lado del padre. Sus manazas de cultivador las llevaba en-
fundadas en unos guantes negros que habían encanecido* con
los años, quedando de color de ala de mosca, y las movía continua-
mente, deseoso de atraer la atención sobre sus prendas de las
grandes solemnidades.

Para Batiste sacaba también lo más florido y sonoro de su estilo.
Era su mejor cliente: ni un sábado había dejado de entregar a sus
hijos los dos cuartos para la escuela.

—Éste es el mundo, señor Bautista; ¡hay que resignarse!
Nunca sabemos cuáles son los designios de Dios, y muchas veces,
del mal saca el bien para las criaturas.

Interrumpiendo su ristra de lugares comunes, dichos campanudamente, como si estuviera en la escuela, añadió en voz baja, guiñando maliciosamente los ojos:

—¿Se ha fijado, señor Bautista, en toda esta gente?... Ayer hablaban pestes de usted y su familia, y bien sabe Dios que en muchas ocasiones les he censurado esa maldad. Hoy entran en esta casa con la misma confianza que en la suya y les abruman bajo tantas muestras de cariño. La desgracia les hace olvidar, les aproxima a ustedes.

Y tras una pausa, en la que permaneció cabizbajo, dijo golpeándose el pecho:

—Créame a mí, que los conozco bien: en el fondo son buena gente. Muy brutos, eso sí, capaces de las mayores barbaridades, pero con un corazón que se conmueve ante el infortunio y les hace ocultar las garras... ¡Pobre gente! ¿Qué culpa tienen si nacieron para vivir como bestias y nadie les saca de su condición?

Calló un buen rato, añadiendo luego, con el fervor de un comerciante que ensalza su mercancía:

—Aquí lo que se necesita es instrucción, mucha instrucción. Templos del saber que difundan la luz de la ciencia por esta vega, antorchas que... que... En fin, si vinieran más chicos a mi templo, digo, a mi escuela, y si los padres, en vez de emborracharse, pagasen puntualmente como usted, señor Bautista, de otro modo andaría esto. Y no digo más, porque no me gusta ofender.

De ello corría peligro,* pues cerca de su persona andaban muchos padres de los que le enviaban discípulos sin el lastre de los dos cuartos.

Otros labriegos, que habían mostrado gran hostilidad contra la familia, no osaban llegar hasta la barraca y permanecían en el camino, formando corro. Por allí andaba Pimentó, que acababa de llegar de la taberna con cinco músicos, tranquila la conciencia después de haber estado durante algunas horas junto al mostrador de Copa.

Afluía cada vez más gente a la barraca. No había espacio libre dentro de ella, y las mujeres y los niños sentábanse en los

bancos de ladrillos, bajo el emparrado, o en los ribazos, esperando
el momento del entierro.

Dentro sonaban lamentos, consejos dichos con voz enérgica,
un rumor de lucha. Era Pepeta queriendo separar a Teresa del
cadáver de su hijo. Vamos... había que ser razonable: el *albat*
no podía quedar allí para siempre; se hacía tarde, y los malos
tragos pasarlos pronto.

Y pugnaba con la madre por apartarla del ataúd, por obligarla
a que entrase en el *estudi* y no presenciase el terrible momento de
la salida, cuando el *albat*, levantado en hombros, alzase el vuelo
con las blancas alas de su mortaja para no volver más.

—¡Fill meu!... ¡rey de sa mare!*—gemía la pobre Teresa.

Ya no lo vería más: un beso... otro. Y la cabeza, cada vez más
fría y lívida a pesar del colorete, movíase de un lado a otro de la
almohada, agitando su diadema de flores, entre las manos ansiosas
de la madre y de la hermana, que se disputaban el último beso.

A la salida del pueblo estaba aguardando el señor vicario con el
sacristán y los monaguillos: no era caso de hacerlos esperar.
Pepeta se impacientaba. «¡Adentro, adentro!» Y ayudada por
otras mujeres, Teresa y su hija fueron metidas casi a viva fuerza
en el *estudi*,* revolviéndose desgreñadas, rojos los ojos por el
llanto, el pecho palpitante a impulsos de una protesta dolorosa,
que ya no gemía, sino aullaba.

Cuatro muchachas con hueca falda, mantilla de seda caída
sobre sus ojos y aire pudoroso y monjil, agarraron las patas de la
mesilla, levantando todo el blanco catafalco. Como el disparo
que saluda a la bandera que se iza, sonó un gemido extraño,
prolongado, horripilante, algo que hizo correr frío por muchas
espaldas. Era el perro despidiendo al pobre *albaet*, lanzando un
quejido interminable, con los ojos lacrimosos y las patas estiradas,
cual si quisiera prolongar el cuerpo hasta donde llegaba su lamento.

Fuera, don Joaquín daba palmadas de atención:* «¡A ver!...
¡Que forme toda la escuela!»* La gente del camino se había
aproximado a la barraca. Pimentó capitaneaba a sus amigos los
músicos; preparaban éstos sus instrumentos para saludar al *albaet*
apenas transpusiese la puerta, y entre el desorden y el griterío con

que se iba formando la procesión gorjeaba el clarinete, hacía escalas
el cornetín y el trombón bufaba como un viejo gordo y asmático.

Emprendieron la marcha los chicuelos, llevando en alto grandes
ramos de albahaca. Don Joaquín sabía hacer bien las cosas.
Después, rompiendo el gentío, aparecieron las cuatro doncellas
sosteniendo el blanco y ligero altar sobre el cual iba el pobre
albaet, acostado en su ataúd, moviendo la cabeza con ligero
vaivén, como si se despidiese de la barraca.

Los músicos rompieron a tocar un vals juguetón y alegre,* colocándose detrás del féretro, y después de ellos abalanzáronse por
el camino, formando apretados grupos, todos los curiosos.

La barraca, vomitando lejos de ella su digestión de gentío,
quedó muda, sombría, con ese ambiente lúgubre de los lugares
por donde acaba de pasar la desgracia.

Batiste, solo bajo la parra, sin abandonar su postura de oriental
impasible, mordía su cigarro, siguiendo con los ojos la marcha de
la procesión. Ésta comenzaba a ondular por el camino grande,
marcándose el ataúd y su catafalco como una enorme paloma
blanca entre el desfile de ropas negras y ramos verdes.

¡Bien* emprendía el pobre *albaet* el camino del cielo de los
inocentes! La vega, desperezándose voluptuosa bajo el beso del
sol primaveral, envolvía al muertecito con su aliento oloroso, lo
acompañaba hasta la tumba, cubriéndolo con impalpable mortaja
de perfumes. Los viejos árboles, que germinaban con una savia
de resurrección, parecían saludar al pequeño cadáver agitando
bajo la brisa sus ramas cargadas de flores. Nunca la muerte pasó
sobre la tierra con disfraz tan hermoso.

Desmelenadas y rugientes como locas, moviendo con furia sus
brazos, aparecieron en la puerta de la barraca las dos infelices
mujeres. Sus voces prolongábanse como un gemido interminable
en la tranquila atmósfera de la vega, impregnada de dulce luz.

—¡*Fill meu!*... ¡*Anima mehua!**—gemían la pobre Teresa y
su hija.

—¡*Adiós, Pascualet!*... ¡*adios!*—gritaban los pequeños sorbién-
dose las lágrimas.

—¡*Auuu!* ¡*auuu!*—aullaba el perro, tendiendo el hocico con un quejido interminable que crispaba los nervios y parecía agitar la vega bajo un escalofrío fúnebre.

Y de lejos, por entre el ramaje, arrastrándose sobre las verdes olas de los campos, contestaban los ecos del vals que iba acompañando al pobre *albaet* hacia la eternidad, balanceándose en su barquilla blanca galoneada de oro. Las escalas enrevesadas del cornetín, sus cabriolas diabólicas, parecían una carcajada metálica de la muerte, que con el niño en sus brazos se alejaba a través de los esplendores de la vega.

A la caída de la tarde fueron regresando los del cortejo.

Los pequeños, faltos de sueño por las agitaciones de la noche anterior, en que les había visitado la muerte, dormían sobre las sillas. Teresa y su hija, rendidas por el llanto, agotada la energía después de tantas noches de insomnio, habían acabado por quedar inertes, cayendo sobre aquella cama que aún conservaba la huella del pobre niño. Batistet roncaba en la cuadra, cerca del caballo enfermo.

El padre, siempre silencioso e impasible, recibía las visitas, estrechaba manos, agradecía con movimientos de cabeza los ofrecimientos y las frases de consuelo.

Al cerrar la noche no quedaba nadie. La barraca estaba obscura, silenciosa. Por la puerta abierta y lóbrega llegaba como un lejano susurro la respiración cansada de la familia, todos caídos, como muertos de la batalla con el dolor.

Batiste, siempre inmóvil, miraba como un idiota las estrellas que parpadeaban en el azul obscuro de la noche.

La soledad le reanimó. Empezaba a darse cuenta exacta de su situación.

La vega tenía el aspecto de siempre, pero a él le parecía más hermosa, más «tranquilizadora», como un rostro ceñudo que se desarruga y sonríe.

Las gentes, cuyos gritos sonaban a lo lejos, en las puertas de las barracas, ya no le odiaban, ya no perseguirían a los suyos. Habían estado bajo su techo, borrando con sus pasos la maldición que pesaba sobre las tierras del tío Barret. Iba a empezar una nueva vida. ¡Pero a qué precio!...

Y al tener de repente la visión clara de su desgracia, al pensar en el pobre Pascualet, que a tales horas estaba aplastado por una masa de tierra húmeda y hedionda, rozando su blanca envoltura con la corrupción de otros cuerpos, acechado por el gusano inmundo, él, tan hermoso, con aquella piel fina por la que resbalaba su callosa mano, con sus pelos rubios que tantas veces había acariciado, sintió como una oleada de plomo que subía y subía desde el estómago a su garganta.

Los grillos que cantaban en el vecino ribazo callaron, espantados por un extraño hipo que rasgó el silencio y sonó en la obscuridad gran parte de la noche, como el estertor de una bestia herida.

IX

harvest bouts

Había llegado San Juan, la mejor época del año: el tiempo de la recolección y la abundancia.

air

cracking it open
sheltered

El espacio vibraba de luz y de calor. Un sol africano lanzaba torrentes de oro sobre la tierra, resquebrajándola con sus ardorosas caricias. Sus flechas de oro deslizábanse entre el follaje, toldo de verdura bajo el cual cobijaba la vega sus rumorosas acequias y sus húmedos surcos, como temerosa del calor que hacía germinar la vida por todas partes.

fearful afraid

bent down
varnished
very huge big trees

Los árboles mostraban sus ramas cargadas de frutos. Doblegábanse los nispereros* con el peso de los amarillos racimos cubiertos de barnizadas hojas; asomaban los albaricoques entre el follaje como rosadas mejillas de niño; registraban los muchachos con impaciencia las corpulentas higueras, buscando codiciosos las brevas primerizas, y en los jardines, por encima de las tapias, exhalaban los jazmines su fragancia azucarada, y las magnolias, como incensarios de marfil, esparcían su perfume en el ambiente ardoroso impregnado de olor de mies.

apricot (arm)
greedy

lightening blossoms of stones (: run)
ripe wheat shaving

Las hoces relampagueantes iban tonsurando los campos, echando abajo las rubias cabelleras de trigo, las gruesas espigas, que, apopléticas de vida, buscaban el suelo, doblando tras ellas las delgadas cañas.

ears of corn
bursting

threshing floors
cut

En las eras amontonábase la paja formando colinas de oro que reflejaban la luz del sol; aventábase el trigo entre remolinos de polvo, y en los campos desmochados, a lo largo de los rastrojos, saltaban los gorriones buscando los granos perdidos.

winnowed
stubble

sneaked ran around leapt about

Todo era alegría y trabajo gozoso. Chirriaban carretas en los caminos; bandas de muchachos correteaban por los campos o daban cabriolas en las eras, pensando en las tortas de trigo nuevo, en la vida de abundancia y satisfacción que empezaba en las barracas al llenarse el granero; y hasta los viejos rocines mostraban los ojos alegres, marchando con mayor desembarazo, como

cake

greater nimbleness

fortalecidos por el olor de los montes de paja que, lentamente, como un río de oro, iban a deslizarse por sus pesebres en el curso del año.

El dinero, cautivo en los *estudis* durante el invierno, oculto en el arca o en el fondo de una media, comenzaba a circular por la vega. A la caída de la tarde llenábanse las tabernas de hombres enrojecidos y barnizados por el sol, con la recia camisa sudosa, que hablaban de la cosecha y de la paga de San Juan, el semestre que había que entregar a los amos de la tierra.

También la abundancia había hecho renacer la alegría en la barraca de Batiste. La cosecha hacía olvidar al *albaet*. Únicamente la madre delataba con repentinas lágrimas y algún profundo suspiro el fugaz recuerdo del pequeño.

El trigo, los sacos repletos que Batiste y su hijo subían al granero y al caer de sus espaldas hacían temblar el piso, conmoviendo toda la barraca, era lo que interesaba a la familia.

Comenzaba para todos ellos la buena época. Tan extremada como había sido hasta poco antes la desgracia, era ahora la fortuna. Deslizábanse los días en santa calma, trabajando mucho, pero sin que un leve contratiempo viniera a turbar la monotonía de una existencia laboriosa.

Algo se había enfriado el afecto que mostraron todos los vecinos al enterrar al pequeño. Según se amortiguaba el recuerdo de aquella desgracia, la gente parecía arrepentirse de su impulso de ternura, y se acordaba otra vez de la catástrofe del tío Barret y la llegada de los intrusos.

Pero la paz ajustada espontáneamente ante el blanco ataúd del pequeño no llegaba a turbarse. Algo fríos y recelosos, eso sí, pero todos cambiaban su saludo con la familia. Los hijos podían ir por la vega sin ser hostilizados, y hasta Pimentó, cuando encontraba a Batiste, movía la cabeza amistosamente, rumiando algo que era como contestación a su saludo... En fin, que si no los querían les dejaban tranquilos, que era todo lo que podían desear.

En el interior de la barraca, ¡qué abundancia! ¡qué paz!... Batiste se mostraba admirado de su cosecha. Las tierras, descansadas, vírgenes de cultivo en mucho tiempo, parecían haber soltado de una vez toda la vida acumulada en sus entrañas durante diez años de reposo. El grano era grueso y abundante, y según las noticias que circulaban por la vega, iba a alcanzar buen precio. Había algo mejor—y esto lo pensaba Batiste sonriendo—: él no debía partir el producto satisfaciendo arrendamiento alguno, pues tenía franquicia por dos años. Bien había pagado esta ventaja con largos meses de alarma y de coraje y con la muerte del pobre Pascualet.

La prosperidad de la familia parecía reflejarse en la barraca, limpia y brillante como nunca. Vista de lejos, destacábase de las viviendas vecinas, como revelando que había en ella más prosperidad. Nadie hubiera reconocido la trágica barraca del tío Barret. Los ladrillos rojos del pavimento frente a la puerta brillaban bruñidos por las diarias frotaciones; los macizos de albahacas y dompedros y las enredaderas formaban pabellones floridos, por encima de los cuales recortábase sobre el cielo el frontón triangular y agudo de la barraca, de inmaculada blancura. En su interior notábase inmediatamente el revoloteo de las planchadas cortinas cubriendo las puertas de los *estudis*, los vasares con pilas de platos y con fuentes cóncavas apoyadas en la pared, exhibiendo pajarracos fantásticos y flores como tomates pintadas en su fondo, y sobre la cantarera, semejante a un altar de azulejos, mostrábanse, como divinidades contra la sed, los panzudos y charolados cántaros, y los jarros de loza y de cristal verduso pendientes en fila de los clavos.

Los muebles viejos y maltrechos, recuerdo perenne de las antiguas peregrinaciones huyendo de la miseria, comenzaban a desaparecer, dejando sitio libre a otros que la hacendosa Teresa adquiría en sus viajes a la ciudad. El dinero producto de la recolección invertíase en reparar las brechas abiertas en el ajuar de la barraca por los meses de espera.

Algunas veces sonreía la familia recordando las amenazadoras palabras de Pimentó. Aquel trigo que, según el valentón, nadie llegaría a segar, empezaba a embellecer a la familia. Roseta tenía dos faldas más y Batistet y los pequeños se pavoneaban los domingos vestidos de nuevo de cabeza a pies.

Atravesando la vega en las horas de más sol, cuando ardía la atmósfera y moscas y abejorros zumbaban pesadamente, sentíase una impresión de bienestar ante esta barraca limpia y fresca. El corral delataba, a través de sus bardas de barro y estacas, la vida contenida en él. Cloqueaban las gallinas, cantaba el gallo, saltaban los conejos por las sinuosidades de un gran montón de leña tierna, y vigilados por los dos hijos pequeños de Teresa, flotaban los ánades en la vecina acequia y correteaban las manadas de polluelos por los rastrojos, piando incesantemente, moviendo sus cuerpecillos sonrosados, cubiertos apenas de fino plumón.

Todo esto sin contar que Teresa, más de una vez, se encerraba en su *estudi*, y abriendo un cajón de la cómoda, desliaba pañuelos sobre pañuelos para extasiarse ante un montoncillo de monedas de plata, el primer dinero que su marido había hecho sudar a las tierras. Todo exige un principio, y si los tiempos eran buenos, a este dinero se uniría otro y otro, y ¡quién sabe si al llegar los chicos a la edad de las quintas* podría librarlos con sus ahorros de ir a servir al rey como soldados!

La reconcentrada y silenciosa alegría de la madre notábase también en Batiste. Había que verle un domingo por la tarde, fumando una tagarnina de a cuarto en honor a la festividad, paseando ante la barraca y mirando sus campos amorosamente. Dos días antes había plantado en ellos maíz y judías, como muchos de sus vecinos, pues a la tierra no hay que dejarla descansar.

Apenas si podía él llevar adelante los dos campos que había roturado y cultivado. Pero, lo mismo que el difunto tío Barret, sentía la embriaguez de la tierra; cada vez deseaba abarcar más con su trabajo, y aunque era algo pasada la sazón, pensaba remover al día siguiente la parte de terreno que permanecía inculta a espaldas de la barraca, para plantar en ella melones, cosecha inmejorable, a la que su mujer sacaría muy buen producto llevándolos, como otras, al Mercado de Valencia.

Había que dar gracias a Dios, que le permitía al fin vivir tranquilo en aquel paraíso. ¡Qué tierras las de la vega!... Por algo, según las historias, lloraban los moros al ser arrojados de allí.

La siega había limpiado el paisaje, echando abajo las masas de trigo matizadas de amapolas que cerraban la vista por todos lados como murallas de oro. Ahora la vega parecía mucho más grande, infinita, y extendía hasta perderse de vista los grandes cuadros de tierra roja, cortados por sendas y acequias.

En todas las casas se observaba rigurosamente la fiesta del domingo, y como había cosecha reciente y no poco dinero, nadie pensaba en contravenir el precepto. No se veía un solo hombre trabajando en los campos, ni una caballería en los caminos. Pasaban las viejas por las sendas con la reluciente mantilla sobre los ojos y una silleta en un brazo,* como si tirase de ellas la campana que volteaba lejos, muy lejos, sobre los tejados del pueblo. En una encrucijada chillaba persiguiéndose un grupo numeroso de niños; sobre el verde de los ribazos destacábanse los pantalones rojos de algunos soldaditos que aprovechaban la fiesta para pasar una hora en sus casas. Sonaban a lo lejos, como una tela que se rasga, los escopetazos contra las bandas de golondrinas que volaban a un lado y a otro en contradanza caprichosa, silbando agudamente, como si rayasen con sus alas el cristal azul del cielo; zumbaban sobre las acequias las nubes de mosquitos casi invisibles, y en una alquería verde, bajo el añoso emparrado, agitábanse como una amalgama de colores faldas floreadas pañuelos vistosos. La dormilona cadencia de las guitarras parecía arrullar a un cornetín chillón que iba lanzando a todos los extremos de la vega, dormida bajo el sol, los morunos sones de la jota* valenciana.

Este tranquilo paisaje era la idealización de una Arcadia laboriosa y feliz. Allí no podía existir gente mala. Batiste desperezábase con voluptuosidad, dominado por el bienestar tranquilo de que parecía impregnado el ambiente. Roseta, con los chicos, se había ido al baile de la alquería; su mujer dormitaba bajo el sombrajo, y él se paseaba desde su vivienda al camino, por el pedazo de tierra inculta que daba entrada al carro.

De pie en el puentecito, iba contestando a los saludos de los vecinos, que pasaban riendo como si fuesen a presenciar un espectáculo graciosísimo.

Se dirigían todos a casa de Copa, para ver de cerca la famosa «porfía» de Pimentó con los hermanos Terreròla, dos malas cabezas lo mismo que el marido de Pepeta, que habían jurado igualmente odio al trabajo y pasaban el día entero en la taberna. Surgían entre ellos numerosas rivalidades y apuestas, especialmente en esta época, que era cuando aumentaba la concurrencia del establecimiento. Los tres valentones pujaban en brutalidad, ansioso cada uno de alcanzar renombre sobre los otros.

Batiste había oído hablar de esta apuesta que hacía ir las gentes a la famosa taberna como en jubileo.

Se trataba de permanecer sentados jugando al truque, y sin beber más líquido que aguardiente, hasta ver quién era el último que caía.

Empezaron el viernes al anochecer, y aún estaban los tres en sus silletas de cuerda el domingo por la tarde, jugando la centésima partida de truque, con el jarro de aguardiente sobre la mesilla de cinc, dejando sólo las cartas para tragarse las sabrosas morcillas* que daban gran fama al tabernero Copa por lo bien que sabía* conservarlas en aceite.

La noticia, esparciéndose por la vega, hacía venir como en procesión a todas las gentes de una legua a la redonda. Los tres guapos no quedaban solos un momento. Tenían sus apasionados, que se encargaban de ocupar el cuarto sitio en la partida, y al llegar la noche, cuando la masa de espectadores se retiraba a sus barracas, quedábanse allí viendo cómo jugaban a la luz de un candil colgado de un chopo, pues Copa era hombre de malas pulgas, incapaz de aguantar la pesada monotonía de esta apuesta, y así que llegaba la hora de dormir cerraba su puerta, dejando en la plazoleta a los jugadores después de renovar su provisión de aguardiente.

Muchos fingían indignación ante la brutalidad de esta «porfía», pero en el fondo de su ánimo escarabajeaba cierto orgullo por el hecho de ser tales hombres sus vecinos. ¡Vaya unos mozos de hierro que cría la huerta! El aguardiente pasaba por sus cuerpos como si fuese agua.

Todo el contorno parecía tener la vista fija en la taberna, esparciéndose con celeridad prodigiosa las noticias sobre el curso de la

apuesta. Ya se habían bebido dos cántaros, y como si nada...
Ya iban tres... y tan firmes. Copa llevaba la cuenta de lo bebido.
Y la gente, según su predilección, apostaba por alguno de los tres
contendientes.

Esta lucha, que durante dos días apasionaba a toda la vega y no
parecía aún próxima a su fin, había llegado a oídos de Batiste.
Él, hombre sobrio, incapaz de beber alcohol sin sentir náuseas y
dolores de cabeza, no podía ocultar un asombro muy cercano a la
admiración ante estos brutos, que, según sus suposiciones, debían
tener el estómago forrado de hoja de lata.

Y seguía con mirada de envidia a todos los que marchaban hacia
la taberna. ¿Por qué no había de ir él adonde iban los otros?...
Nunca había entrado en casa de Copa, el antro en otro tiempo de
sus enemigos; pero ahora justificaba su presencia lo extraordinario
del suceso... Además, ¡qué demonio! después de tanto trabajo
y tan buena cosecha, bien podía un hombre honrado permitirse
un poco de expansión.

Y dando un grito a su dormida mujer para avisarla que se iba,
emprendió el camino de la taberna.

Era como un hormiguero humano la masa de gente que llenaba
la plazoleta frente a casa de Copa. Allí estaban, en cuerpo de
camisa, con pantalones de pana, ventruda faja negra y pañuelo a
la cabeza en forma de mitra, todos los hombres del contorno.
Los viejos se apoyaban en gruesos cayados de Liria,* amarillos y
con arabescos negros; la gente joven mostraba arremangados los
brazos nervudos y rojizos, y como contraste movía delgadas
varitas de fresno entre sus dedos enormes y callosos. Los
enormes chopos que rodeaban la taberna daban sombra a los
animados grupos.

Batiste se fijó por primera vez detenidamente en la famosa
taberna, con sus paredes blancas, sus ventanas pintadas de azul y
los quicios chapados con vistosos azulejos de Manises.*

Tenía dos puertas. Una era la de la bodega, y por entre sus
hojas abiertas veíanse las dos filas de toneles enormes que llegaban
hasta el techo, los montones de pellejos vacíos y arrugados, los
grandes embudos y las medidas de cinc teñidas de rojo por el

continuo resbalar del líquido. En el fondo de la pieza estaba el pesado carro que rodaba hasta los últimos límites de la provincia para traer las compras de vino. Esta habitación obscura y húmeda exhalaba un vaho de alcohol, un perfume de mosto, que embriagaba el olfato y turbaba la vista, haciendo pensar que la tierra entera iba a quedar cubierta por una inundación de vino.

Allí estaban los tesoros de Copa, de los cuales hablaban con unción y respeto todos los borrachos de la huerta. Él solo conocía el secreto de sus toneles; atravesando con su vista las viejas duelas, apreciaba la calidad de la sangre que contenían; era el sumo sacerdote de este templo del alcohol, y al querer obsequiar a alguien, sacaba, con tanta devoción como si llevase entre las manos la custodia, un vaso en el que centelleaba el líquido color de topacio con irisada corona de brillantes.

La otra puerta era la de la taberna, la que estaba abierta desde una hora antes de apuntar el día y por las noches hasta las diez, marcando sobre el negro camino como un gran rectángulo rojo la luz de la lámpara de petróleo colgada sobre el mostrador. Tenían las paredes zócalos de ladrillos rojos y barnizados, a la altura de un hombre, con una orla terminal de floreados azulejos. Desde allí hasta el techo todas las paredes estaban dedicadas al sublime arte de la pintura, pues Copa, aunque parecía hombre burdo, atento únicamente a que por la noche estuviese lleno el cajón de su mostrador, era un verdadero Mecenas.* Había traído un pintor de la ciudad, manteniéndolo allí más de una semana, y este capricho de magnate protector de las artes le había costado, según declaraba él, unos cinco duros, peseta más que menos.

Bien era verdad que no podía volverse la vista a ningún lado sin tropezar con alguna obra maestra, cuyos rabiosos colores parecían alegrar a los parroquianos, animándoles a beber. Arboles azules sobre campos morados, horizontes amarillos, casas más grandes que los árboles y personas más grandes que las casas; cazadores con escopetas que parecían escobas y majos andaluces, con el trabuco sobre las piernas, montados en briosos corceles que tenían aspecto de ratas. Un portento de originalidad que entusiasmaba a los bebedores. Y sobre las puertas de los cuartos, el artista, aludiendo discretamente al establecimiento, había pintado asombrosos « bodegones »: granadas como hígados abiertos y ensangrentados, sandías que parecían enormes pimientos, ovillos de estambre rojo que intentaban pasar por melocotones. Muchos sostenían que la preponderancia de la casa sobre las otras tabernas de la huerta se debía a estos asombrosos adornos, y Copa maldecía las moscas que empañaban tanta hermosura con el negro punteado de sus desahogos.

Junto a la puerta principal estaba el mostrador, mugriento y pegajoso; detrás de él, la triple fila de pequeños toneles, coronada por almenas de botellas conteniendo los diversos e innumerables líquidos del establecimiento. De las vigas, como bambalinas grasientas, colgaban pabellones de longanizas y morcillas, o ristras de pequeños pimientos rojos y puntiagudos como dedos de diablo, y rompiendo la monotonía de tal decorado, algún jamón rojo y borlones majestuosos de chorizos.

El regalo para los paladares delicados estaba en un armario de turbios cristales junto al mostrador. Allí las estrellas de pastaflora,* las tortas de pasas, los rollos escarchados de azúcar, las magdalenas,* todo con cierto tonillo obscuro y motas sospechosas que denunciaban antigüedad, y el queso de Murviedro, tierno, fresco, de suave blancura, en piezas como panes, destilando todavía suero.

Además, contaba Copa con su cuarto-despensa, donde estaban en tinajas grandes como monumentos las verdes aceitunas partidas y las morcillas de cebolla conservadas en aceite: artículos de mayor despacho. Al final de la taberna abríase la puerta del corral, enorme, espacioso, con su media docena de fogones para guisar las paellas.* Las pilastras blancas sostenían una parra vetusta, que daba sombra a tan vasto espacio, y apilados a lo largo de un lienzo de pared, taburetes y mesitas de cinc, en tan prodigiosa cantidad, que parecía haber previsto Copa la invasión de su casa por la vega entera.

Batiste, escudriñando la taberna, se fijó en el dueño, hombrón despechugado, pero con una gorra de orejeras encasquetada en pleno estío sobre su rostro enorme, mofletudo, amoratado. Era el primer parroquiano de su establecimiento: jamás se acostaba satisfecho si no había bebido en sus tres comidas medio cántaro de vino.

Por ello, sin duda, apenas si llamaba su atención esta apuesta que tan alborotada traía a la vega entera.

Su mostrador era una atalaya desde la cual, como experto conocedor, vigilaba la borrachera de sus parroquianos. Que nadie alardease de guapo dentro de su casa, pues antes de hablar ya había echado mano él a una porra que tenía bajo el mostrador, especie de as de bastos,* al que le temblaban* Pimentó y todos los valentones del contorno... En su casa, nada de reyertas. ¡A matarse, al camino!* Y cuando se abrían las navajas y se enarbolaban taburetes, en noche de domingo, Copa, sin hablar palabra ni perder la calma, surgía entre los combatientes, agarraba del brazo a los más bravos, los llevaba en vilo hasta la carretera, y atrancando la puerta por dentro, empezaba a contar tranquilamente el dinero del cajón antes de acostarse, mientras afuera sonaban los golpes y los lamentos de la riña reanudada. Todo era asunto de cerrar una hora antes la taberna; pero dentro de ella jamás tendría la justicia quehacer alguno mientras estuviese él detrás del mostrador.

Batiste, después de mirar furtivamente desde la puerta al tabernero, que con la ayuda de su mujer y un criado despachaba a los parroquianos, volvió a la plazoleta. Allí se agregó a un corrillo de viejos que discutían sobre cuál de los tres sostenedores de la apuesta se mostraba más sereno.

Muchos labradores, cansados de admirar a los tres guapos, jugaban por su cuenta o merendaban formando corro alrededor de las mesillas. Circulaba el porrón, soltando su rojo chorrillo que levantaba un tenue glu-glú al caer en las abiertas bocas; obsequiábanse unos a otros con puñados de cacahuetes y altramuces. En platos cóncavos de loza servían las criadas de la taberna las negras y aceitosas morcillas, el queso fresco, las aceitunas partidas, con su caldo en el que flotaban olorosas hierbas; y sobre las mesas veíase el pan de trigo nuevo, los rollos de rubia corteza, mostrando en su interior la miga morena y suculenta de la gruesa harina de la huerta.

Toda esta gente, comiendo, bebiendo y gesticulando, levantaba el mismo rumor que si la plazoleta estuviese ocupada por un avispero enorme, y en el ambiente flotaban vapores de alcohol, un vaho asfixiante de aceite frito y el penetrante olor del mosto, mezclándose con el perfume de los campos vecinos.

Batiste se aproximó finalmente al gran corro que rodeaba a los de la apuesta.

Al principio no vio nada; pero lentamente, empujado por la curiosidad de los que estaban detrás de él, fue abriéndose paso entre los cuerpos sudorosos y apretados, hasta verse en primera fila. Algunos espectadores estaban sentados en el suelo, con la mandíbula apoyada en ambas manos, la nariz sobre el borde de la mesilla y la vista fija en los jugadores, para no perder detalle del famoso suceso. Allí era donde más intolerable resultaba el olor de alcohol. Parecían impregnados de él los alientos y la ropa de toda la gente.

Vio Batiste a Pimentó y a sus contrincantes sentados en taburetes de fuerte madera de algarrobo, con los naipes ante los ojos, el jarro de aguardiente al alcance de una mano y sobre el cinc el montoncito de granos de maíz que equivalía a los tantos del juego. A cada jugada, alguno de los tres agarraba el jarro, bebía en él reposadamente y lo pasaba a los compañeros, que lo iban empinando igualmente con no menos ceremonia.

Los espectadores más inmediatos miraban los naipes a cada uno por encima del hombro para convencerse de que jugaba bien. No había cuidado: las cabezas estaban sólidas; como si allí no se bebiese más que agua, nadie incurría en descuido ni hacía jugadas torpes.

Y seguía la partida, sin que por ello los de la apuesta dejasen de hablar con los amigos, bromeando sobre el final de la lucha.

Pimentó, al ver a Batiste, masculló un « ¡Hola! » que pretendía ser un saludo, y volvió la vista a sus cartas.

Sereno, podría estarlo; pero tenía los ojos enrojecidos, brillaba en sus pupilas una chispa azulada e indecisa, semejante a la llama del alcohol, y su cara iba adquiriendo por momentos una palidez mate. Los otros no estaban mejor; pero todos reían. Los espectadores, contagiados por los del juego, se pasaban de mano en mano los jarros pagados a escote,* y era aquello una verdadera inundación de aguardiente, que, desbordándose fuera de la taberna, bajaba como oleada de fuego a todos los estómagos.

Hasta Batiste tuvo que beber, apremiado por los del corro. No le gustaba, pero un hombre debe probar todas las cosas, y volvió a animarse con las mismas reflexiones que le habían llevado hasta la taberna. Cuando un padre de familia ha trabajado y tiene en el granero la cosecha, bien puede permitirse su poquito de locura.

Sintió calor en el estómago y en la cabeza una deliciosa turbación. Comenzaba a acostumbrarse a la atmósfera de la taberna, encontrando cada vez más graciosa la « porfía ».

Hasta Pimentó le resultaba un hombre notable... a su modo.

Los jugadores habían terminado la partida número... (nadie sabía cuántos) y discutían con sus amigos sobre la próxima cena. Uno de los Terreròla perdía terreno visiblemente. Dos días de aguardiente a todo pasto, con sus dos noches pasadas en turbio, empezaban a pesar sobre él. Se iban cerrando sus ojos y dejaba caer pesadamente la cabeza sobre su hermano, el cual pretendía reanimarle con tremendos puñetazos en los ijares, dados en sordina por debajo de la mesa.

Pimentó sonreía socarronamente ante este triunfo. Ya tenía uno en el suelo. Y discutía la cena con sus admiradores. Debía ser espléndida, sin miedo al gasto: de todos modos, él no había de pagarla. Una cena que fuese digno final de la hazaña, pues en la misma noche seguramente quedaría terminada la apuesta venciendo al otro hermano.

Y cual trompeta gloriosa que anunciaba por anticipado el triunfo de Pimentó, empezaron a sonar los ronquidos de Terreròla el pequeño, caído de bruces sobre la mesa y próximo a desplomarse del taburete, como si todo el aguardiente que llevaba en el estómago buscase el suelo por ley de gravedad.

Su hermano hablaba de despertarle a bofetadas; pero Pimentó

intervino bondadosamente, como un vencedor magnánimo. Ya le despertarían a la hora de cenar. Y afectando dar poca importancia a la porfía y a su propia fortaleza, habló de su falta de apetito como de una gran desgracia, después de haberse pasado dos días en aquel sitio devorando y bebiendo brutalmente.

Un amigo corrió a la taberna para traer una larga ristra de guindillas. Esto le devolvería el apetito. La bufonada provocó grandes risotadas, y Pimentó, para asombrar más a sus admiradores, ofreció el manjar infernal al Terrolò que aún se sostenía firme, mientras él, por su parte, lo iba devorando con la misma indiferencia que si fuese pan.

Un murmullo de admiración circuló por el corro. Por cada guindilla que se comía el otro, el marido de Pepeta se zampaba tres, y así dieron fin a la ristra, verdadero rosario de demonios colorados. Este bruto debía tener coraza en el estómago.

Y seguía firme, impasible, cada vez más pálido, con los ojos entumecidos y rojos, preguntando si Copa había ya matado un par de pollos para la cena y dando instrucciones sobre el modo de guisarlos.

Batiste le miraba con asombro y al mismo tiempo sentía un vago deseo de irse. Comenzaba a caer la tarde; en la plazoleta subían de tono las voces; se iniciaba el escándalo de todas las noches de domingo. Además, Pimentó le miraba con demasiada frecuencia, con sus ojos molestos y extraños de borracho firme. Pero sin saber por qué, permanecía allí, como si este espectáculo tan nuevo para él pudiese más que su voluntad.

Los amigos del valentón le daban broma al ver que después de las guindillas daba tientos al jarro, sin cuidarse de si su enemigo le imitaba. «No debía beber tanto: iba a perder, y le faltaría dinero para pagar. Ahora ya no era tan rico como en los años anteriores, cuando la dueña de sus tierras se conformaba con no cobrarle el arrendamiento.»

Un imprudente dijo esto sin darse cuenta del valor de sus palabras, y se hizo un silencio doloroso, como en la alcoba de un enfermo cuando se pone al descubierto la parte dañada.

¡Hablar de arrendamientos y de pagas en aquel sitio, cuando

entre actores y espectadores se había consumido el aguardiente a cántaros!...

Batiste se sintió inquieto. Le pareció que pasaba de pronto por el ambiente algo hostil, amenazador. Sin gran esfuerzo hubiera echado a correr; pero se quedó, creyendo que todos le miraban a hurtadillas. Temió, si huía, anticipar la agresión, ser detenido por el insulto; y con la esperanza de pasar inadvertido, permaneció inmóvil, como subyugado por una impresión que no era de miedo, pero sí de algo más que prudencia.

Los admiradores de Pimentó le hacían repetir el procedimiento de que se valía todos los años para no pagar a la dueña de sus tierras, y lo celebraban con grandes risotadas, con estremecimientos de maligna alegría, como esclavos que se regocijan con las desgracias de su señor.

El valentón relataba modestamente sus glorias. Todos los años, por Navidad y por San Juan, emprendía el camino de Valencia, *tòle, tòle,** para ver a la propietaria de sus tierras. Otros llevaban el buen par de pollos, la cesta de tortas, la banasta de frutas, para enternecer a los señores, para que aceptasen la paga incompleta, lloriqueando y prometiendo redondear la suma más adelante. Él sólo llevaba palabras, y no muchas.

Su ama, una señorona majestuosa, lo recibía en el comedor de su casa. Por allí cerca andaban las hijas, unas señoritingas siempre llenas de lazos y colorines.

Doña Manuela echaba mano a la libreta para recordar los semestres que Pimentó llevaba atrasados... «Venía a pagar, ¿eh?...» Y el socarrón, al oír la pregunta de la señora de Pajares, siempre contestaba lo mismo: «No, señora; no podía pagar porque estaba sin un cuarto. Sabía que con esto se acreditaba de pillo. Ya lo decía su abuelo, que era persona de mucho saber: ¿Para quién se han hecho las cadenas? Para los hombres. ¿Pagas? Eres buena persona. ¿No pagas? Eres un pillo.» Y después de este curso breve de filosofía rústica, apelaba al segundo argumento, que era sacar de su faja una tagarnina de tabaco negro, con una navaja enorme, y comenzaba a picarla para liar un cigarrillo.

La vista de la navaja daba escalofríos a la señora, la ponía nerviosa, y por eso mismo el socarrón cortaba el tabaco con lentitud y tardaba en guardársela, repitiendo siempre los mismos argumentos del abuelo para explicar su retraso en el pago.

Las niñas de los lacitos le apodaban «el de las cadenas»; la mamá sentíase inquieta con la presencia de este bárbaro de negra fama, que olía a vino y hablaba accionando con la navaja; y convencida al fin de que nada había de sacar de él, indicábale que se fuese; pero él experimentaba un hondo gozo siendo molesto y procuraba prolongar la entrevista. Hasta le llegaron a decir que ya que no pagaba podía ahorrar sus visitas. La señora se olvidaría de la existencia de sus tierras. ¡Ah, no, doña Manuela! Pimentó era exacto cumplidor de sus deberes, y como arrendatario debía visitar a su ama en Navidad y en San Juan, para demostrarle que si no pagaba no por eso dejaba de ser su humilde servidor.

Y allá iba dos veces al año, para manchar el piso con sus alpargatas cubiertas de barro y repetir que las cadenas son para los hombres, haciendo molinetes con la navaja. Era una venganza de esclavo, el amargo placer del mendigo que comparece con sus pestilentes andrajos en medio de una fiesta de ricos.

Todos los labriegos reían, comentando la conducta de Pimentó para con su ama.

Y el valentón apoyaba con razones su conducta. ¿Por qué había de pagar él? Vamos a ver, ¿por qué?... Sus tierras ya las cultivaba su abuelo. A la muerte de su padre se las habían repartido los hermanos a su gusto, siguiendo la costumbre de la huerta, sin consultar para nada al propietario. Ellos eran los que las trabajaban, los que las hacían producir, los que dejaban poco a poco la vida sobre sus terrones.

Pimentó, hablando con vehemencia de su trabajo, mostraba tal impudor, que algunos sonreían... Bueno; él no trabajaba mucho, porque era listo y había conocido la farsa de la vida. Pero alguna vez trabajaba, de tarde en tarde, y esto era bastante para que las tierras fuesen con más justicia de él que de aquella señorona gorda de Valencia. Que viniera ella a trabajarlas; que fuese agarrada al arado con todas sus arrobas de carne, y las dos chicas de los lacitos uncidas y tirando de él, y entonces sería su legítima dueña.

Las bromas groseras del valentón hacían rugir de risa a la concurrencia. A toda aquella gente, que aún guardaba el mal sabor de la paga de San Juan, le hacía mucha gracia ver tratados a sus amos tan cruelmente. ¡Ah! Lo del arado era muy chistoso; y cada cual se imaginaba ver a su amo, al panzudo y meticuloso rentista o a la señora vieja y altiva, enganchados a la reja, tirando y tirando para abrir el surco, mientras ellos, los de abajo, los labradores, chasqueaban el látigo.

Y todos se guiñaban un ojo, reían, se daban palmadas para expresar su contento. ¡Oh! Se estaba muy bien en casa de Copa oyendo a este hombre. ¡Qué cosas se le ocurrían!...

Pero el marido de Pepeta se mostró sombrío, y muchos advirtieron en él la mirada de través, aquella mirada de homicida que conocían de antiguo en la taberna, como signo indudable de inmediata agresión. Su voz tornóse fosca, como si todo el alcohol que hinchaba su estómago hubiese subido en oleada ardiente a su garganta.

Podían reír sus amigos hasta reventar, pero tales risas serían las últimas. La huerta ya no era la misma que había sido durante diez años. Los amos, conejos miedosos, se habían vuelto ahora lobos intratables. Ya sacaban los dientes, como en otro tiempo. Hasta su ama se atrevía con él—¡con él, que era el terror de todos los propietarios de la huerta!—, y en su visita de San Juan habíase burlado de su dicho de las cadenas y hasta de la navaja, anunciándole que se preparase a dejar las tierras o pagar el arrendamiento, sin olvidar los atrasos.

¿Y por qué se crecían de tal modo? Porque ya no les tenían miedo... ¿Y por qué no les tenían miedo? ¡Cristo! Porque ya no estaban abandonadas e incultas las tierras de Barret, aquel espantajo de desolación, que aterraba a los amos y les hacía ser dulces y transigentes. Se había roto el encanto. Desde que un ladrón «muerto de hambre» había logrado imponerse a todos ellos, los propietarios se reían, y para vengarse de diez años de forzada mansedumbre, se hacían más malos que el famoso don Salvador.

—*Veritat*... *veritat*—decían en todo el corro, apoyando las razones de Pimentó con furiosas cabezadas.

Todos reconocían que sus amos habían cambiado al recordar los detalles de su última entrevista con ellos: las amenazas de desahucio, la negativa a aceptar la paga incompleta, la expresión irónica con que les habían hablado de las tierras del tío Barret, otra vez cultivadas a pesar del odio de toda la huerta. Y ahora, repentinamente, después de la dulce flojedad de diez años de triunfo, con la rienda a la espalda y el amo a los pies, venía el cruel tirón, la vuelta a otros tiempos, el encontrar amargo el pan y el vino más áspero pensando en el maldito semestre, y todo por culpa de un forastero, de un piojoso que ni siquiera había nacido en la huerta, descolgándose entre ellos para embrollar su negocio y hacerles más difícil la vida. ¿Y aún vivía ese tunante? ¿Es que en la huerta no quedaban hombres?...

¡Adiós amistades recientes, respetos nacidos junto al ataúd de un pobre niño! Toda la consideración creada por la desgracia veníase abajo como torre de naipes, desvanecíase como tenue nube, reapareciendo de golpe el antiguo odio, la solidaridad de toda la huerta, que al combatir al intruso defendía su propia existencia.

¡Y en qué momento resurgía esta animosidad!* Brillaban los ojos, fijos en él con el fuego del odio; las cabezas, turbadas por el alcohol, parecían sentir el escarabajeo de la tentación homicida; instintivamente iban todos hacia Batiste, y éste comenzó a sentirse empujado por todos lados, como si el círculo se estrechase para devorarle.

Estaba arrepentido de haberse quedado junto a los jugadores. No tenía miedo, pero maldecía la hora en que se le ocurrió entrar en la taberna, sitio extraño que parecía robarle su energía. Aquí había perdido aquella entereza que le animaba cuando sentía bajo sus plantas las tierras cultivadas a costa de tantos sacrificios y en cuya defensa estaba pronto a perder su vida.

Pimentó, rodando por la pendiente de su cólera,* sintió caer de un golpe sobre su cerebro todo el aguardiente bebido en dos días. Había perdido su serenidad de ebrio inquebrantable, y al levantarse, tambaleando, tuvo que hacer un esfuerzo para sostenerse sobre sus piernas. Sus ojos estaban inflamados, como si fuesen a manar sangre; su voz era trabajosa, cual si tirasen de ella, no dejándola salir el alcohol y la cólera.

—¡*Vesten*!—dijo con imperio a Batiste, avanzando una mano amenazante hasta rozar su rostro—. ¡*Vesten o te mate*!*

¡Irse!... Esto es lo que deseaba Batiste, cada vez más pálido, más arrepentido de verse allí. Pero bien adivinaba el significado de aquel imperioso «¡Vete!» del valentón, apoyado por las muestras de asentimiento de todos.

No le exigían que se fuese de la taberna, librándolos de su presencia odiosa; le ordenaban con amenaza de muerte que abandonase sus tierras, que eran como la carne de su cuerpo; que perdiese para siempre la barraca donde había muerto su chiquitín, y en la cual cada rincón guardaba un recuerdo de las luchas y alegrías de la familia en su batalla con la miseria. Y rápidamente se vio otra vez con todos sus muebles sobre el carro, errante por los caminos, en busca de lo desconocido, para crearse otra existencia, llevando como tétrica escolta la fea hambre, que iría pisándole los talones... ¡No! El rehuía las cuestiones, pero que no le tocasen el pan de los suyos.

Ya no sentía inquietud. La imagen de su familia hambrienta y sin hogar le dio una agresividad colérica. Hasta sintió deseos de acometer a aquella gente sólo por haberle exigido tal monstruosidad.

—¿*T'en vas*?* ¿*t'en vas*?—preguntaba Pimentó, cada vez más fosco y amenazante.

No, no se iba. Lo dijo con la cabeza, con su sonrisa de desprecio, con una mirada de firmeza y de reto que fijó en todo el corro.

—¡*Granuja*!—rugió el matón, al mismo tiempo que caía una de sus manos sobre la cara de Batiste, sonando una terrible bofetada.

Como animado por tal agresión, todo el corro se lanzó contra el odiado intruso; pero encima de la línea de cabezas empezó a moverse un brazo nervudo empuñando un taburete con asiento de esparto, el mismo tal vez en que estuvo hasta poco antes Pimentó.

Para el forzudo Batiste era un arma terrible este asiento de fuertes travesaños y gruesas patas de algarrobo, con aristas pulidas por el uso.

Rodaron jarros y mesillas; la gente se hizo atrás instintivamente, aterrada por el ademán agresivo de este hombre siempre pacífico, que parecía ahora agigantado por la rabia; y antes de que pudieran todos retroceder un nuevo paso, « ¡plaf! », sonó un ruido de puchero que estalla y cayó Pimentó con la cabeza rota de un taburetazo.

En la plazoleta se produjo una confusión indescriptible.

Copa, que desde su cubil parecía no fijarse en nada y era el primero en husmear las reyertas, así que vio el taburete por el aire, tiró del as de bastos oculto bajo el mostrador, y a porrada seca limpió en un santiamén la taberna de parroquianos, cerrando inmediatamente la puerta, según su sana costumbre.

Quedó revuelta la gente en la plazoleta, rodaron las mesas, enarboláronse varas y garrotes, poniéndose cada uno en guardia contra el vecino, por lo que pudiera ocurrir; y mientras tanto, el causante de toda la zambra, Batiste, permanecía inmóvil, con los brazos caídos, empuñando todavía el taburete con manchas de sangre, asustado de lo que acababa de hacer.

Pimentó, de bruces en el suelo, se quejaba con lamentos que parecían ronquidos, saliendo a borbotones la sangre de su rota cabeza.

Con la fraternidad del ebrio, acudió Terrerola el mayor en auxilio de su rival, mirando hostilmente a Batiste. Le insultaba, buscando en su faja un arma para herirle.

Los más pacíficos huían por las sendas, volviendo atrás la cabeza con malsana curiosidad; los demás seguían inmóviles, puestos a la defensiva, capaz cada uno de despedazar al vecino sin saber por qué, pero no queriendo ser el primero en la agresión.

Los palos seguían en alto, relucían las navajas en los grupos, pero nadie se aproximaba a Batiste, y éste retrocedió lentamente de espaldas, enarbolando el ensangrentado taburete.

Así salió de la plazoleta, mirando con ojos de reto al grupo que rodeaba al caído Pimentó. Eran todos gente brava, pero parecían dominados por la fuerza de este hombre.

Viéndose en el camino, a cierta distancia de la taberna, echó a correr, y cerca ya de su barraca arrojó en una acequia el pesado taburete, mirando con horror las manchas negruzcas de la sangre ya seca.

X

Batiste perdió toda esperanza de vivir tranquilo en sus tierras.

La huerta entera volvía a levantarse contra él. Otra vez tuvo que aislarse en la barraca con su familia, vivir en perpetuo vacío, como un apestado, como una fiera enjaulada a la que todos enseñaban el puño desde lejos.

Su mujer le había contado al día siguiente cómo fue conducido a su barraca el herido valentón. El mismo, desde su vivienda, había oído los gritos y las amenazas de toda la gente que acompañaba solícita al magullado Pimentó... Una verdadera manifestación. Las mujeres, sabedoras de lo ocurrido gracias a la pasmosa rapidez con que en la huerta se transmiten las noticias, salían al camino para ver de cerca al bravo marido de Pepeta y compadecerle como a un héroe sacrificado por el interés de todos.

Las mismas que horas antes hablaban pestes de él, escandalizadas por su apuesta de borracho, le compadecían, se enteraban de si su herida era grave, y clamaban venganza contra aquel « muerto de hambre », aquel ladrón, que, no contento con apoderarse de lo que no era suyo, todavía intentaba imponerse por el terror atacando a los hombres de bien.

Pimentó se mostraba magnífico. Mucho le dolía el golpe, andaba apoyado en sus amigos, con la cabeza entrapajada, hecho un « Ecce homo »,* según afirmaban las indignadas comadres; pero hacía esfuerzos para sonreír, y a cada excitación de venganza contestaba con un gesto arrogante, afirmando que corría de su cuenta el castigar al enemigo.

Batiste no dudó que aquellas gentes se vengarían. Conocía los procedimientos usuales en la huerta. Para aquella tierra no se había hecho la justicia de la ciudad; el presidio era poca cosa tratándose de satisfacer un resentimiento. ¿Para qué necesitaba un hombre jueces ni Guardia Civil, teniendo buen ojo y una

escopeta en su barraca? Las cosas de los hombres deben re-
solverlas los hombres mismos.

Y como toda la huerta pensaba así, en vano al día siguiente de
la riña pasaron y repasaron por las sendas dos charolados tricornios,* yendo de casa de Copa a la barraca de Pimentó para
hacer preguntas insidiosas a la gente que estaba en los campos.
Nadie había visto nada, nadie sabía nada: Pimentó contaba con
risotadas brutales cómo se había roto él mismo la cabeza volviendo
de la taberna, a consecuencia de su apuesta, que le hizo andar con
paso vacilante, chocando contra los árboles del camino; y los dos
guardias civiles tuvieron que volverse a su cuartelillo de Alboraya,
sin sacar nada en claro de los vagos rumores de riña y sangre que
habían llegado hasta ellos.

Esta magnanimidad de la víctima y de sus amigos alarmaba a
Batiste, haciéndole vivir en perpetua defensiva.

La familia, como medroso caracol, se replegó dentro de la
vivienda, huyendo del contacto con la huerta.

Los pequeños ya no asistieron a la escuela, Roseta dejó de ir a
la fábrica y Batistet no daba un paso más allá de sus campos. El
padre era el único que salía, mostrándose tan confiado y tranquilo
por su seguridad, como cuidadoso y prudente era para con los
suyos.

Pero no hacía ningún viaje a Valencia sin llevar consigo la
escopeta, que dejaba confiada a un amigo de los arrabales. Vivía
en continuo contacto con su arma, la pieza más moderna de su
casa, siempre limpia, brillante y acariciada con ese cariño de moro
que el labrador valenciano siente por su escopeta.

Teresa estaba tan triste como al morir el pequeñuelo. Cada
vez que veía a su marido limpiando los dos cañones del arma,
cambiando los cartuchos o haciendo jugar la palanca para convencerse de que se abría con suavidad, pasaba por su memoria la
imagen del presidio y la terrible historia del tío Barret. Veía
sangre, y maldecía la hora en que se les ocurrió establecerse sobre
estas tierras malditas. Y después venían las horas de inquietud
por la ausencia de su marido, unas tardes interminables, de angustia, esperando al hombre que nunca regresaba, saliendo a la

puerta de la barraca para explorar el camino, estremeciéndose
cada vez que sonaba a lo lejos algún disparo de los cazadores de
golondrinas, creyéndolo el principio de una tragedia, el tiro que
destrozaba la cabeza del jefe de la familia o que le abría las puertas
del presidio. Y cuando, finalmente, aparecía Batiste, gritaban
los pequeños de alegría, sonreía Teresa limpiándose los ojos, salía
la hija a abrazar al *pare*, y hasta el perro saltaba junto a él, hus-
meándolo con inquietud, como si olfatease en su persona el peligro que acababa de arrostrar.

Y Batiste, sereno, firme, sin arrogancia, reía de la inquietud de
su familia, mostrándose cada vez más atrevido según iba trans-
curriendo el tiempo desde la famosa riña.

Se consideraba seguro. Mientras llevase pendiente del
brazo el magnífico « pájaro de dos voces »,* como él llamaba a su
escopeta, podía marchar con tranquilidad por toda la huerta.
Yendo en tan buena compañía, sus enemigos fingían no conocerle. Hasta algunas veces había visto de lejos a Pimentó, que
paseaba por la huerta como bandera de venganza su cabeza entrapajada, y el valentón, a pesar de que estaba repuesto del golpe,
huía, temiendo el encuentro tal vez más que Batiste.

Todos le miraban de reojo, pero jamás oyó desde los campos
cercanos al camino una palabra de insulto. Le volvían la espalda con desprecio, se inclinaban sobre la tierra y trabajaban
febrilmente hasta perderle de vista.

El único que le hablaba era el tío Tomba, el pastor loco, que
le reconocía con sus ojos sin luz, como si oliese en torno de
Batiste el ambiente de la catástrofe. Y siempre lo mismo...
¿No quería abandonar las tierras malditas?

—*Fas mal, fill meu;** te portarán desgrasia.*

Batiste acogía con una sonrisa la cantilena del viejo.
Familiarizado con el peligro, nunca lo había temido menos que
ahora. Hasta sentía cierto goce secreto provocándolo, marchando rectamente hacia él. Su hazaña de la taberna había
modificado su carácter, antes pacífico y sufrido, despertando en
su interior una brutalidad agresora. Quería demostrar a toda
aquella gente que no la temía, y así como le había abierto la cabeza

a Pimentó, era capaz de andar a tiros con toda la huerta. Ya que le empujaban a ello, sería valentón y jactancioso por algún tiempo, para que le respetasen, dejándole después vivir tranquilamente.

Metido en tan peligroso empeño, hasta abandonó sus campos, pasando los días en los senderos de la huerta con pretexto de cazar, pero en realidad para exhibir su escopeta y su gesto de pocos amigos.

Una tarde, tirando a las golondrinas en el barranco de Carraixet, le sorprendió el crepúsculo.

Los pájaros tejían con su inquieto vuelo una caprichosa contradanza, reflejada por las tranquilas charcas con orlas de juncos. Este barranco, que cortaba la huerta como una grieta profunda, sombrío, de aguas estancadas y putrefactas, con orillas fangosas junto a las cuales se agitaba alguna piragua medio podrida, era de un aspecto desolado y salvaje. Nadie hubiera sospechado que detrás de los altos ribazos, más allá de los juncos y los cañares, estaba la vega con su ambiente risueño y sus verdes perspectivas. Hasta la luz del sol parecía lúgubre bajando al fondo de este barranco tamizada por una áspera vegetación y reflejándose pálidamente en las aguas muertas.

Batiste pasó la tarde tirando. En su faja quedaban ya pocos cartuchos, y a sus pies, como montón de plumas ensangrentadas, tenía hasta dos docenas de pájaros. ¡La gran cena!... ¡Cómo se alegraría su familia!

Empezó a anochecer en el profundo barranco; de las charcas surgió un hálito hediondo, la respiración venenosa de la fiebre palúdica.* Las ranas cantaban a miles, como si saludasen a las primeras estrellas, contentas de no oír ya los tiros que interrumpían su croqueo y las obligaba a arrojarse medrosamente de cabeza, rompiendo el terso cristal de los estanques putrefactos.

Recogió Batiste los manojos de pájaros, colgándolos de su faja, y con sólo dos saltos subió el ribazo, emprendiendo por las sendas el regreso a su barraca.

El cielo, impregnado aún de la débil luz del crepúsculo, tenía un tono dulce de violeta; brillaban las estrellas, y en la inmensa huerta

sonaban los mil ruidos de la vida campestre antes de extinguirse
con la llegada de la noche.   Pasaban por las sendas las muchachas
que regresaban de la ciudad, los hombres que volvían del campo,
las cansadas caballerías arrastrando el pesado carro, y Batiste
contestaba al « ¡*Bòna nit!* » de todos los que transitaban junto a
él, gente de Alboraya que no le conocía o no tenía los motivos que
sus convecinos para odiarle.

Dejó atrás el pueblo, y según avanzaba Batiste hacia su barraca
marcábase cada vez más la hostilidad.   La gente tropezaba con
él en las sendas sin darle las buenas noches.

Entraba en tierra extranjera, y como soldado que se prepara a
combatir apenas cruza la frontera enemiga, Batiste buscó en
su faja las municiones de guerra, dos cartuchos con bala y postas
fabricados por él mismo, y cargó su escopeta.

El hombretón rió después de hacer esto.   Buena rociada de
plomo iba a recibir todo el que intentase cortarle el paso.

Caminaba sin prisa, tranquilamente, gozándose en respirar la
frescura de aquella noche de verano.   Pero esta calma no le impedía ir pensando en lo aventurado que era recorrer la huerta a
tales horas teniendo enemigos.

Su oído sutil de campesino percibió un ruido a su espalda.
Volvióse rápidamente, y a la difusa luz de las estrellas creyó ver
un bulto negro saliendo del camino con silencioso salto y
ocultándose detrás de un ribazo.

Batiste requirió su escopeta, y montando las llaves se aproximó
cautelosamente a dicho sitio.   Nadie...   Únicamente a alguna
distancia le pareció que las plantas ondulaban en la obscuridad,
como si un cuerpo se arrastrase entre ellas.

Le venían siguiendo: alguien intentaba sorprenderle traidoramente por la espalda.   Pero esta sospecha duró poco.   Tal vez
fuese algún perro vagabundo que huía al sentir su aproximación.

En fin: lo cierto era que alguien huía de él, fuese quien
fuese, y nada tenía que hacer allí.

Siguió adelante por el lóbrego camino, andando silenciosamente, como hombre que conoce el terreno a ciegas y por prudencia desea no llamar la atención.   Según se aproximaba a su

barraca sentía mayor inquietud. Este era su distrito, pero en él estaban sus más tenaces enemigos.

Algunos minutos antes de llegar a su vivienda, cerca de la alquería azul donde las muchachas bailaban los domingos, el camino se estrangulaba, formando varias curvas. A un lado, un ribazo alto coronado por doble fila de viejas moreras; al otro, una ancha acequia, cuyos bordes en pendiente estaban cubiertos por espesos y altos cañares.

Esta vegetación parecía en la obscuridad un bosque indiano, una bóveda de bambúes cimbreándose sobre el camino negro. La masa de cañas, estremecida por el vientecillo de la noche, lanzaba un quejido lúgubre; parecía olerse la traición en este lugar, tan fresco y agradable durante las horas de sol.

Batiste, para burlarse de su propia inquietud, exageraba el peligro mentalmente. ¡Magnífico lugar para soltarle un escopetazo seguro! Si Pimentó anduviese por allí, no despreciaría tan hermosa ocasión.

Y apenas se dijo esto, salió de entre las cañas una recta y fugaz lengua de fuego, una flecha roja, que al disolverse produjo un estampido, y algo pasó silbando junto a una oreja de Batiste. Tiraban contra él... Instintivamente se agachó, queriendo confundirse con la lobreguez del suelo, no presentar blanco al enemigo. Y en el mismo momento brilló un segundo fogonazo, sonó otra detonación, confundiéndose con los ecos aún vivos de la primera, y Batiste sintió en el hombro izquierdo un dolor de desgarramiento, algo así como una uña de acero arañándole superficialmente.

Apenas si paró en ello su atención. Sentía una alegría salvaje. Dos tiros... el enemigo estaba desarmado.

—¡Cristo! ¡Ara't pille!*

Se lanzó por entre las cañas, bajó casi rodando la pendiente de una de las orillas de la acequia, y se vio metido en el agua hasta la cintura, los pies en el barro y los brazos altos, muy altos, para impedir que se le mojase la escopeta, guardando avaramente los dos tiros hasta el momento de dispararlos con toda seguridad.

Ante sus ojos cruzábanse las cañas, formando apretada bóveda, casi al ras del agua. Delante de él iba sonando en la lobreguez un chapoteo sordo, como si un perro huyese acequia abajo... Allí estaba el enemigo: ¡a él!

Y empezó una carrera loca en el profundo cauce, andando a tientas en la sombra, dejando perdidas las alpargatas en el légamo del lecho, con los pantalones pegados a la carne, tirantes, pesados, dificultando los movimientos, recibiendo en el rostro el bofetón de las cañas tronchadas, los arañazos de las hojas rígidas y cortantes.

Hubo un momento en que Batiste creyó ver algo negro que se agarraba a las cañas pugnando por remontar el ribazo. Pretendía escaparse... ¡fuego! Sus manos, que sentían la comezón del homicidio, echaron la escopeta a su cara; partió el gatillo... sonó el disparo, y cayó el bulto en la acequia entre una lluvia de hojas y cañas rotas.

¡A él! ¡a él!... Otra vez volvió Batiste a oír aquel chapoteo de perro fugitivo; pero ahora con más fuerza, como si extremara la huída espoleado por la desesperación.

Fue un vértigo esta carrera a través de la obscuridad, de la vegetación y del agua. Resbalaban los dos en el blanducho suelo, sin poder agarrarse a las cañas por no soltar la escopeta; arremolinábase el agua, batida por la furiosa carrera, y Batiste, que cayó de rodillas varias veces, sólo pensó en estirar los brazos para mantener su arma fuera de la superficie, salvando el tiro de reserva.

Y así continuó la cacería humana, a tientas, en la obscuridad profunda, hasta que en una revuelta de la acequia salieron a un espacio despejado, con los ribazos limpios de cañas.

Los ojos de Batiste, habituados a la lobreguez de la bóveda vegetal, vieron con toda claridad a un hombre que, apoyándose en la escopeta, salía tambaleándose de la acequia, moviendo con dificultad sus piernas cargadas de barro.

Era él... ¡él! ¡El de siempre!

—¡Lladre... lladre: no t' escaparás!*—rugió Batiste, disparando su segundo tiro desde el fondo de la acequia con la seguridad del tirador que puede apuntar bien y sabe que «hace carne».

Le vio caer de bruces pesadamente sobre el ribazo y gatear

luego para no rodar hasta el agua. Batiste quiso alcanzarle, pero con tanta precipitación, que fue él quien, dando un paso en falso, cayó cuan largo era* en el fondo de la acequia.

Su cabeza se hundió en el barro, tragando el líquido terroso y rojizo; creyó morir, quedar enterrado en aquel lecho de fango, y al fin, con un esfuerzo poderoso, consiguió enderezarse, sacando fuera del agua sus ojos ciegos por el limo, su boca que aspiraba anhelante el viento de la noche.

Apenas recobró la vista, buscó a su enemigo. Había desaparecido.

Chorreando barro y agua, salió de la acequia, subió la pendiente por el mismo sitio que su adversario; pero al llegar arriba no le vio.

En la tierra seca se marcaban algunas manchas negruzcas, y las tocó con las manos. Olían a sangre. Bien sabía él que no había errado el tiro. Pero en vano buscó al contrario, con el deseo de contemplar su cadáver.

Aquel Pimentó tenía el pellejo duro, y arrojando sangre y barro iba tal vez a rastras hasta su barraca. De él debía proceder un vago roce que creyó percibir en los inmediatos campos semejante al de una gran culebra arrastrándose por los surcos: por él ladraban todos los perros de la huerta con desesperados aullidos. Le había oído arrastrarse del mismo modo un cuarto de hora antes, cuando intentaba sin duda matarle por la espalda, y al verse descubierto huyó a gatas del camino para apostarse más allá, en el frondoso cañar, y acecharlo sin riesgo.

Batiste sintió miedo de pronto. Estaba solo, en medio de la vega, completamente desarmado; su escopeta, falta de cartuchos, no era ya más que una débil maza. Pimentó no podía retornar contra él, pero tenía amigos. Y dominado por súbito terror, echó a correr, buscando a través de los campos el camino que conducía a su barraca.

La vega se estremecía de alarma. Los cuatro tiros en medio de la noche habían puesto en conmoción a todo el contorno. Ladraban los perros, cada vez más furiosos; entreabríanse las puertas de alquerías y barracas, arrojando negras siluetas que ciertamente no salían con las manos vacías.

Con silbidos y gritos entendíanse los convecinos a grandes distancias. Tiros de noche podían ser una señal de incendio, de ladrones, ¡quién sabe de qué!... seguramente de nada bueno; y los hombres salían de sus casas dispuestos a todo, con la abnegación y la solidaridad de los que viven en pleno campo.

Asustado por este movimiento, corrió Batiste hacia su barraca, encorvándose muchas veces para pasar inadvertido al amparo de los ribazos o de los grandes montones de paja.

Ya veía su vivienda, con la puerta abierta e iluminada y en el centro del rojo cuadro los bultos negros de su familia.

El perro le olfateó y fue el primero en saludarle. Teresa y Roseta dieron un grito de regocijo.

—*Batiste, ¿eres tú?*

—*¡Pare! ¡pare!*...

Y todos se abalanzaron a él, en la entrada de la barraca, bajo la vetusta parra, a través de cuyos pámpanos brillaban las estrellas como gusanos de luz.

La madre, con su fino oído de mujer inquieta y alarmada por la tardanza del marido, había oído lejos, muy lejos, los cuatro tiros, y el corazón le dio un vuelco, como ella decía. Toda la familia se había lanzado a la puerta, devorando ansiosa el obscuro horizonte, convencida de que las detonaciones que alarmaban la vega tenían alguna relación con la ausencia del padre.

Locos de alegría al verle y al oír sus palabras, no se fijaban en su cara manchada de barro, en sus pies descalzos, en la ropa sucia y chorreando fango.

Le empujaron hacia dentro. Roseta se colgaba de su cuello, suspirando amorosamente, con los ojos todavía húmedos:

—*¡Pare! ¡pare!*...

Pero el *pare* no pudo contener una mueca de sufrimiento, un «¡ay!» ahogado y doloroso. Un brazo de Roseta se había apoyado en su hombro izquierdo, en el mismo sitio donde sufrió el desgarrón de la uña de acero, y en el que ahora sentía un peso cada vez más abrumador.

Al entrar en la barraca y darle de lleno la luz del candil, las mujeres y los chicos lanzaron un grito de asombro. Vieron la camisa ensangrentada... y además su facha de forajido, como si acabara de escaparse de un presidio saliendo por la letrina.

Roseta y su madre prorrumpieron en gemidos. «¡Reina Santísima!... ¡Señora y soberana! ¿Le habían matado?...»

Pero Batiste, que sentía en el hombro un dolor cada vez más insufrible, las sacó de sus lamentaciones ordenando con gesto hosco que viesen pronto lo que tenía.

Roseta, más animosa, rasgó la gruesa y áspera camisa hasta dejar el hombro al descubierto... ¡Cuánta sangre! La muchacha palideció, haciendo esfuerzos para no desmayarse. Batistet y los pequeños empezaron a llorar y Teresa continuó los alaridos como si su esposo se hallase en la agonía.

Pero el herido no estaba para sufrir lamentaciones y protestó con rudeza. Menos lloros: aquello era poca cosa; la prueba estaba en que podía mover el brazo, aunque cada vez sentía mayor peso en el hombro. Era un rasguño, una rozadura de bala y nada más. Sentíase demasiado fuerte para que aquella herida fuese grave. ¡A ver!... agua, trapos, hilas, la botella de árnica que Teresa guardaba como milagroso remedio en su *estudi*... ¡moverse! el caso no era para estar todos mirándole con la boca abierta.*

Revolvió Teresa todo su cuarto, buscando en el fondo de las arcas, rasgando lienzos, desliando vendas, mientras la muchacha lavaba y volvía a lavar los labios de aquella hendidura sangrienta que partía como un sablazo el carnoso hombro.

Las dos mujeres atajaron como pudieron la hemorragia, vendaron la herida, y Batiste respiró con satisfacción, como si ya estuviese curado. Peores golpes habían caído sobre él en su vida. Y se dedicó a sermonear a los pequeños para que fuesen prudentes. De todo lo que habían visto, ni una palabra a nadie. Eran asuntos que convenía olvidarlos.* Y lo mismo repitió a su mujer, que hablaba de avisar al médico. Valía esto tanto como* llamar la atención de la justicia. Ya iría curándose él solo; su pellejo hacía milagros. Lo que importaba era que nadie se mezclase en lo ocurrido allá abajo. ¡Quién sabe cómo estaría a tales horas... el otro!

Mientras su mujer le ayudaba a cambiar de ropas y preparaba la cama, Batiste le contó lo ocurrido. La buena mujer abría los ojos con expresión de espanto, suspiraba pensando en el peligro arrostrado por su marido y lanzaba miradas inquietas a la cerrada puerta de la barraca, como si por ella fuese a filtrarse la Guardia Civil.

Batistet, en tanto, con una prudencia precoz, cogía la escopeta y a la luz del candil la secaba, limpiando sus cañones, esforzándose en borrar de ella toda señal de uso reciente, por lo que pudiera ocurrir.

La noche fue mala para toda la familia. Batiste deliró en el camón del estudi. Tenía fiebre, agitábase furioso, como si aún corriese por el cauce de la acequia cazando al hombre, y sus gritos asustaban a los pequeños y a las dos mujeres, que pasaron la noche de claro en claro, sentadas junto al lecho, ofreciéndole a cada instante agua azucarada, único remedio casero que lograron inventar.

Al día siguiente la barraca tuvo entornada su puerta toda la mañana. El herido parecía estar mejor; los chicos, con los ojos enrojecidos por el insomnio, permanecían inmóviles en el corral, sentados sobre el estiércol, siguiendo con atención estúpida todos los movimientos de los animales encerrados allí.

Teresa atisbaba la vega por la puerta entreabierta, volviendo después al lado de Batiste... ¡Cuánta gente! Todos los del contorno pasaban por el camino con dirección a la barraca de Pimentó. Se veía en torno de ella un hormiguero de hombres... y todos con la cara fosca, hablando a gritos, entre enérgicos manoteos, lanzando tal vez desde lejos miradas de odio a la antigua barraca de Barret.

Su marido acogía con gruñidos estas noticias. Algo le escarabajeaba en el pecho causándole hondo daño. Este movimiento de la huerta hacia la barraca de su enemigo era una prueba de que Pimentó se hallaba grave. Tal vez iba a morir. Estaba seguro de que las dos balas de su escopeta las tenía aún en el cuerpo.

Y ahora, ¿qué iba a pasar?... ¿Moriría él en presidio, como el pobre tío Barret?... No; se continuarían las costumbres de la huerta, el respeto a la justicia por mano propia. Se callaría el agonizante, dejando a sus amigos, los Terreròla u otros, el encargo de vengarle. Y Batiste no sabía qué temer más, si la justicia de la ciudad o la de la huerta.

Empezaba a caer la tarde, cuando el herido, despreciando las protestas y ruegos de las dos mujeres, saltó de su camón. Se ahogaba; su cuerpo de atleta, habituado a la fatiga, no podía resistir tantas horas de inmovilidad. La pesadez del hombro le impulsaba a cambiar de posición, como si esto pudiera librarle del dolor.

Con paso vacilante, entumecido por el reposo, salió de la barraca, sentándose bajo el emparrado, en un banco de ladrillos. La tarde era desapacible; soplaba un viento demasiado fresco para la estación. Nubarrones morados cubrían el sol, y por bajo de ellos desplomábase la luz, cerrando el horizonte como un telón de oro pálido.

Miró Batiste vagamente hacia la parte de la ciudad, volviendo su espalda a la barraca de Pimentó, que ahora se veía claramente, al quedar despojados los campos de las cortinas de mies que la ocultaban antes de la siega.

Sentía el herido a un mismo tiempo el impulso de la curiosidad y el miedo a ver demasiado; pero al fin volvió lentamente los ojos hacia la casa de su adversario.

Sí; mucha gente se agrupaba ante la puerta: hombres, mujeres, niños; toda la vega, que corría ansiosa a visitar a su vencido libertador.

¡Cómo debían odiarle aquellas gentes!... Estaban lejos, y no obstante adivinaba su nombre sonando en todas las bocas. En el zumbar de sus oídos, en el latir de sus sienes ardorosas por la fiebre, creyó percibir el susurro amenazante de aquel avispero.

Y sin embargo, bien sabía Dios que él no había hecho más que defenderse; que sólo deseaba mantener a los suyos sin causar daño a nadie. ¿Qué culpa tenía de encontrarse en pugna con unas gentes que, como decía don Joaquín el maestro, eran muy buenas, pero muy bestias?...

Terminaba la tarde; el crepúsculo cernía sobre la vega una luz gris y triste. El viento, cada vez más fuerte, trajo hasta la barraca un lejano eco de lamentos y voces furiosas.

Batiste vio arremolinarse la gente en la puerta de la barraca lejana, y luego muchos brazos levantados con expresión de dolor, manos crispadas que se arrancaban el pañuelo de la cabeza para arrojarlo con rabia al suelo.

Sintió el herido que toda su sangre afluía a su corazón, que éste se detenía como paralizado algunos instantes, para después latir con más fuerza, arrojando a su rostro una oleada roja y ardiente.

Adivinaba lo ocurrido allá lejos; se lo decía el corazón: Pimentó acababa de morir.

Tembló Batiste de frío y de miedo; fue una sensación de debilidad, como si de repente le abandonaran sus fuerzas, y se metió en su barraca, no respirando normalmente hasta que vio la puerta con el cerrojo echado y encendido el candil.

La velada fue lúgubre. El sueño abrumaba a la familia, rendida de cansancio por la vigilia de la noche anterior. Apenas si cenaron, y antes de las nueve ya estaban todos en la cama.

Batiste sentíase mejor de su herida. El peso en el hombro había disminuido; ya no le dominaba la fiebre; pero ahora le atormentaba un dolor extraño en el corazón.

En la obscuridad del *estudi* y todavía despierto, vio surgir una figura pálida, indeterminada, que poco a poco fue tomando contorno y colores, hasta ser Pimentó tal como le había visto en los últimos días, con la cabeza entrapajada y su gesto amenazante de terco vengativo.

Molestábale esta visión, y cerró los ojos para dormir. Obscuridad absoluta; el sueño iba apoderándose de él... Pero los cerrados ojos empezaron a poblar su densa lobreguez de puntos ígneos, que se agrandaban formando manchas de varios colores; y las manchas, después de flotar caprichosamente, se buscaban, se amalgamaban, y otra vez veía a Pimentó aproximándose a él lentamente, con la cautela feroz de una mala bestia que fascina a su víctima.

Batiste hizo esfuerzos por librarse de esta pesadilla.

No dormía, no: escuchaba los ronquidos de su mujer, acostada junto a él, y de sus hijos, abrumados por el cansancio; pero los oía cada vez más hondos, como si una fuerza misteriosa se llevase lejos, muy lejos, la barraca, y él, sin embargo, permaneciese allí, inerte, sin poder moverse por más esfuerzos que intentaba,* viendo la cara de Pimentó junto a la suya, sintiendo en su rostro la cálida respiración de su enemigo.

Pero ¿no había muerto?... Su embotado pensamiento formulaba esta pregunta, y tras muchos esfuerzos se contestaba a sí mismo que Pimentó había muerto. Ya no tenía, como antes, la cabeza rota; ahora mostraba el cuerpo rasgado por dos heridas, que Batiste no podía apreciar en qué lugar estaban; pero dos heridas eran, que abrían sus labios amoratados como inagotables fuentes de sangre. Los dos escopetazos: cosa indiscutible. Él no era de los tiradores que marran.

Y el fantasma, envolviéndole el rostro con su respiración ardiente, dejaba caer sobre Batiste una mirada que parecía agujerearle los ojos y descendía y descendía hasta arañarle las entrañas.

—¡Perdónam, Pimentó!*—gemía el herido con voz infantil, aterrado por la pesadilla.

Sí; debía perdonarle. Lo había matado, era verdad; pero él había sido el primero en buscarlo. ¡Vamos: los hombres que son hombres deben mostrarse razonables! Él tenía la culpa de todo lo ocurrido.

Pero los muertos no entienden razones, y el espectro, procediendo como un bandido, sonreía ferozmente, y de un salto se subía a la cama, sentándose sobre él, oprimiéndole la herida del hombro con todo su peso.

Gimió Batiste de dolor, sin poder moverse para repeler esta mole. Intentaba enternecerlo llamándole Tòni, con familiar cariño, en vez de designarle por su apodo.

—Tòni, me fas mal.*

Eso es lo que deseaba el fantasma, hacerle daño. Y pareciéndole aún poco, con sólo su mirada arrebató los trapos y vendajes de su herida, que volaron y se esparcieron. Luego hundió sus uñas crueles en el desgarrón de la carne y tiró de los bordes, haciéndole rugir:

—¡Ay! ¡ay!... ¡Pimentó, perdónam!

Tal era su dolor, que los estremecimientos, subiendo a lo largo de su espalda hasta la cabeza, erizaban sus rapados cabellos, haciéndolos crecer y enroscarse con la contracción de la angustia, hasta convertirse en horrible madeja de serpientes.

Entonces ocurrió una cosa horrible. El fantasma, agarrándole de su extraña cabellera, hablaba por fin.

—Vine*... vine—decía tirando de él.

Le arrastraba con sobrehumana ligereza, lo llevaba volando o nadando—no lo sabía él con certeza—, a través de un elemento ligero y resbaladizo, y así iban los dos vertiginosamente, deslizándose en la sombra, hacia una mancha roja que se marcaba lejos, muy lejos.

La mancha se agrandaba, tenía una forma parecida a la puerta de su estudi, y salía por ella un humo denso, nauseabundo, un hedor de paja quemada que le impedía respirar.

Debía ser la boca del infierno: allí le arrojaría Pimentó, en la inmensa hoguera, cuyo resplandor inflamaba la puerta. El miedo venció su parálisis. Dio un espantoso grito, movió al fin sus brazos, y de un terrible revés envió lejos de sí a Pimentó y su extraña cabellera.

Tenía los ojos bien abiertos y no vio más al fantasma. Había soñado; era sin duda una pesadilla de la fiebre; ahora volvía a verse en la cama con la pobre Teresa, que, vestida aún, roncaba fatigosamente a su lado.

Pero no; el delirio continuaba todavía. ¿Qué luz deslumbrante iluminaba su estudi? Aún veía la boca del infierno, que era igual a la puerta de su cuarto, arrojando humo y rojizo resplandor. ¿Estaría dormido?*... Se restregó los ojos, movió los brazos, se incorporó en la cama... No; despierto y bien despierto.

La puerta estaba cada vez más roja, el humo era más denso. Oyó sordos crujidos como de cañas que estallan lamidas por la llama, y hasta vio danzar las chispas agarrándose como moscas de fuego a la cortina de cretona que cerraba el cuarto. Sonó un ladrido desesperado, interminable, como un esquilón sonando a rebato.

¡Recristo!... La convicción de la realidad, asaltándole de pronto, pareció enloquecerle.

—¡Teresa! ¡Teresa!... ¡Amunt!*

Y del primer empujón la echó fuera de la cama. Después corrió al cuarto de los chicos, y a golpes y gritos los sacó en camisa, como un rebaño idiota y medroso que corre ante el palo, sin saber adónde va. Ya ardía el techo de su cuarto, arrojando sobre la cama un ramillete de chispas.

Cegado por el humo y contando los minutos como siglos, abrió Batiste la puerta, y por ella salió enloquecida de terror toda la familia en paños menores, corriendo hasta el camino.

Allí, un poco más serenos, se contaron.

Todos: estaban todos, hasta el pobre perro, que aullaba melancólicamente mirando la barraca incendiada.

Teresa abrazó a su hija, que, olvidando el peligro, estremecíase de vergüenza al verse en camisa en medio de la huerta, y se sentaba en un ribazo, apelotonándose con la preocupación del pudor, apoyando la barba en las rodillas y tirando del blanco lienzo para que le cubriera los pies.

Los dos pequeños refugiábanse amedrentados en los brazos de su hermano mayor, y el padre agitábase como un demente, rugiendo maldiciones.

¡Recordóns! ¡Y qué bien habían sabido hacerlo!... Habían prendido fuego a la barraca por sus cuatro costados; toda ella ardía de golpe. Hasta el corral, con su cuadra y sus sombrajos, estaba coronado de llamas.

Partían de él relinchos desesperados, cacareos de terror, gruñidos feroces; pero la barraca, insensible a los lamentos de los que se tostaban en sus entrañas, seguía arrojando curvas lenguas de fuego por las puertas y los ventanos. De su incendiada cubierta elevábase una espiral enorme de humo blanco, que con el reflejo del incendio tomaba transparencias de rosa.

Había cambiado el tiempo; la noche era tranquila, no soplaba ninguna brisa, y el azul del cielo sólo estaba empañado por la columna de humo, entre cuyos blancos vellones asomaban curiosas las estrellas.

Teresa luchaba con el marido, que, repuesto de su dolorosa sorpresa y aguijoneado por el interés, que hace cometer locuras, quería meterse en aquel infierno. Un instante nada más: lo indispensable para sacar del *estudi* el saquito de plata, producto de la cosecha.

¡Ah, buena Teresa! No era necesario que contuviese al marido, sufriendo sus recios empujones. Una barraca arde pronto; la paja y las cañas aman el fuego. La techumbre se vino abajo estruendosamente, aquella erguida techumbre que los vecinos miraban como un insulto, y del enorme brasero subió una columna espantosa de chispas, a cuya incierta y vacilante luz parecía gesticular la huerta con fantásticas muecas.

Las paredes del corral temblaban sordamente, cual si dentro de ellas se agitase dando golpes una legión de demonios. Como ramilletes de fuego saltaban las aves, e intentaban volar ardiendo vivas.

Se desplomó un trozo del muro hecho de barro y estacas, y por la negra brecha salió como una centella un monstruo espantable. Arrojaba humo por las narices, agitando su melena de chispas, batiendo desesperadamente su rabo como una escoba de fuego, que esparcía hedor de pelos quemados.

Era el rocín. Pasó con prodigioso salto por encima de la familia, galopando furiosamente a través de los campos. Iba instintivamente en busca de la acequia, y cayó en ella con un chirrido de hierro que se apaga.

Tras él, arrastrándose cual un demonio ebrio lanzando espantables gruñidos, salió otro espectro de fuego, el cerdo, que se desplomó en medio del campo, ardiendo como una antorcha de grasa.

Ya sólo quedaban en pie las paredes y la parra, con sus sarmientos retorcidos por el incendio y las pilastras que se destacaban como barras de tinta sobre un fondo rojo.

Batistet, con el ansia de salvar algo, corría desaforado por las sendas, gritando, aporreando las puertas de las barracas inmediatas, que parecían parpadear con el reflejo del incendio.

—¡Socorro! ¡socorro!... ¡A fòc!* ¡a fòc!

Sus voces se perdían, levantando el eco inútil de las ruinas y los cementerios.

Su padre sonrió cruelmente. En vano llamaba. La huerta era sorda para ellos. Dentro de las blancas barracas había ojos que atisbaban curiosos por las rendijas, tal vez bocas que reían con un gozo infernal, pero ni una voz que dijera: «¡Aquí estoy!»

¡El pan!... ¡Cuánto cuesta ganarlo! ¡Y cuán malos hace a los hombres!

En una barraca brillaba una luz pálida, amarillenta, triste. Teresa, atolondrada por el peligro, quiso ir a ella a implorar socorro, con la esperanza que infunde el ajeno auxilio, con la ilusión de algo milagroso que se ansía en la desgracia.

Su marido la detuvo con una expresión de terror. No: allí no. A todas partes, menos allí.

Y como hombre que ha caído tan hondo, tan hondo que ya no puede sentir remordimientos, apartó su vista del incendio para fijarla en aquella luz macilenta; luz de cirios que arden sin brillo, como alimentados por una atmósfera en la que se percibe aún el revoleteo de la muerte.

¡Adiós, Pimentó! Bien servido te alejas del mundo.* La barraca y la fortuna del odiado intruso alumbrarán tu cadáver mejor que los cirios comprados por la desolada Pepeta, amarillentas lágrimas de luz.

Batistet regresó desesperado de su inútil correría. Nadie contestaba.

La vega, silenciosa y ceñuda, les despedía para siempre.

Estaban más solos que en medio de un desierto; el vacío del odio era mil veces peor que el de la Naturaleza.

Huirían de allí para empezar otra vida, sintiendo el hambre detrás de ellos pisándoles los talones; dejarían a sus espaldas la ruina de su trabajo y el cuerpecito de uno de los suyos, del pobre *albaet*, que se pudría en las entrañas de aquella tierra como víctima inocente de una batalla implacable.

Y todos, con resignación oriental, sentáronse en el ribazo, y allí aguardaron el amanecer, con la espalda transida de frío, tostados de frente por el brasero que teñía sus rostros con reflejos de sangre, siguiendo con la pasividad del fatalismo el curso del fuego, que iba devorando todos sus esfuerzos y los convertía en pavesas tan deleznables y tenues como sus antiguas ilusiones de paz y trabajo.

NOTES

The figures refer to pages

25. **Desperezóse:** = *Se desperezó*, 'stretched its limbs.' The enclitic use of -*se* is frequent in literary style, especially when the verb begins a sentence or clause.

    barracas: "low whitewashed dwellings made of sun-dried bricks (*adobes*), with a very pointed roof, usually of reed but sometimes of straw." (Ferrer i Pastor, *Vocabulari Valencià-Castellà*, 1960.)

26. **rosarios de hormigas:** 'strings of ants.' The term is used by analogy with the string of beads on which are recited the prayers of the rosary. *Cf.* p. 63, *rosario de muchachas*; p. 65, *rosario de sus quejas*, etc.

    « ¡arre, aca! »: « ¡arre, jaca! », "gee-up, horse!"

    ¡ Bòn día mos done Deu! : = ¡Buen día nos dé Dios!

    ¡ Bòn día! : = ¡Buenos días!

    gente que lleva en sus venas sangre moruna: the Arabs occupied this territory for several centuries until James I of Aragon expelled them in 1238. Those Moors who became converted to Christianity (*moriscos*) stayed on until Philip III banished them in 1609.

27. **Pimentó:** corruption of Pimentón, a nickname meaning 'Pepper.'

    Pepeta: diminutive of Pepa, a name given to women called Josefa.

    estudi: the room used as a bedroom, often communal, in the Valencian *barraca*.

    deseando salvar cuanto antes una hora de camino: 'in an attempt to shorten what would otherwise be an hour's walk.'

    La Ròcha: = *La Roja*. In country districts, the article is often used before names of persons or animals, as, for example in the folk song: ' *La Clara, cuando va a misa...*'

28. **ribazos laterales:** elevated banks at either side of the road.

    oblea: flat disk of dried paste or wax formerly used for sealing letters.

las ropas interiores... naturaleza: the author here seems to confuse the white discharge often present in anaemic women with that of the normal period.

29. **con el saquito del almuerzo pendiente del cuello:** workers used to carry food in an enamel container which was wrapped in a special kind of cloth.

    fielato de Consumos: an office situated at the entrance of towns and villages where people had to pay taxes on the goods they intended to sell within the municipal boundaries.

    tres y repique: 'three (knocks) and a series of short sharp blows.' Quite possibly the short blows indicated the floor on which a customer lived.

    « ¡La lleeet! »: (for « ¡La llet! ») = « ¡La leche ! »

    en chancleta: 'with her heels out of her slippers.'

    barrio de Pescadores: 'Fishermen's district'; a red-light quarter of Valencia.

    carne adobada y putrefacta: this is ambiguous and could apply to the smell either of curried and rotten meat or of perfumed and diseased (human) flesh. Both are possible in this context.

30. **¡Válgame Dios... el pobre tío Barret!:** 'Heavens above, how easily a family is ruined! Yet poor tío Barret was such a good man!' *Barret = Sombrero*; a nickname.

    presidio de Ceuta: a harsh penitentiary in Ceuta, a Spanish town on the north coast of Africa.

31. **se hiciesen la santísima:** *hacerse la santísima* is a very coarse expression. Here a mild rendering might be 'to go to blazes.'

35. **tres varitas untadas con liga:** a snare prepared for birds.

36. **contornada:** a Valencian word derived from the Catalan *conorn* = Castilian *contorno*, 'vicinity.'

    ¡Recontracordóns!: a very frequent, obscene Valencian oath (*cordóns*, 'testicles,' emphasized by the prefixes *re* and *contra*).

    galera argelina: a reference to the Algerian pirates who centuries ago attacked Spanish villages on the coast and carried off the inhabitants as slaves.

37. **partida del Fraile:** *el Fraile* was a Franciscan monk, called Asensio Nebot, who fought as a *guerrillero* around Valencia

during the War of Independence (1810–12). His partisans wore a uniform similar to that of the English troops who were then fighting in Spain.

38. **faja:** a piece of cloth, traditionally red, purple or black in colour, wound several times around the waist.

39. *les albaes:* = *las alboradas:* a serenade of songs or music performed at dawn under a young girl's window.

40. **amigos de muchas campanillas:** an idiom referring to people in authority or of great prestige: 'very influential friends.'
hasta se aprovechaba... parte de riego: in *la huerta* each cultivator has by common agreement a right to water his fields at a certain time of the day. A member of the community is charged with maintaining the fair working of the system; infractions are referred to a special court, *el Tribunal de las Aguas* (see note to p. 65).

41. **apagaluz:** a Valencian word of Catalan inspiration (*apagallums*); the Castilian equivalent is *matacandelas* or *apagavelas*, 'candle snuffer.'
no se hicieron esperar: 'were not long in coming.'

42. **cobre:** 'coins' (at that time made of copper).
San Juan: June 24th. Spaniards frequently use feast days to indicate a date or a period of time. *De Virgen a Virgen* (*i.e.*, July 16th–Aug. 15th) *hace mucho calor*, a common expression, is a good example of this tendency.
« **oro del casamiento** »: refers to the money (*arras*) which during the Spanish marriage service the bridegroom offers his bride as a token of his readiness to support her. In the past, these *arras* were of gold and became heirlooms.
era asunto de buen corazón: 'it was a matter that affected the kindness of his heart.'

43. **veía en él a su padre:** 'he looked upon him as a father.'
buen padre se había echado el pobre Barret: sarcasm: 'a fine father poor Barret had found himself.'
le asiste la razón: 'he is in the right.'
¡A ver quién era el guapo...!: 'Let's see who would be brave enough...!'

44. *¡ Lladre !... ¡ Tórnam la escopeta !* : = *¡Ladrón !... ¡Devuélveme la escopeta !*

45. **Calma y mala intención, que todo llegará:** 'Take it gently; your turn will come.'

¡ *Pare !: = ¡ Padre!*

46. **rollo:** *i.e., rollo de pan:* not a bread roll but a loaf twisted into the shape of a circle.

47. **porque sí:** 'just like that.'

¡Ahora las pagaría... desdichas!: 'Now he would have his own back on the thankless soil, cause of his misfortunes!'

48. **hanegadas:** or *fanegadas:* a land measure which differs according to the regions but is approximately 1.6 acres.

la cabeza se le iba: 'his head was whirling.'

Benimaclet: a suburb of Valencia.

49. **era ya bien entrada la tarde:** 'the afternoon was well advanced.'

Le escocía algo lo del tío Barret: 'The tío Barret affair worried him somewhat.'

Tan grandes... en castellano: Valencians speak their dialect among themselves, keeping Castilian for their dealings with authority and officialdom. Don Salvador, overawed by tío Barret, automatically treats him with respect.

50. **pataleo fúnebre de res degollada:** refers to the jerky movements often occurring in an animal's legs immediately after slaughter.

51. **sentándose en el cadalso:** the prisoner sat in a specially prepared wooden chair and was throttled by *garrote vil.*

cacique: broadly speaking, a man, usually a landowner, who forced those dependent on him to vote for his political party.

52. **preguntándose qué sería de sus hijas:** 'wondering what could have become of his daughters.'

guapo: a difficult word to translate. A *guapo* is often a mixture of gallant, braggart, bully and a brave man.

53. **Había que oír:** 'One should have heard.'

de francachela: 'on a spree.'

se pagaba con la piel: 'was undertaken at the risk of one's skin.'

churros: literally, 'coarse wool'; a contemptuous name given to the inhabitants of some villages situated between Cuellar and Peñafiel in the province of Segovia, and especially to those of Campaspero. By extension, it was used for any person who was a stranger to *la huerta.*

54. **semos probes:** = *somos pobres.*

no nos hemos encontrao la vida tras un pajar: 'we are still fond of our lives.' (*Encontrao = encontrado.*)

a lo gran señor: 'like a lord.'

los del gremio: 'those belonging to the (same) guild'; *i.e.*, the farmers.

se hacían la santísima: 'had to put up with it.'

55. **fuese quien fuese:** 'whoever he might be.'

56. **Batiste:** = Bautista.

Allí lo había « muy largo »: 'There there was quite a lot (of work).' (*Lo* refers to *trabajo* in the first paragraph.)

57. **Se le murieron los rocines:** 'His nags died on him.'

campos de secano: ground depending exclusively on rain for its irrigation; often opposed to *tierras de regadío*, artificially irrigated land.

Aquello eran tierras: 'These indeed were really good lands.'

58. **Los campos estaban perdidos:** 'The fields were in a terrible state.'

trasquilada: this word is generally applied to animals only.

59. **cuidadosamente fregoteados:** careless writing, since *fregar* means 'to clean' but with the pejorative ending *-otear* means 'to clean quickly and badly'; *fregotear cuidadosamente* is thus a contradiction in terms.

En punto a laboriosos: 'As for their diligence.'

Roseta: = Rosita, diminutive of Rosa.

60. *Creume, fill meu: ¡ te portarán desgrasia!:* = *Créeme, hijo mío: ¡te traerán desgracia!*

se comía los franceses crudos: 'used to eat the French raw.' The usual Castilian expression is *comerse vivo (a alguien).* We know that tío Tomba was a *guerrillero* in the War of Independence against the French.

61. **rebusca:** or *busca:* the activities of poor people who look among the garbage for materials which can be useful for their own houses or which can be sold.

Batistet: diminutive of Batiste.

la mujer y la hija las enjalbegaron: in Levante and Andalucía it is traditional for the womenfolk to whitewash the outside of the house.

62. **cantarera:** special shelf for the pitchers, a traditional feature of a *barraca*.

63. « **dar el cuerpo** » **demasiado:** 'exposing oneself too much';
literally, to offer too much surface of one's body for the adversary to aim at.
guardar la salida: 'keep open a way out.'
Aquello sería para el demonio: *i.e.*, no one would profit
from it.

64. ***Dos rahonetes no més:*** = *Dos razoncitas nada más*, 'Just a
couple of words.'
**¿estamos? pero si le buscaban las cosquillas, era tan
valiente como el que más:** 'was that understood? But
if people looked for trouble with him, he could be as brave
as the rest of them.' (*Hacer cosquillas* = 'to tickle.')
sin faltar a nadie: 'without offending (*or* harming) anyone.'
¿ Es la darrera paraula?: = *¿ Es la última palabra?*, 'Is that
your last word?'
Tú me les pagarás: = *Tú me las pagarás*, 'You'll pay for this.'
morral: an insult, comparing a person's face with the snout
(*morro*) of an animal.

65. **Tribunal de las Aguas:** the most ancient juridical institution
extant in Europe. Founded towards A.D. 960 under Arab
domination and confirmed in its privileges by James I of
Aragon when he conquered Valencia in 1238, the Tribunal has
always remained faithful to its original purpose and is considered to be the most democratic and perfect court of its
kind.
    Every Thursday at noon the Tribunal gathers in the small
opening before the Apostles' Gate of the Cathedral and its
eight magistrates, elected by the peasants themselves, sit in
judgment on all who have disobeyed the rigid laws of the
irrigation system. It is independent of lawyers, has no
written records of any kind and allows no appeal against its
decisions.
piezas de un sofá: the sofa consisted of three sections placed
in such a way that, together with the *verja* (an iron railing)
they formed a complete circle. The judges sat on the sofa
and the defendant stood in front of them and within the circle.
Some time this century, the sofa was replaced by eight arm-
chairs, occupied by the *síndicos-jueces* or magistrates of the
eight main canals: Cuart, Benacher y Faytanar, Mislata,
Fabara and Robella (which take their water from the right

bank of the River Turia) and Tormos, Mestalla and Roscaña (supplied from the left bank). It is worth noting that when a cultivator from the left bank is accused, only the trustees of the right bank will pass sentence on him, and vice-versa. Furthermore, the magistrate in whose territory an offence has been committed does not take part in the judgment of this case.

66. **la revolucionaria campana... Germanías:** refers to a revolt, which took place in the sixteenth century against Charles V. It was led by the guilds (Valencian *germà* = 'brother'; *Germanía* = 'brotherhood').

67. **redonda cabeza de lego:** a round head, like that of a lay brother (monk's heads were shaved close).

chufas: a root from which *horchata*, a refreshing, typically Valencian drink, is made.

S'òbri el tribunal: = *Se abre el tribunal*, 'Court in session.'

68. **papel sellado:** stamped paper, sold by the State, which must be used for official documents.

Así, así es como se castiga a los pillos: 'That is the way good-for-nothings should be punished.'

69. **« atandadores »:** watchmen in charge of regulating the *tanda*, *i.e.*, the time during which each cultivator has a right to water his fields.

Asomaba la oreja: 'would appear.' A current Spanish idiom, referring to the Aesop fable in which a wolf in sheep's clothing enters a sheepfold and is discovered because one of his ears peeps through his disguise.

sòus = *sueldos*.

el majestuoso Justicia: thirteenth-century Valencian magistrate, who had jurisdiction in all civil and criminal cases. He wore a long robe reaching to the feet, *la gramalla*, and had a plumed escort of crossbowmen, *los ballesteros de la Pluma*.

70. ***Parle vosté:*** = *Hable Vd.*

¡gran cosa eran las multas...!: 'fines made no difference...!'

71. **¡ *Cuatre sòus de multa!*:** = *¡Cuatro sueldos de multa !*
Calle vosté: = *Cállese usted.*
sentènsia: = *sentencia.*
dos lliures de pena: = *dos libras como pena.*

72. **ciego:** the expression is generally *ciego de ira*.

Si la gente no se aparta: = *Si la gente no se hubiera apartado.*
In conditional sentences the use of the present tense instead of
a compound past tense is frequent, especially in the spoken
language. It produces spontaneity and vividness, the two
outstanding qualities of Blasco Ibáñez's writing in *La barraca.*
porrón: wine bottle with a long side spout.

73. **¡ Morralón!:** augmentative of *morral* (see last note to p. 64).
¡ chodío!: = ¡ *judío !*

74. **aquel gesto de pocos amigos:** ' that stern, unwelcoming look.'
¡qué pronto hubiera dado cuenta de él toda la vega!:
'how quickly all the *huertanos* would have dealt with him !'
¡ Grasies, chiquet, grasies!: = ¡*Gracias, muchacho, gracias!*
tanda: *cf.* note to p. 69.
hasta pasados quince días: 'until a fortnight's time.'

75. **¡Reina soberana!:** an invocation to the Blessed Virgin Mary.
por hacer algo: 'just to be doing something.'
levantada: 'being built.'

76. **¡multa encima!:** 'to crown it all, a fine !'
¿Y aún dicen si los hombres se pierden?: 'And people
still wonder why men go wrong?' (*i.e.,* commit desperate
actions, angered by injustice).

77. **como van... pecado:** the very severe customs do not allow
sweethearts the slightest physical contact. Notice the
spontaneous reaction of Roseta's father.
¡ Bòna nit...!: = ¡*Buenas noches...!*
¡ A casa, a casa! ¡ Yo t'arreglaré!: 'Go home, go home !
I'll deal with you !'
bacalao: refers to salted cod which has to be immersed in
water for several hours before cooking to eliminate the salt;
fresh cod is virtually unknown in Spain.

78. **lo de fuera:** *i.e.,* the fields.
muy suyo: 'all his own.'

79. **colocando la barrera:** Batiste places a barrier across the
stream to prevent the water flowing past his fields.

81. **¡Criatura más destrozona!:** 'Such a destructive child !'

82. **Vaya, adiós. ¡ Hasta la nit!:** = *Vaya, adiós. ¡ Hasta la
noche!,* 'Good-bye then. Until tonight !'
haciendo de tripas corazón: 'gathering all her courage.'
el humeante perol donde era ahogado el capullo: the
cocoons are thrown into boiling water in order to kill the larvae.

hambrona: 'hungry.' The implication is that she does not have sufficient to eat because her parents either do not work enough or are not thrifty.

84. **que ya no era inocente:** 'who had learnt a thing or two.'
    sacaban las mantecas... para los ricos: this belief still persists among the very uneducated.

86. **Tonet:** short for Antonet, diminutive of Antoni (Antonio in Castilian).
    ir hecho un rotoso: 'going around like a tramp.'

87. *D'ahi:* = *De ahí.*
    ¡ Bòna nit y grasies!: Roseta thanks him because he has accompanied her.

89. **sin cuidados para sí misma:** 'who paid no attention to her appearance.'
    medio palmo de cristal con azogue: a looking glass about two inches high.
    Ella no era gran cosa: 'She wasn't much to look at.'

91. *¿ Per qué ?:* = *¿Por qué?*
    Perque't vullc: = *Porque te quiero.*
    ya no hubo más: 'everything was all right.'

92. **altramuces:** lupin seed, considered a savoury by the Valencians.

93. **llegaba:** = *llegaría*; the imperfect is often used to replace the conditional, especially in conversation.

94. **a la juventud hay que darle lo suyo:** 'youth must be given its rights.'
    apóstoles: Spanish tradition has it that Paul and James visited Spain. The patron saint of Spain is St. James or Santiago.

95. **con toda la acometividad de una rudeza falta de expansión:** 'with all the aggressiveness of their repressed coarseness.'
    cosas internas: *i.e.*, sex.

96. *Mira, mira, que no vindrá:* = *Mira, mira, que no vendrá*, 'You can always look, he will not come.'
    ¡ La « Pastora »!: '"Shepherd's wife"!' The Divine Shepherdess comes sarcastically to mind because the Virgin Mary is often so named.

97. *¿ Qui es lladre ?:* = *¿Quién es ladrón?*
    ¿ Mon pare lladre?... Tórnau a repetir y et trenque 'ls morros: = *¿Mi padre ladrón? Vuelve a repetirlo y te rompo los morros.*

propinarla una zurra interior: 'to spank her bottom.'

98. **¡ Lladrona! : = ¡Ladrona!**

ya se guardarían: 'would take good care not to.' *Ya* is used here merely for emphasis, and has no temporal value.

99. **las paredes... su esposo:** the walls were not as white as they should have been because the teacher's wife spent her day admiring her husband instead of seeing to it that they were spotlessly white (*cf.* note to p. 61).

100. **ladran:** Castilians often say (and only partly in jest) that the harshness of certain Catalan sounds causes the Catalans and Valencians to bark rather than speak their language. Many anecdotes exist on this point.

101. **Toisón de Oro:** Philip III, Duke of Burgundy, created The Order of the Golden Fleece in the fifteenth century. The Head of the Spanish Royal Family is head of the Order.

    ¡Lo que llevaba corrido por el mundo!: 'What a lot of places he had been to!'

    un pájaro gordo venido a menos: *i.e.,* a big shot who had come down in the world. Current Spanish idiom is *pez gordo.*

    la primera en sostenerle el tratamiento: 'foremost in using the title,' *i.e.,* in maintaining social standards by addressing her husband as *Don.*

    hemos « paleado » las onzas: *paleado* has been used for *apaleado. Apalear oro* or *plata* means to have gold or silver in abundance. Here *onza,* an old Spanish coin, has been used; the meaning is the same: 'we were once in the money.'

    de él tan sólo conocidas: 'known only to him.'

102. **churrería:** the land inhabited by *churros, i.e.,* people who do not speak Valencian (*cf.* note to p. 53).

    lo « bienhablado » que era: 'his refined use of the spoken word.'

    ahumado techo: the *llar* or brazier used for cooking and heating purposes was lit outside the *barraca* and brought inside only when the fire was well alight. Inevitably, in the long run, the ceiling became smoky.

    entre aburridos y temerosos de la caña: 'half bored and half scared of the cane.'

    ¡Qué digo el templo!: 'Temple, did I say?'

103. **Llopis: =** López.

    por un tirante: it was common practice for children in

country districts to have their trousers held up by one strap that started, say, from the left side of the trousers, went over the right shoulder and was buttoned at the back of the left side.

Por esta vez pase: 'We'll forget it this time.'

Siñor maestro... « Morros d'aca » me pellisca: = *Señor maestro... « Morros de jaca » me pellizca*, 'Sir, "'Orse-face" is pinching me.'

Peris: = Pérez.

Descrísmese usted enseñando a estos imbéciles: 'What is the use of killing oneself teaching these idiots?' *Crisma*='head,' "nut"; *descrísmese* therefore ='undo your head,' 'break your nut.'

a un chiquitín... se le fue el cuerpo: 'one little fellow... dirtied his pants.'

104. **no le iba en zaga el maestro:** 'the teacher ran him a close second.'

105. *Flaire:* = *Fraile* (*cf.* note to p. 37).

del general tal y del cual: 'about General So-and-So and General Somebody Else.'

«¡Musiú... pardón!»: = French *« Monsieur... pardon! »*, "(Have) mercy, Sir!"

106. **mariscal Suchet:** Louis Gabriel Suchet, Marshal of France, who was under Napoleon's orders during the Spanish campaign.

107. **« porque les había asistido con sus luces »:** part of a traditional prayer in Spanish schools: *« Os damos gracias, Señor, porque nos habéis asistido con vuestras luces. » Luces=* 'inspiration.'

Yo lo pongo todo: 'I give everything.'

108. **Lo dicho:** 'I repeat.'

¿qué se creían algunos?: rhetorical question; the inference is: 'Did people think that they could not be as polished as in Valencia?'

calle de Amargura: 'road of Suffering,' a common Spanish idiom alluding to the road Christ took to Golgotha.

110. **¡ Condenats!   ¡ Dimònis!:** = *¡Condenados! ¡Demonios! ¡ Mare! :* = *¡ Madre!*

111. **¡como quien dice nada!:** 'a mere nothing, one might say!' *femancers:* people who gather horse or cow dung from the streets and roads.   From Valencian *fems*, 'dung.'

112. **daba que hablar con ello:** 'give occasion thereby for gossip.'

113. **« Caldera »:** a place where dead animals are incinerated in order that their bones may be used (for the making of buttons, handles for cutlery, etc.).

114. **puente de Serranos:** a bridge constructed in 1518 and partially destroyed by the French in 1809. It leads to the old North Gate of Valencia whose octagonal towers are mentioned below.

   los barberos de « cara al sòl »: 'open-air barbers.'

115. **hacían allí sus primeras armas:** 'there tried out their hand for the first time.'

   frota que frota: 'rubbed and rubbed.'

116. **contratista de las corridas de toros:** the buyer of horses and mules for use in the bullring.

117. **¡si parece una señorita!:** *si* is often used to give force to a statement or exclamation.

   Bueno; pues no done més: = *Bueno; pues no doy más.*

   chambos: = *contratos,* 'terms.'

118. **para eso está:** 'that's what he's here for.'

   Más limpio que la patena: a very common idiom in Spain. *La patena* is the paten, a small plate on which the Eucharist is placed during the Mass.

119. **pos:** = *pues.*

   ventisinco: = *veinticinco.*

   fijao: = *fijado.*

   Ni robao: = *Ni robado,* 'Not even if I had stolen it.'

   chavo: = *ochavo,* 'small coin.'

   A ver, Monote: a sacarlo otra vez: 'Come on, Monote: take him out again.'

120. **Ni lo de usted ni lo mío:** 'Neither your price nor mine.'

121. **se ha santiguao... a verle:** the gist of this endearing talk, proper to gypsies, is that today is Batiste's lucky day. (*Santiguao* = santiguado; *salío* = salido.)

123. **Vine pronte:** = *Ven pronto.*

125. **¡ asómat !:** = *¡ asómate !*

   cambra: = *habitación,* but here 'garret,' 'loft.'

   ¡ Baixa, cobarde !: = *¡ Baja, cobarde !*

130. **albaet:** diminutive of Valencian *albat* (= *párvulo*). The term is applied to a child who dies before reaching the age of reason, by which the Roman Catholic Church means the

age at which a human being begins to be morally responsible
for his actions, normally at about seven years.

« **tías** »: contemptuous way of referring to women.

131. **Ahora llegaba la suya:** 'Now it was their turn.'
después de haber sido de: 'after having participated in.'
lo suyo: 'what he deserved.'
muerta para la maternidad: *i.e.*, barren.
¡ Pobret meu! : = *¡ Pobrecito mío!*

132. *albat:* see note to p. 130.

133. **bota del rincón:** translation of the common Catalan expression *bota del recó*, where it is assumed the best wines afe kept because there they are out of sight.
« **hombres de su casa** »: "stay-at-homes."

136. **pilladas al vuelo:** 'picked up by chance.' More frequently *cogidas al vuelo*.
aposentó: the choice of verb (*aposentar* = 'to give lodging to') emphasizes the lady's corpulence.
habían encanecido: 'had become greyish.' By analogy with *encanecer*, used of the hair.

137. **De ello corría peligro:** 'He was in danger of doing that' (*i.e.*, of causing offence).

138. *¡ rey de sa mare! :* = *¡ rey de su madre!*
Teresa... en el *estudi*: it was not customary for womenfolk, even of the family, to attend funerals.
daba palmadas de atención: 'was clapping his hands for attention.'
« **¡A ver!... ¡Que forme toda la escuela!** »: "Now then, school, line up!"

139. **Los músicos... alegre:** the death of very young children has never been considered by the Roman Catholic Church as an occasion of sadness since they go straight to Heaven. In certain parts of Catalonia, in the nineteenth century, mothers were congratulated, not commiserated, whenever they lost an *albat* (*cf.* note to p. 130).
Bien: 'In great style.'
¡ Anima mehua! : = *¡ Alma mía!*

142. **nispereros:** for *níspero*, 'medlar tree.'

145. **las quintas:** 'military service.' It was possible at one time for men to avoid conscription by paying a certain sum of money to the State.

146. **una silleta en un brazo:** the old women were taking with them a small chair or stool to sit on in Church.
jota: a dance and its music, popular in various regions of Spain.

147. **morcillas:** 'black pudding,' *i.e.*, pig's gut filled with cooked blood and seasoned with onion and spices. Many regional variations exist.
por lo bien que sabía: 'for his skill in.'

148. **Liria:** a town, dating from Roman times, situated on the banks of the Turia.
quicios chapados con vistosos azulejos de Manises: *quicio* is a hinge; here, however, it can only mean the window surrounds, covered with tiles from Manises, a village in the province of Valencia, famous for its white pottery on which all sorts of whimsical figures are represented.

149. **Mecenas:** Maecenas, the patron of Virgil and Horace; by extension, any patron of the Arts.

150. **pastaflora:** a very light pastry made of flour, sugar and egg.
magdalenas: a kind of sponge cake.
paellas: rice dishes containing green vegetables, shellfish, eels, pork sausage of various kinds and chicken, all seasoned with garlic and saffron. All sorts of variations are possible.

151. **bastos:** one of the four suits of Spanish playing cards, translated into English by 'clubs.' The Spanish *basto*, however, is represented on the card by a cudgel, hence the comparison with *una porra*.
al que le temblaban: 'before which ... felt fear.'
¡A matarse, al camino!: 'Outside, if they wanted to kill one another!'

153. **pagados a escote:** 'each paying his share.'

155. *tòle, tòle:* 'as fast as possible' (*cf.* Castilian *tomar el tole*, *tole* = 'to run off, flee').

158. *Veritat:* = *Verdad.*
¡Y en qué momento resurgía esta animosidad!: 'And what a moment for this animosity to flare up again!'
rodando por la pendiente de su cólera: 'giving way to his anger.'

159. *¡ Vesten o te mate!:* = *¡Vete o te mato!*
¿T'en vas?: = *¿Te vas?*

162. **hecho un «Ecce homo»:** a common image in Spain; the

comparison is with Christ when, after the beating at the pillar, Pilate showed him to the people with the words :" *Ecce homo !*"

163. **dos charolados tricornios:** *i.e.*, two members of the Civil Guard, who wear shiny, three-cornered hats.

164. **«** *pájaro de dos voces* **»:** because it is a double-barrelled gun. *Fas mal, fill meu:* = *Haces mal, hijo mío.*

165. **de las charcas... la fiebre palúdica:** the author seems still to share the old belief that malaria was caused by the emanations from stagnant water. The true nature of this illness was first suspected by Laveran in 1880; this novel was written in 1898.

167. **¡** *Ara't pille!:* = ¡*Ahora te pillo !*, 'Now, I've got you !'

168. *no t'escaparás:* = *no te escaparás.*

169. **cuan largo era:** 'full length.'

171. **¡moverse!... boca abierta:** 'get a move on! It was no time for them all to be staring at him with their mouths wide open.' **Eran asuntos que convenía olvidarlos:** 'Some things are best forgotten.' **Valía esto tanto como:** 'This was tantamount to.'

175. **por más esfuerzos que intentaba:** 'however hard he tried.' ¡ *Perdónam, Pimentó!:* = ¡*Perdóname, Pimentó ! me fas mal:* = *me haces daño.*

176. *Vine:* = *Ven.* **¿Estaría dormido?:** 'Could he be asleep ?'

177. **¡** *Amunt!:* = ¡*Arriba!*, '(Get) up !'

179. **¡** *A fòc!:* = ¡*Fuego!* **Bien servido te alejas del mundo:** 'You quit this world with your wishes fulfilled.'

VOCABULARY

abajo, below, underneath; **camino (acequia) abajo,** down the road (ditch)

abalanzarse (sobre), to throw oneself (upon), rush (at)

abandonar, to give up, leave behind, desert

el **abandono,** neglect, desolation

abarcar, to encompass, include

el **abecedario,** alphabet

el **abejorro,** bumble-bee

la **abertura,** opening, gap

abierto, open, opened

ablandarse, to be moved, be softened

abominar (de), to detest, express indignation at

el **abono,** fertilizer, manure

abrasar, to grow hot, burn

abrazar, to hug, embrace, hold

abrir, to open, turn; **abrir(se) paso,** to make (one's) way

el **abrojo,** nettle, thistle

abrumador, overwhelming

el **abrumamiento,** weariness

abrumante, overwhelming, oppressive

abrumar, to crush, overwhelm

absorber, to absorb

absorto, absorbed, lost

abstenerse (de), to refrain (from)

el **abuelo,** grandfather

aburrido, bored; tiresome, boring

el **aburrimiento,** boredom

aburrir, to bore, tire, annoy

abusar de, to take advantage of, profit by

acá, here

acabar, to finish, end; **acabar de,** to have just; **acabar con,** to finish off, put an end to, destroy, ruin; **acabar por,** to end (up) by

acallar, to appease, quieten

acaramelado, syrupy, yellowish, mellow

acariciar, to caress, fondle, soothe

el **acarreo,** carrying, hauling

el **acceso,** access; **dar acceso a,** to lead (in)to

accidentado, chequered, troubled, eventful

el **accidente,** incident

accionar, to gesticulate

acechar, to ambush, pry upon

el **acecho,** ambush

el **aceite,** olive oil

la **aceituna,** olive

el **acento,** accent, tone, expression

la **acequia,** (irrigation) ditch, canal; irrigation judge

la **acera,** pavement

acerado, steel-coloured, greyish

acercarse a, to approach

el **acero,** steel

acertar (a), to succeed (in)

acicalar, to dress, lay out, adorn

acoger, to welcome, accept

acometer, to attack

la **acometividad,** aggressiveness, aggression

el **acomodo,** arrangement, combination

aconsejar, to advise

acoplar, to fit, adjust

acordar, to remind; to concede; **acordarse de,** to remember, recall, think of

acorralar, to cut off, corner

acortar, to shorten, slacken, slow down

acosar, to pursue, harass

acostado, stretched out, lying

acostar, to put to bed; **acostarse,** to go to bed, lie down

acostumbrarse (a), to become accustomed (to)

acre, pungent, bitter

acreditarse (de), to give oneself a reputation (of)

acribillar, to riddle

actuar, to play, act

acuático, watery

acudir, to come, go to, attend

el **acuerdo,** agreement

achacoso, infirm, sickly

achicharrado, cooked, scalded, scorched

adelantarse, to progress, advance

adelante, forward, onward; **en adelante,** henceforth; **más adelante,** later (on)

el **ademán,** gesture, look, attitude

además, besides, moreover

adentro, within, inside

la **adivinación,** guessing, intuition

adivinar, to guess, sense, understand, imagine, make out

admirado, surprised, amazed

admitir, to receive, accept, admit, allow

adobar, to spice, perfume

el **adobe,** sun-dried brick

adormecido, sleeping

el **adorno,** decoration

adquirir, to acquire, buy, take on

el **advenedizo,** upstart, newcomer, stranger

la **advertencia,** warning, advice, admonition

advertir, to warn; to notify; to notice

afectar, to pretend, act as if

el **afecto,** affection

afeitar, to shave

la **afición,** fondness, liking

aficionado (a), fond (of)

aflautado, high-pitched, shrill

afluente, running into

afluir (a), to flow (towards), drift, run

afortunadamente, fortunately

afuera, outside; **¡gente afuera!** everybody out!

agacharse, to squat

agarrar(se) (a), to grab, cling to

agazaparse, to crouch

agigantado, gigantic

la **agitación,** excitement, movement

agitar, to shake, wave, move;

agitarse, to move about, toss, stir

aglomerarse, to gather

agobiar, to harass, exhaust, burden

agolparse, to crowd, rush

la **agonía,** death throes

agonizante, dying

el **agonizante,** dying man

agotar, to exhaust, wear out

agradecer, to thank, be thankful for

agrandarse, to increase, get bigger

el **agravio,** slight, offence, grievance

agregar, to add to; **agregarse a,** to join

agruparse, to gather

el **agua** (*f.*): **hacer agua,** to leak

aguantar, to hold, endure, suffer; **aguantarse,** to put up with

aguardar, to wait (for), expect

el **aguardiente,** eau-de-vie, spirits

agudo, sharp, piercing

aguijonear, to spur on

el **águila,** eagle

la **aguja,** needle; ray

agujerear, to pierce

el **agujero,** hole

el **ahinco,** determination, eagerness

ahíto, satiated; bloated

ahogar, to drown, choke, stifle; **ahogarse,** to suffocate, drown; to become choked (of the voice)

ahorrar, to save, spare

el **ahorro,** saving

ahumado, smoked, smoky

airoso, graceful, lively

aislar(se), to isolate (oneself)

ajeno, another's, of others

el **ajuar,** household furniture or possessions

ajustar, to agree (upon)

el **ala** (*f.*), wing; nostril

alabar, to praise

la **alacena,** cupboard

el **alambrado,** wire-netting

el **álamo,** poplar

el **alarde,** display, boast

alardear, to boast, show off

alargar, to stretch out, reach out

el **alarido,** howl, shout

el **alba** (*f.*), dawn; white gown

la **albahaca,** sweet basil

el **albaricoque,** apricot

alborotador, unruly

el **alborotador,** agitator

alborotar, to stir up, excite; **alborotarse,** to become excited

el **alborozo,** exhilaration, gaiety

el **alcalde,** mayor

el **alcance,** reach; **al alcance de,** within reach of; **ir a sus alcances,** to pursue

alcanzar, to reach, attain, acquire; **alcanzar a** (+ *inf.*), to reach the point of

la **alcoba,** alcove

el **aldabonazo,** knock

alegrar, to enliven; **alegrarse,** to rejoice, be glad

la **alegría,** joy, pleasure

el **alejamiento,** separation

alejarse, to go away, part

alentar, to encourage

aletargado, drowsy

el **aleteo,** flapping (of wings), swishing

la **alfalfa,** snail-clover (cattle fodder)

el **alfiler,** pin

el **algarrobo,** carob (tree)

la **algazara**, merrymaking, shouting, hubbub

algo, somewhat; **por algo**, with good reason

el **alguacil**, law-officer, bailiff

el **aliento**, breath

el **alivio**, relief

el **alma** (*f.*), soul, spirit, mind, heart

la **almena**, battlement

almidonar, to starch

la **almohada**, pillow

el **almohadón**, large pillow

el **almuerzo**, lunch; (late) breakfast

el **alojamiento**, lodging

alojar, to lodge

la **alondra**, lark

la **alpargata**, sandal

la **alquería**, farmhouse

alterar, to change (for the worse); **alterarse**, to become angry, upset

alternar, to be sociable, talk

los **altibajos**, uneven ground

la **altivez**, haughtiness, pride

altivo, haughty, proud

la **altura**, height

el **altramuz**, lupin seeds

aludir, to refer to, hint at; el **aludido**, the said

alumbrar, to illuminate, light up

alzar, to raise, lift; to shrug

allá: más allá, farther on

allí: allí mismo, right there

amaestrarse, to become skilled, proficient

amanecer, to dawn

el **amanecer**, dawn

amansar, to pacify

el, la **amante**, lover

la **amapola**, poppy

amar, to love

amargar, to embitter

amargo, bitter

la **amargura**, bitterness, suffering

amarillento, yellowish, sallow

amarillo, yellow

el **ambiente**, atmosphere, air

ambos, both

amedrentar, to frighten

la **amenaza**, threat, menace

amenazador, amenazante, threatening, menacing

la **amistad**, friendship

el **amo**, master, landlord, employer

el **amontonamiento**, heap, pile

amontonarse, to be piled up

el **amor**, love; *pl.* love affair; **tener amores**, to be in love

amoratado, livid

amoroso, loving, affectionate

amortajar, to shroud

amortiguar, to deaden; **amortiguarse**, to lose force, become less acute, fade

el **amparo**, shelter, protection

el **ánade**, duck

el **anafe**, portable stove

el **anca** (*f.*), haunch

anciano, old

ancho, broad, wide

andaluz, Andalusian

andante, *see* **caballero**

andar, to walk, go; to move; to be; **andar a tiros**, to shoot it out

los **andrajos**, rags

anegarse, to sink, drown

anguloso: lo anguloso, sharpness

la angustia, anguish, anxiety, suffering, pain
anhelante, panting
anidar, to nest
el ánima (*f.*), spirit, soul
animado, courageous, brave
el animalucho, ugly animal, reptile
animar, to animate, enliven, urge on; **animarse,** to take courage
el ánimo, spirit, mind, heart, courage
animoso, lively, spirited, brave, willing
anochecer, to grow dark
el anochecer, evening, nightfall
anonadar, to overwhelm, annihilate
el anonadamiento, annihilation
el ansia (*f.*), longing, ardent desire
ansiar, to long for
la ansiedad, anxiety
ansioso, anxious
ante, in front of, in the face of, before
el antecesor, ancestor
el antepasado, ancestor, forefather
antes, before, sooner, previously; **antes (de) que,** before; **cuanto antes,** as soon as possible
por anticipado, in advance
anticipar, to anticipate, bring on, provoke, hasten
antiguo, former; ancient; **de antiguo,** of old
la antigüedad, (old) age; lack of freshness
antipático, unlikable, unpleasant, unattractive

la antorcha, torch
el antro, den, lair
anudar, to tie, knot
anular(se), to annihilate oneself, fade away
añadir, to add
el añico: hacer añicos, to smash to bits
añoso, aged, ancient
el apagaluz, snuffer
apagar, to put out; **apagarse,** to go out, die away, fade out
apalabrarse, to promise, agree, threaten
apalear, to cane
aparecer(se), to appear, seem, show
la aparición, apparition, vision, appearance
apartado, distant, remote
apartar, to remove, push aside, shift; **apartarse,** to draw away, aside
aparte, separate
el apasionado, partisan, supporter
apasionar, to stir up, excite
apechugar (con), to take on, tackle
apedrear, to throw stones at
la apelación, appeal
apelar, to appeal, resort to
apelotonado, huddled up, rolled up into a ball
apelotonar, to roll into a ball; **apelotonarse,** to huddle up
apenar, to hurt, pain, sadden
apenas (si), scarcely, hardly; as soon as
apergaminado, dried up, wizened
apestado, infected, outcast
apilar, to pile up

aplacar, to calm, quieten

aplastante, overpowering

aplastar, to trample, flatten

aplicado, industrious, studious, diligent

aplicar, to apply, give

el aplomo, composure, self-possession, equanimity; dar aplomo a, to steady

apodar, to call, name, nickname

apoderarse (de), to take possession (of), take over

el apodo, nickname

apoplético, apoplectic, raging; bursting

aporrear, to beat up, beat on

aposentar, to lodge, settle

apostar por, to bet on; apostarse, to stand guard

el apóstol, apostle

apoyar, to support; apoyar (en), to rest on; apoyarse (en), to lean on

apreciar, to appreciate, determine

apremiar, to urge

apresurarse, to hasten, hurry

apretar, to tighten, clench, grip, press, crowd together; apretarse, to press, huddle close; to crowd

la apretura, crush, pushing

aprobar, to approve, agree with

aprovechar, to use, take advantage of; aprovecharse de, to profit by

la aproximación, approach, reconciliation

aproximar, to bring near; aproximarse a, to approach, go (come) near

la apuesta, bet, wager

apuntalar, to shore up

apuntar, to aim; to begin to appear

apurado, exhausted

apurarse (por), to worry, become upset (over)

el apuro, difficulty, worry, want

el arabesco, arabesque

el arado, plough

la araña, spider

arañar, to scratch, scrape, claw

el arañazo, scratch; a arañazo limpio, by sheer scratching

arar, to plough

la arboleda, grove

el arbusto, bush, shrub

el arca (f.), chest

el arcabuzazo, arquebus shot

el arco, arch

arder, to burn

la ardilla, squirrel

el ardor, zeal, passion, vigour

ardoroso, fiery; feverish, burning

la arena, sand

argelino, Algerian

la argolla, ring; apretar la argolla, to make things worse

la arista, corner, edge, angle

el arma (f.), weapon

el armario, cupboard

el armazón, framework, structure

el árnica (f.), arnica (medicinal plant)

la arpía, harpy; fiend

la arpillera, sackcloth

arqueado, arched, bowed

el arrabal, suburb, outskirt

la arracada, earring

arrancar, to pull out, tear off, break off; to start

el arranque, sudden impulse

arrastrar, to drag along; **arrastrarse,** to crawl

el arrastre, swish, sweeping

¡arre! gee-up!

arrear, to urge on

arrebatar, to snatch away

el arrebato, outburst, rapture

arrebolado, rosy, ruddy

arrebujar, to wrap up

arreglar, to settle, fix; **arreglarse,** to get ready, manage; to be solved

el arreglo, agreement, arrangement; **con arreglo a,** according to

arremangado, tucked up; with sleeves rolled up; **de nariz arremangada,** snub-nosed

arremolinarse, to swell, swirl; to form a crowd

el arrendamiento, lease, rent

el arrendatario, tenant

el arrepentimiento, remorse

arrepentirse (de), to regret, repent of

arriba, up, upward, above, on top; **arriba de,** above; **¡arriba!** get up! **los de arriba,** those upstairs

la arroba, unit of weight (approx. 25 lb.); **arrobas de carne,** rolls of fat

arrodillarse, to kneel down

arrojar, to cast, throw, hurl, shed; **arrojarse,** to throw oneself; to jump, dive

arrollado, rolled up

arrostrar, to face, encounter

el arroz, rice

la arruga, wrinkle

arrugarse, to wither, shrivel, wrinkle

arruinar, to ruin

arrullar, to lull to sleep

el arte (*f.*), art, skill, trick

la arteria, artery

el as, ace

el asa (*f.*), handle

asaltar, to assault, surprise

ascender, to reach, come to

el, la ascendiente, ancestor

asediar, to besiege, surround

asegurar, to assure

el asentimiento, approval, assent

el aseo, cleanliness, neatness

asesinar, to kill, murder, assassinate

el asesinato, murder

el asesino, killer, murderer

la asfixia, suffocation

asfixiante, stifling, suffocating

asfixiar, to choke, suffocate

así que, as soon as

el asiento, seat

asistir (a), to attend; to help

asmático, asthmatic

el asno, donkey

asomar, to show, thrust, stick out; **asomarse,** to show one's face, peer out

asombrar, to astound, astonish

el asombro, astonishment, surprise

asombroso, astonishing

el asomo, sign

el aspecto, appearance

áspero, rough, rugged, severe

la aspillera, loop-hole, opening

la aspiración, aspiration, ambition

aspirar, to inhale; to aspire

la asquerosidad, filthy sore; filth

asqueroso, filthy, loathsome

la **astilla,** splinter
el **astro,** heavenly body, sun
la **astucia,** cleverness, cunning; *pl.* sly tricks
el **asueto,** freedom, short holiday
el **asunto,** matter, affair; **por sus asuntos,** on business
asustar, to frighten, terrify
atajar, to bar, stop, check
la **atalaya,** watchtower
el **atandador,** canal supervisor, irrigation guard
el **ataque,** breach
atar, to tie, fasten
el **atardecer,** sundown
el **ataúd,** coffin
el **atavío,** finery, adornment, dress
el **atentado,** attack, offence, criticism
atento, attentive, concerned; ready
aterrador, terrifying, dreadful
aterrar, to terrify, awe
atiborrar, to cram, fill
atisbar, to watch, spy on
atolondrado, confused, bewildered
atraer, to attract, draw
atrancar, to bar, bolt
atrás, back
atrasado: llevar atrasados, to be in arrears
los **atrasos,** arrears
atravesar, to cross, pass through, pierce; to put, stick
atreverse, to dare; **atreverse con,** to stand up to
atrevido, daring, cheeky
el **atrevimiento,** boldness, daring

atribuir, to attribute
atropellado, confused
atropellar, to trample, attack, crush
aturdir, to deafen, bewilder
la **audacia,** boldness
audaz, daring, fearless
la **audiencia,** hearing; **sala de audiencia,** courtroom
el **auditorio,** audience
augurar, to foretell
aullar, to howl
el **aullido,** howl, shriek
aumentar, to increase, raise
el **aumento,** increase; **ir en aumento,** to increase
aun, even
aún, yet, still
la **aureola,** circle
la **aurora,** dawn
la **ausencia,** absence
ausente, absent
el **auxilio,** aid, assistance; **en auxilio de,** to the assistance of
avanzar, to move forward, approach
avaramente, jealously
la **avaricia,** greed
avaro, avaricious, miserly
el **ave** (*f.*), fowl, bird
aventar, to fan (wheat), winnow
aventurado, risky
avergonzarse, to be (become) ashamed
avezado, accustomed
ávido, eager
avisar, to notify, warn
el **aviso,** warning, report; **dar aviso a,** to notify; **pasar aviso,** to spread the word
el **avispero,** wasps' nest
la **ayuda,** help, aid
ayudar, to help, assist

el **azadón,** (large) hoe
el **azogue,** quicksilver, mercury; **cristal con azogue,** looking-glass
el **azúcar,** sugar
azucarado, sweetened, sugary
el **azud,** water-wheel
azulado, bluish, azure
azulear, to become bluish
el **azulejo,** tile, glazed tile

la **baba,** secretion
el **bacalao,** cod
el **bache,** rut, hole
el **badajeo,** pealing
bailar, to dance
el **baile,** dance, ball
la **bajada,** descent
bajar, to come down, go down, fall; (*trans.*) to lower
bajo: por lo bajo, in an undertone
el **bajorrelieve,** bas-relief
la **bala,** bullet
balanceante, swinging, dangling
balancearse, to sway
balar, to bleat
balbucear, balbucir, to babble, mumble, stammer
el **balbuceo,** babble
la **baldosa,** tile
el **balido,** bleating, bleat
la **balsa,** pool
el **ballestero,** crossbowman
la **bambalina,** fly (theatrical scenery)
el **bambú,** bamboo
la **banasta,** large round basket
el **bancal,** plot, field
el **banco,** bench
la **banda,** band, crowd
la **bandada,** flock

la **bandera,** flag, banner
el **bandido,** bandit, scoundrel, rogue
el **banquillo,** small stool
barajar, to shuffle; to mull over
barato, cheap
la **barba,** chin; *pl.* beard, whiskers
la **barbacana,** barbican
la **barbaridad,** barbarous action, outrage
la **barbarie,** barbarism, barbarousness
bárbaro, barbaric, uncouth
en **barbecho,** fallow, untilled
la **barbería,** barber's shop
el **barbero,** barber
la **barbilla,** wattle
la **barda,** wall
barnizar, to varnish, bronze, tan
la **barquilla,** barge, little boat
la **barra,** bar
la **barraca,** cabin, farmhouse
el **barranco,** ravine, gully
barraquero, of the cabin
el **barraquero,** cabin-builder
la **barrera,** gate, barrier
el **barrete,** round cap
el **barrio,** district
el **barro,** mud, clay, mire
el **barrote,** bar
la **basílica,** church, temple
bastante, enough
bastar, to be enough, suffice
el **basto,** club
la **basura,** rubbish, garbage
la **batalla,** battle
batir, to beat, flap, switch, stir up
bautizar, to baptize
el **bayonetazo,** bayonet thrust
el **bebedor,** drinker
beber, to drink

el **beduíno,** Bedouin, tribes-man
la **belleza,** beauty
bendecir, to bless
la **bendición,** blessing
el **bendito,** fool, simpleton; **como un bendito,** heartily
bermejo, red
bermellón, scarlet
besar, to kiss
el **beso,** kiss
la **bestia,** animal, beast; simple creature; dunce, fool
la **bestialidad,** brutality, animal strength, earthiness
el **bicharraco,** pest, vermin
el **bicho,** animal, insect
bien: más bien (dicho), rather; **no bien,** sooner; **gente de bien,** honest, honourable people
bienaventurado, blessed
el **bienestar,** comfort, well-being
bienhablado, well-spoken
bienvenido, welcome
la **bifurcación,** forking, branching
el **bigote,** moustache
el **billete,** bank-note; ticket
blanco, white, pale
el **blanco,** target
la **blancura,** whiteness
blancuzco, whitish
blando, soft
blanducho, soft, flabby
blanquear, to whitewash
blanquecino, whitish
la **blasfemia,** blasphemy
la **blonda,** silk lace
la **blusa,** blouse
la **bocanada,** breath, puff
la **bodega,** wine-cellar
el **bodegón,** still life
el **bofe,** lung; *see also* **echar**

la **bofetada,** blow, slap
el **bofetón,** blow, slap
bogar, to float
el **bohemio,** vagrant, gypsy
el **bolsillo,** pocket, purse
el **bollo,** cake
el **bonachón,** good-natured fellow
la **bondad,** goodness, kindness
bondadoso, kind, good-natured
el **bonete,** bonnet
el **boquete,** gap
el **borboteo,** bubbling
a borbotones, gushing
el **borde,** edge, bank
bordear, to border
el **borlón,** large tassel
la **borrachera,** drunkenness
el **borrachín,** drunkard
borracho, drunk; **de borracho,** drunk
el **borracho,** drunkard
borrar, to erase, wipe out, remove
el **borrego,** lamb
el **borregote,** simpleton
el **borrico,** donkey
el **borriquillo,** little donkey
borroso, indistinct, dim
el **bosque,** wood
el **bostezo,** yawn
la **bota,** boot; cask, barrel
la **botella,** bottle
la **bóveda,** arch, vault
bracear, to step out
el **bracito,** little arm
bramar, to roar
la **brasa,** live coal
el **brasero,** brazier, bed of live coals
bravo, tough, brave, bold, violent
la **bravura,** courage, bravado

el brazo, arm; **brazos inútiles,** idle hands

la brecha, breach; gash

la breva, early fig crop

brillante, brilliant, bright, shining

el brillante, diamond

la brillantez, brilliance

brillar, to shine, flash, glitter

el brillo, gleam, brilliance, lustre

el brío, spirit, zest

brioso, spirited, lively

la brisa, breeze

el brocal, kerbstone, stone edge

la broma, joke, jest; **dar broma (a),** to joke (with), tease

bromear, to joke

broncear, to bronze

brotar, to spring forth, bloom

la broza, underbrush, brushwood

de bruces, face downwards, headlong

la bruja, witch

el brujo, sorcerer, magician

bruñir, to polish

bruscamente, suddenly

la brutalidad, brutality; coarse remark

bruto, rough, boorish, ignorant

el bruto, fool, rowdy, brute

bucólico, pastoral, bucolic, rustic

el buenazo, good-hearted fellow, kind simple soul

bueno, good, true, kind, upright

bufar, to puff, snort; to storm

el bufido, blustering, roar, snort, bellow of rage

la bufonada, joke, jest

el bulto, shape, bulge, bulk

el buque, ship

la burbuja, bubble

burdo, coarse

el burgués, town dweller

la burla, joke, mockery, sport

burlarse de, to make fun of, laugh at

burlón, mocking

el burro, donkey

la busca, search

buscar, to seek, ask for

cabalgar, to mount, ride

el caballejo, nag

la caballería, horse

el caballero, gentleman, horseman; **el caballero andante,** knight-errant

el caballo, horse

el caballote, big horse

la cabecita, little head

la cabellera, (long) hair

la cabeza, head; **de cabeza,** head first; **mala cabeza,** good-for-nothing

la cabezada, nod, nodding

el cabila, Kabyle (Berber) tribe

cabizbajo, crestfallen; with lowered head

el cabo, end, extreme

la cabra, goat

la cabriola, leap, bound

el cacahuete, peanut

el cacareo, cackling

la cacería, hunt

el cacique, political boss

cachazudo, slow, easygoing, phlegmatic

cada, each, every; **cada cual,** each one

el cadalso, scaffold

el cadáver, body, corpse

cadavérico, deathlike, deathly, cadaverous

la cadena, chain

la cadera, hip

caer, to fall, drop, arrive, land; dejarse caer, to drop to the ground

el cafetín, café

la caída, fall; la caída del sol, sunset; la caída de la tarde, evening

la caja, casket, box

el cajón, drawer, till

el calado, open-work

la calandria, lark

el cálculo, estimate

la caldera, boiler

el caldo, liquor

calenturiento, feverish

la calidad, quality, character

cálido, hot

caliente, warm, hot

la calma, calm, coolness, composure

calmar, to calm

la calumnia, slander

calumniar, to slander

el calzado, footwear

callar, to quieten; callarse, to become (remain) silent

el callejón, alley

calloso, calloused

la cama, bed; de cama, bedside

cambiar, to change, exchange

el cambio, change, exchange

el camino, road, way, path; camino de, on the road to; de, en camino, on the road

la camisa, shirt, nightgown

el camón, large bed

el campamento, encampment, camp

la campana, bell

el campanario, belfry

la campanilla, bell, harness-bell

el campanilleo, tolling

campanudamente, pompously

campechanote, genial, hearty

campesino, rural, rustic

el campesino, peasant

campestre, rural

el campo, field, land, country, region; a campo traviesa, across the fields

la cana, grey hair

la canalla, rabble, mob

la canasta, basket

la canción, song, ballad

cándido, innocent, simple

el candil, candle, lamp, light

la canéfora, basket-bearer

cano, grey

el cansancio, weariness, exhaustion

cansar, to tire; cansarse, to grow tired, weary; to become tedious

cantar, to sing; to crow (of cock)

la cantarera, shelf for pitchers

el cántaro, pitcher; a cántaros, by the pitcherful

el cántico, song

la cantilena, refrain

el canto, song; crow(ing)

el canturreo, singsong, chant

la caña, reed; cane

el cáñamo, hemp, flax

el cañar, el cañaveral, reed plantation, cane plantation

el cañazo, caning, blow with a cane

el cañizo, frame

el cañón, (gun)barrel

el **cañonazo,** gunshot, report of a gun

la **capa,** cape, cover, cloak, coat, layer

el **caparazón,** shell, cover, blanket

capaz, capable, able

el **capellán,** chaplain, priest

capitanear, to captain, act as captain

el **capricho,** whim, fancy; fantasy

el **capullo,** cocoon

la **cara,** face, surface; **de cara al sol,** in the open air; *see also* **echar, plantar**

el **caracol,** snail

caracolear, to gambol

el **caramelo,** (boiled) sweet

el **caramillo,** flageolet

la **carcajada,** hearty laughter, burst of laughter

la **cárcel,** prison

carcomido, rotted, worn away

la **carencia,** lack, absence

la **carga,** load, burden

cargado, loaded, heavy, full; **cargado de razón,** completely in the right

el **cargamento,** load, cargo

cargar, to load, carry; **cargarse,** to pick up

el **cargo,** office, appointment

la **caricia,** caress

la **caridad,** charity

el **cariño,** tenderness, affection, love

carmesí, crimson

la **carne,** meat, flesh; **hacer carne,** to hit the mark

el **carnero,** mutton

el **carnicero,** butcher

carnoso, fleshy

la **carpa,** covering

la **carrera,** race, running

la **carreta,** cart, wagon

la **carretera,** highway, road

la **carretería,** cart driver's trade

el **carretero,** cart driver

la **carrilera,** rut

el **carro,** cart, wagon

el **carruaje,** carriage

la **carta,** letter; playing-card

el **cartel,** chart, poster

la **cartilla,** primer, textbook

el **cartón,** cardboard

el **cartucho,** cartridge

la **casaca,** coat, dress-coat

el **casamiento,** wedding, marriage

la **casaquilla,** short (formal) jacket

casarse, to get married

el **cascabeleo,** tinkling

el **casco,** hoof

el **cascote,** débris, rubbish

casero, household, domestic

el **caserón,** large ramshackle building, large house

casi, almost

el **caso,** case, affair; **hacer caso (de),** to mind, pay attention (to); **no ser caso de,** not to be proper to

la **casta,** race, pedigree; **de casta,** thoroughbred

el **castañeteo,** chattering

castellano, Castilian, Spanish

la **castidad,** chastity

castigar, to chastise, punish

el **castigo,** punishment

casto, chaste, pure ·

la **casualidad,** chance, coincidence

el **casuco,** ramshackle hut

el **catafalco,** bier

el **cauce,** bed (of a river)

el **caudal,** abundance; stream, current

caudaloso, abundant

el **causante,** cause

la **cautela,** caution

el **cautiverio,** captivity

el **cautivo,** captive

cauto, cautious, careful

el **cavador,** digger

cavar, to dig

el **cayado,** shepherd's crook

el **cazador,** hunter

la **cazuela,** pot, saucepan

la **cebolla,** onion

ceder, to yield, give up

cegar, to blind; to fill in

cegato, very short-sighted, (nearly) blind

la **ceguera,** blindness

la **ceja,** eyebrow

cejar, to yield

celebrar, to applaud

la **celeridad,** swiftness

celoso, jealous

cenar, to have supper

el **cencerro,** cowbell

la **ceniza,** ash

censurar, to reprove, blame

la **centella,** (lightning) flash

centellear, to sparkle

el **centenar,** hundred

el, la **centinela,** sentry

el **ceño,** frown, scowl

ceñudo, scowling, frowning, grim

la **cera,** wax

cercano, nearby, close

el **cerdo,** pig, hog

cerdoso, bristly

el **cerebro,** brain

cerner, to sift, spread

cerrar, to close (in); to hide; to form; to fall; **cerrar la marcha,** to bring up the rear

cerril, clumsy, rough, idiotic

el **cerrojo,** bolt

la **certeza,** certainty, assurance

cesar (de), to stop

el **césped,** turf, sod

la **cesta,** basket

el **cesto, el cestón,** basket

ciego, blind(ed); **a ciegas,** blindfold; blindly, in the dark

el **cielo,** sky, heaven

la **ciencia,** knowledge, science

cierto, certain, evident; a sort of

cifrar en, to attribute to

la **cigarrera,** cigar maker, woman worker in tobacco factory

el **cigarro,** cigar

la **cigüena,** stork

cimbrearse, to bend over

el **cinc,** zinc

la **cintura,** waist

circundar, to surround

el **cirio,** candle, taper

citar, to summon; to point out

clamar, to clamour, call for

la **claridad,** light, clearness

claro, clear, light; **de claro en claro,** sleepless; **¡claro!** of course!

clavado, stuck

clavar, to nail, fix, sink

el **clavel,** carnation

el **clavo,** nail, hook

el **cliente,** customer

cloquear, to cluck

el **cobarde,** coward

cobijar, to shelter, protect

cobrar, to collect

el **cobre,** copper

el **cobro,** collection

coceador, kicking

el cocimiento, brew, concoction

la cocina, kitchen; cooking

codicioso, envious

el codo, elbow

coger, to pick up, gather, collect, harvest; **cogidos de la mano,** hand in hand

el cogollo, heart (of cabbage)

el cogote, nape of the neck, neck

cojo, lame

la col, cabbage

la cola, tail

colarse en, to filter (through), slip into

la colcha, quilt

el colchón, mattress

la colecta, collection

el colegio, (private) school

la cólera, anger

colérico, angry

el colgante, festoon

colgar, to hang, hang up, dangle; **colgarse,** to hang

coligado, joined together, associated, connected

la colina, hill

colindante, neighbouring, adjoining

la colmena, beehive

el colmo, height

la colocación, job, place, position

colocar, to pile, place

el colono, tenant, farmer

colorado, red

colorearse, to become coloured, flush

el colorete, rouge

el colorín, bright colour

el collar, necklace

la comadre, gossip; gossiping woman, neighbour

la comadrona, midwife

el combatiente, combatant

combatir, to combat, fight off, overcome

comer, to eat; **comerse,** to eat up

el comerciante, merchant

cometer, to do

la comezón, itch(ing), desire

la comida, meal, lunch, food

la cómoda, chest (of drawers)

compadecer, to pity, express sympathy for

el compañero, companion

la comparación, comparison

comparecer, to appear

compasivo, pitying, tender-hearted

complacer, to please; **complacerse (en),** to take pleasure, delight (in)

complicado, complicated

componer, to compose

la compra, purchase

comprometido, jeopardized

la compuerta, water gate, floodgate

común: por lo común, generally

la comunidad, community

con que, provided that

conceder, to grant

en concepto de, in the opinion of

concerniente: en lo concerniente a, as for

concertar, to arrange

la concurrencia, gathering, crowd(s), number of customers

concurrido, frequented

la condena, sentence

condenado, confounded

condenar, to condemn, restrict

condensar, to concentrate

el condiscípulo, fellow pupil

conducir, to conduct, lead

el conejo, rabbit

confeccionar, to make up, prepare

confiado, confiding, communicative; confiado a, in the care of

la confianza, familiarity; boldness

confiar, to confide, entrust

conformarse (con), to be resigned (to)

confundir, to confuse; confundirse, to mingle

confuso, confused, vague, doubtful

el conjunto, collection

la conjuración, conspiracy

conjurar, to cut off, head off, avert

la conmoción, commotion, disturbance

conmovedor, moving, touching

conmover, to stir, disturb, shake, move, touch (with emotion)

conocedor, expert; conocedor de, familiar with

conocer, to know, get to know, meet

conocido, well-known

conquistar el pan, to earn a living

conseguir, to bring about, cause, succeed in

el consejo, advice

consentir, to consent, permit

conservar, to keep, preserve

consolar, to comfort, cheer

consolidar, to strengthen

consternado, terrified

constituir, to constitute

el consuelo, consolation

los consumos, excise duty, local tax

contagiado, infected

contar, to tell, relate; to count; contar con, to count on

contemplar, to gaze at, look at, watch

el contendiente, contestant

contener, to restrain, prevent

contenido, restrained

el contenido, contents

contentarse, to be content

contento, glad, satisfied, content

el contento, satisfaction, joy

contestar, to answer

a continuación, afterwards, immediately

contonearse, to strut about

el contoneo, strut, affected air, swing

el contorno, outline, shape; area, vicinity

la contradanza, quadrille

contraído, contracted

la contrariedad, disappointment; pl. vexations, adversities

contrario, contrary, opposite; de lo contrario, otherwise; see also llevar

el contrario, opponent

el contratiempo, mishap, misfortune

el contratista, buyer

contravenir, to violate, go against

la contribución, tax

el contrincante, adversary

el convecino, neighbour

convencerse, to be convinced, be sure

convenir, to suit; convenir en, to agree to, settle

convertir, to transform; convertirse en, to become

convicto, convicted, guilty

convidar, to invite; to treat

la copa (wine)glass; (tree)top

la copla, song

coquetón, coquettish

el coraje, courage; passion, anger

la coraza, armour-plating

el corazón, heart

la corbata, tie

el corcel, steed, charger

el cordero, lamb

el cordón, file, row, line, string

el cornetín, cornet

el coro, chorus, choir; a coro, in chorus, together

la corona, crown

coronar, to crown, surmount

el corpachón, ugly body

el corral, barnyard

corregir, to correct

correr, to run; to cover; a todo correr, at full speed; correr mundo, to see the world; see also cuenta

la correría, trip

corresponder, to belong (to)

corretear, to ramble, roam

la corrida de toros, bullfight

de corrido, glibly, hastily

la corriente, current, stream

el corrillo, little group

el corro, group, circle

el corsé, corset

cortar, to divide, criss-cross, sever; cortar en seco, to cut short; cortarle el paso, to bar his way

el cortante, butcher

el corte, cutting edge; cut

el cortejo, group; funeral procession

la cortesía, courtesy

la corteza, crust

la cortina, curtain; row (of trees)

el corvejón, hock

corvo, curved

la cosa, thing, matter, affairs, news

la cosecha, harvest, crop

cosechar, to harvest, reap

coser, to sew

la cosilla, abrasion

las cosquillas, tickling

a costa de, at the cost of

costar, to cost

el costado, side

la costilla, rib, beam, rafter

el costillaje, framework

la costra, scab

la costumbre, habit, custom; de costumbre, customarily; usual

la crápula, dissipation

crear, to create

crecer, to grow, increase; crecerse, to assume an air of authority, swell with pride

el crecimiento, growth

creer, to believe, think

crepuscular, twilight

el crepúsculo, twilight

la cretona, cretonne

la criada, maid, servant

el criado, servant, hired man; apprentice

la crianza, breeding

criar, to create, produce, breed; to raise

la criatura, creature; child

el crimen, crime

la crin, mane

crispar, to set (nerves) on edge; to clench

el cristal, glass; glass door

el cristiano, Christian; honest man

el croqueo, croaking

la crucecita, little cross

crudo, bare, raw, unbaked; alive

la crueldad, cruelty

el crujido, crackling

la cruzada, crusade

cruzar, to cross

la cuadra, stable

cuadrado, square

el cuadrado, square, bed

cuadrarse, to stand at attention

la cuadrilla, group, band

el cuadro, bed, square, square bed, rectangular plot; picture

cuadrúpedo, quadruped

cualquier, any, some, whatever, anyone

cuan, as

cuán, how

cuanto, as; as much (many) as; all that; **cuanto antes,** as soon as possible; **en cuanto,** as soon as; **en cuanto a,** as for; **cuantos más mejor,** the more the better; **unos cuantos,** a few

el cuartel, quarters; **sin cuartel,** without mercy

el cuartelillo, quarters, small barracks

el cuarto, room; penny; *pl.* money; **los dos cuartos,** the few pennies; **estar sin un cuarto,** to be flat broke

el cuarto-despensa, storeroom, pantry

cuatro, four; a few

la cubierta, covering; roof

el cubil, lair, watching place

el cubo, pail, bucket

cubrir, to cover, conceal, screen

cucamente, craftily, skilfully

cuclillas: (puesto) en cuclillas, squatting

el cucurucho, cone

la cuchara, spoon

cuchichear, to whisper

la cuchilla, cleaver; knife

el cuello, neck; collar

la cuenta, amount, account, reckoning; **por su cuenta,** on one's own; **dar cuenta de,** to deal with; **darse cuenta (de),** to realize, be aware of, notice; **tener en cuenta,** to bear in mind, consider; **correr de su cuenta,** to be up to him

la cuerda, rope

el cuero, hide, skin

el cuerpecillo, el cuerpecito, little body

el cuerpo, body; **dar el cuerpo,** to expose oneself; **en cuerpo de camisa,** in shirt-sleeves

el cuervo, crow

la cuestión, affair; quarrel; **cuestión de,** a matter of

la cueva, den

cuidado, neat, well cared for

el cuidado, care; **cuidado con** (+*inf.*), take care not to...; **no había cuidado,** there was no cause for alarm

cuidadoso, careful

cuidar (de), to take care of, look after; **cuidarse de,** to be careful, take the trouble to

el culatazo, blow with gun butt; **a culatazos,** with the butt of his gun

la culebra, snake

la culpa, blame; **por culpa de,** on account of

el cultivador, cultivator, farmer

cultivar, to cultivate

el cultivo, plantings, crops, farm produce; cultivation

la cumbre, top, summit

cumplido, well-mannered, accomplished

el cumplidor: ser exacto cumplidor de, to be exact in complying with

cumplir, to behave decently; **to carry out; cumplir con,** to meet one's obligations

la cuna, cradle

la cúpula, cupola

el cura, priest

curar, to heal, cure

la curiosidad, curiosity; neatness

curioso, bystander

el curso, course, progress

la curva, curve, turn, bend

curvo, curved

la custodia, monstrance

el cutis, skin

el chalán, horse-dealer

chamuscado, scorched

la chancleta, slipper

la chapa, plaque, covering

chapado, covered

chapar, to veneer

el chaparrón, heavy shower, storm, flood

el chapoteo, splashing

el chapuzón, plunge

la charca, pool

el charco, pool, puddle

la charla, chatter, conversation

charolado, enamelled, patent leather, shiny, lacquered

chasquear, to crack

el chasquido, crack (of whip)

el chicuelo, kid, child

el chichón, welt, bump, lump

chillar, to creak; to scream

el chillido, sharp cry, shriek

chillón, loud, screechy

el chiquillo, little boy

el chiquitín, little one

el chirlo, gash, slash

chirriar, to creak

el chirrido, creaking; sizzling, hiss

el chismorreo, gossip, scandal

la chispa, sparkle, spark

chispear, to sparkle

el chiste, joke, jest

chistoso, funny

chocar, to hit, crash, clatter; to chatter (of teeth); to shake hands

el chopo, black poplar

el choque, crash, bumping, clatter

el chorizo, (pork) sausage

chorrear, to drip

el chorro, stream

chupar, to suck, drain

el damasco, damask

danzar, to dance

dañar, to wound, injure

el daño, damage, harm, loss, nuisance

dar, to give; to bring about; to strike; **darse por,** to consider oneself; **dar las buenas noches,** to bid goodnight; see also **aplomo, cuenta, fin, fracasado, prisa, vuelta**

datar (de), to date (back)

debajo de, under; **por debajo**, at the lower edge, underneath

deber, to owe, to have to

el **deber**, duty

débil, weak, feeble, sickly, dull, thin

la **debilidad**, weakness

debilitarse, to grow weak

decididamente, decidedly, definitely

decidido, devoted

decidir, to decide, determine; **decidirse (a)**, to decide, screw up one's courage

decir, to say, speak, tell, pronounce; **al decir de**, according to

la **declaración**, statement

declarar, to testify, declare, swear

decrecer, to decrease, diminish

el **dédalo**, maze

dedicarse a (+ *noun*), to become; to dedicate oneself to; (+ *inf*.) to begin to

el **defecto**, defect

la **deferencia**, respect, courtesy, condescension

definir, to make out

degollar, to slaughter

la **dehesa**, pasture

dejar, to leave, leave behind; to permit, allow; to cease; **dejar de**, to fail to, stop

el **delantal**, apron

por delante, in front

delantero, lead; front

delatar, to reveal, indicate; to denounce

deleitarse, to take pleasure (in), delight (in)

deletrear, to spell

deleznable, fragile, perishable

la **delgadez**, thinness, skinniness

delicado, delicate, sensitive

el **delincuente**, delinquent, guilty one

delirar, to be delirious, rave

el **delirio**, delirium

el **delito**, offence

los **demás**, the rest, the others

demasiado, too, too much, too well

la **demencia**, madness

demente, demented, insane

el **demente**, madman

el **demonio**, devil, demon

demostrar, to show, prove

la **dentadura**, (set of) teeth

a **dentelladas**, with gnashing teeth

dentellado, serrated, indented

dentro de, in(side), within; **por dentro**, inwardly

la **denuncia**, accusation, charge

denunciar, to accuse; to betray

depositar, to deposit; to entrust

derechamente, directly, straight

derecho, right, straight, erect

el **derecho**, right, justice, law

derramar, to pour out, overflow; **derramarse**, to spread, overflow

derribar, to knock down; to lop off, topple off

el derribo, demolition; *pl.* house-wrecking, demolition jobs

derrumbarse, to tumble down

desafiar, to challenge, defy

desaforado, wild, reckless

el desagrado, displeasure

desahogar, to vent, relieve

el desahogo, ease, freedom, release; excretion; **dar desahogo a,** to release; **con desahogo,** successfully; **con más desahogo,** more at ease

el desahucio, ejection, dispossession

el desaliento, discouragement, dismay, dejection

desalmado, inhuman, merciless

desapacible, disagreeable

desaparecer, to disappear

la desaparición, death

desarmado, disarmed

desarreglado, in disorder

desarrollar, to develop, carry on; **desarrollarse,** to unfold

desarrugarse, to become unwrinkled, stop frowning

desasirse, to free oneself, break loose

el desasosiego, uneasiness, disquiet

desbandarse, to disperse, disband

desbarrar, to wander

desbordarse, to overflow

la descalabradura, head bruise, head wound

descalabrar, to wound, injure (in the head)

descalzo, bare-footed, shoeless

descansar, to relieve; to rest, lie idle

el descanso, rest

descargar, to unload

descarnado, bony, fleshless, emaciated

el descenso, descent

descolgarse, to drop down, land

descomulgado, excommunicated, accursed, wicked

descomunal, huge, enormous, unequal

la desconchadura, peeling off (of paint)

desconocer, to be ignorant of

desconocido, unknown

el desconocido, stranger

el desconsuelo, inconsolable sorrow

descrismarse, to wear oneself out

descubierto, discovered; **al descubierto,** exposed; **poner al descubierto,** to lay bare

descubrir, to sight, discover, uncover; **descubrirse,** to remove one's hat

el descuido, carelessness

desde, from, since, after

el desdén, disdain, scorn

la desdicha, misfortune, unhappiness

desear, to want, desire

de desecho, cast off, condemned

el desembarazo, alacrity, nimbleness, ease

desempeñar, to fulfil, perform, hold (a job)

el deseo, desire

deseoso, eager

desesperado, desperate
desesperante, maddening
desfallecido, weakened, faint
desfigurar, to disguise, disfigure, mutilate
desfilar, to file by, parade
el desfile, procession, parade
desgarbado, dowdy, careless, sloppy, without grace or smartness
desgarrado, torn
el desgarramiento, tearing
el desgarrón, (deep) tear, wound
el desgaste, erosion, wearing away
la desgracia, misfortune, affliction, adversity
desgreñado, dishevelled
deshabitado, unoccupied, deserted
deshacer, to destroy, shatter, blow off, undo; deshacerse, to break up
la deshonra, dishonour
desierto, deserted, lonesome
el desierto, desert
designar, to call
el designio, design, plan
desigual, uneven
desistir (de), to give up
desliar, to unroll
deslizarse, to glide, slip by
deslomar, to break the back; to skin, flay alive
deslumbrante, dazzling, brilliant
desmayarse, to faint
desmejorado, sick, run down, ill, worse
desmelenado, dishevelled
desmesurado, unusual, excessive, exceeding
desmochar, to cut, lop

desmontar, to dismount
desnudo, bare, naked
desolado, abandoned
desollar, to skin, flay
el desorden, disorder
despachar, to wait on, serve
el despacho, business; encontrar despacho, to do business
despanzurrado, caved in, burst
desparramarse, to spread, be scattered
despectivo, scornful
despechugado, bare-chested
despedazar, to cut down, tear to pieces
despedir, to dismiss, drive away; to give forth; to say goodbye
despegar, to unglue, open
despeinado, dishevelled
despejado, clear, open
despellejar, to flay; to gossip about
el desperdicio, garbage, rubbish
desperezarse, to stretch, shake off sleep
desperezo, writhing, twisting
despertar, to awaken, wake
despierto, awakened; lively; bien despierto, wide awake
desplomarse (de), to topple off, sink, drop, fall, collapse
el desplome, sagging, collapse
el despoblado, barren, unsettled area; open country
despojar, to clear; despojarse (de), to take off
desportillado, chipped, broken

despreciar, to scorn, despise

el desprecio, scorn

desprenderse (de), to cast off

el despropósito, absurdity; absurd crack, nonsense

destacarse, to stand out

destilar, to ooze

destrozar, to shatter, break, batter, ruin

destrozón, destructive

destruir, to destroy

desudarse, to cool off; to wipe off sweat

desvanecerse, to vanish, disappear

la desvergüenza, obscenity, impudence

detallar, to relate in detail, recount

el detalle, detail

detener, to stop

detenidamente, carefully, intently

la detonación, report

detrás (de), behind; **por detrás (de),** behind

la deuda, debt

devolver, to give back, return; to answer

devorar, to consume, swallow; to scan

devoto, devout, pious

el devoto, worshipper

diario, daily, every day

la dicha, happiness

dicharachero, voluble, witty

el dicharacho, coarse remark, wisecrack

dicho, aforementioned

el dicho, speech

dichoso, blessed, lucky; (*ironical*) confounded

el diente, tooth; **entre dientes,** mumbling; **de dientes afuera,** without conviction, insincerely

la diestra, right hand

diferenciarse, to differ, vary

difundir, to spread

difunto, deceased

difuso, pale

dignarse, to deign to

digno, worthy

dilatarse, to dilate

dirigir, to direct; **dirigirse,** to go; to turn

el discípulo, pupil

disculparse, to excuse oneself

la discusión, argument, discussion

discutir, to argue, discuss

el disfraz, disguise

el disfrute, use, enjoyment

disgustado, displeased

el disgusto, sorrow, annoyance; unpleasantness; **dar un disgusto a,** to displease

disminuir, to diminish, lessen

disolver, to dissolve, cause to disappear; **disolverse,** to dissolve, break up, disappear

disparar, to fire, shoot; **disparar sus puños,** to hit out with his fists

disparatado, foolish, extreme, absurd

el disparate, a foolish act *or* thing, nonsense

el disparo, shot, blow

displicente, bored, peevish, surly

dispuesto, ready

disputarse, to struggle over

distinguir, to see, notice, make out

distinto, different, various

la **distracción,** unawareness

distraerse, to distract oneself, amuse oneself, take one's mind off one's troubles

divertirse, to have a good time

la **divinidad,** divinity

doblar, to bend, fold (backward)

doblegar(se), to bend (over)

la **doblez,** duplicity, hypocrisy

la **docena,** dozen; **a docenas,** by the dozen

doler, to feel pain, grieve; to hurt

el **dolor,** sorrow, pain, grief

dolorido, aching

doloroso, sorrowful, aching

domar, to tame, break in

doméstico, domestic, household

el **doméstico,** servant

el **dompedro,** morning glory

la **doncella,** maiden

dormilón, sleepy, drowsy

dormirse, to fall asleep

dormitar, to doze

el **dorso,** back

el **dosel,** el **doselete,** canopy

la **duda,** doubt

dudar, to doubt, be in doubt, hesitate

la **duela,** hoop

la **dueña,** owner, mistress

el **dueño,** owner; **hacerse dueño de,** to take possession of

dulce, sweet, mild, gentle

la **dulzura,** gentleness

durante, during

durar, to last

duro, hard, severe, rugged, tough

el **duro,** 5 pesetas

ebrio, drunk

el **ebrio,** drunkard

echado, fastened

echar, to throw, fling, pour, apply, put on; **echar abajo,** to knock down; **echar mano,** to lay hold of; **echar una mirada,** to take a look; **echar un remiendo,** to mend; **echar a,** to begin; **echar (la escopeta) a la cara,** to raise (the gun) to the shoulder; **echar la de** or **las de,** to assume the role of, to play the; **echar los bofes,** to tire oneself out; **echarse,** to lie down; **echarse en cara,** to blame oneself

la **edad,** age; **edad viril,** manhood

efectivo: hacer efectivo, to pay back

egipcio, Egyptian

el **ejemplo,** example; **tomar ejemplo,** to learn

elevar, to raise; **elevarse,** to rise

el **elogio,** praise

embargar, to seize

el **embargo,** seizure; **sin embargo,** however, nevertheless

embellecer, to make beautiful, adorn

embestir, to attack, fight

embobado, spellbound, fascinated

emborracharse, to get drunk

la **emboscada,** ambush

emboscarse, to lie in wait, hide

embotar, to dull, blunt

embozar, to cloak, muffle

el **embozo,** muffler, fold; upper edge

embriagar, to intoxicate

la **embriaguez,** intoxication

embrollar, to interfere with, disturb, entangle

el **embudo,** funnel

el **embustero,** cheat, liar

la **emoción,** emotion, excitement

empañar, to dim, cloud, blur

empapar, to soak, saturate

emparentar, to become related; **emparentar con,** to marry into

el **emparrado,** (vine-)bower, arbour

empastado, coated, pasty

empeñado, determined, pledged, insistent

empeñar, to pledge, put under obligation to; to persist; **empeñarse,** to get into debt; to insist

el **empeño,** determination, insistence, obligation, undertaking

empinar, to raise; to drink

el **empleado,** employee

el **empleo,** job, employment

empolvado, dusty

emprendedor, enterprising

emprender, to undertake, begin, start on; **emprender la marcha,** to set out

empujar, to push, shove, drive, spur on

el **empuje,** el **empujón,** push, shove, strength

empuñar, to grasp, clutch, hold

enano, dwarf, miniature, low, small, tiny

enarbolar, to lift up, brandish

enardecer, to excite, inspire, arouse, encourage; **enardecerse,** to become bold

encajonar, to enclose

encanecer, to become grey

encantar, to charm, fascinate

el **encanto,** charm, spell

la **encañizada,** cane fence

encargar, to charge, request, order, entrust; **encargarse de,** to take charge of, take upon oneself

el **encargo,** order; duty

encasquetar, to pull down (over the head)

encender, to light

encendido, fiery

encerrar, to enclose, confine

el **encierro,** imprisonment, confinement

encima de, on top of, besides; **por encima de,** above, on top

encoger, to shrink, draw up; **encogerse,** to huddle together, bend over

encogido, timid, drawn up, shrunken, shy

enconado, bitter, malicious, spiteful

encontrar, to find; **encontrarse,** to meet

encorvado, bent, stooping

encorvarse, to bend over

encresparse, to become excited

la **encrucijada,** crossroads

el **encuentro,** meeting

enderezarse, to straighten up

endiablado, devilish, diabolical

endosarse, to wear

endurecer, to harden

enemigo, unfriendly; enemigo de, averse to

enfadarse, to become angry

el enfado, anger, vexation, annoyance

la enfermedad, sickness, illness,

enfriarse, to cool down

enfundado, encased

enfurecer, to infuriate

enfurruñado, frowning, scowling, sulking

el enfurruñamiento, resentment, anger

enganchar, to hook up, harness, hitch

engañar, to deceive, cheat; to fail; engañarse, to be wrong

engendrar, to produce

engordar, to get fat

engullirse, to gobble up

enjalbegar, to whitewash

enjaular, to cage in

enjugar, to dry

enjuto, thin, emaciated

enloquecer, to drive mad, go mad

el enlucido, plastering

enmarañado, tangled

enmudecer, to become silent

ennegrecer, to blacken, darken

enorgullecerse, to be proud, take pride

la enredadera, climbing vine

enredar, to entangle, trap

el enredo, plot, trap

enrevesado, intricate, complicated

enrojecer(se), to blush

enrojecido, ruddy, reddened

enroscarse, to crumple, curl up

ensalzar, to praise

ensancharse, to widen

ensangrentado, bloody, bloodstained

la enseñanza, teaching, education

enseñar, to teach, show

ensombrecer, to darken, shade, conceal

ensordecedor, deafening

el ensueño, dream

entablar, to board up, to fence; to start

entelado, filmy

entender, to understand; dar a entender, to indicate

entendido, skilled, learned

enterarse (de), to learn, find out (about)

la entereza, self-possession, wholeness

enternecer, to persuade, soften

entero, entire, whole, complete; por entero, completely

enterrar, to bury

el entierro, burial, funeral

la entonación, intonation

entonces, then, at that time; desde entonces, ever since; por entonces, at that time

entornar, to half-close

la entrada, access, entrance

entramparse, to get into debt

las entrañas, depths, bowels; heart; sin entrañas, heartless; de duras entrañas, with a hard heart

entrapajar, to bandage
entreabierto, half-open
entreabrir(se), to half-open
el **entrecejo,** brow
entrecortar, to interrupt, break
entregar, to give, pay, deliver, hand over; **entregarse,** to give oneself, devote oneself
entretenerse, to entertain oneself; to linger
entrever: dejar entrever, to show, reveal
la **entrevista,** interview
entumecido, swollen, stiff
entusiasmar, to fill with enthusiasm, make enthusiastic; **entusiasmarse,** to be enthusiastic
envenenado, poisoned
enviar, to send
la **envidia,** envy
envidiar, to envy
el **envilecimiento,** debasement
el **envoltorio,** bundle
la **envoltura,** folds; vestment, shroud
envolver, to envelop, wrap
envuelto, wrapped
enzarzar, to involve, mix up, entangle
la **época,** time, period
el **equilibrio,** poise, balance
equivaler, to be equivalent
equivocarse, to be mistaken
la **era,** threshing floor
erguido, erect, straight
erguirse, to stand (erect), rise up
erizar, to stand on end, set on end
errar, to err, wander; to miss

esbelto, slender, well-shaped
la **escala,** scale; **hacer escalas,** to go up and down the scale
escaldar, to scald, burn
la **escalera,** stairway
la **escalerilla,** (narrow) stairway
el **escalofrío,** chill, shiver
el **escalón,** step
la **escama,** scale
escandalizar, to scandalize, shock
el **escándalo,** tumult, commotion
escandaloso, scandalous, shocking; noisy
el **escaparate,** shop-window
escarabajear, to lurk; to stir; to itch
el **escarabajeo,** urge, twitch, itching
el **escarabajo,** beetle
escarchar, to ice
escasear, to be scarce, become scarce
escaso, scanty, limited
la **escena,** scene
esclavizar, to enslave
el **esclavo,** slave
la **escoba,** broom
escocer, to smart, burn, prick (conscience)
escoger, to pick out, choose
la **escolta,** escort, companion
escoltar, to escort
los **escombros,** débris, rubble
esconderse, to hide
el **escondrijo,** hiding-place
la **escopeta,** shotgun
el **escopetazo,** gun-shot, report; blast
el **escribano,** notary; court clerk
escribir, to write

el **escrúpulo,** scruple, carefulness

escrupuloso, scrupulous

escuchar, to listen (to), hear

el **escudo,** escutcheon

escudriñar, to look closely at, peer at

escueto, solitary

escurrirse, to slip away, escape

esforzarse, to work hard; **esforzarse en, por,** to strive to

el **esfuerzo,** effort; **hacer esfuerzos para, por,** to try to

esfumado, dimly outlined, hazy, indistinct; **como esfumada,** hazily

eso: y eso que, in spite of the fact that, even though; **eso sí,** to be sure

el **espacio,** air, atmosphere, space

la **espalda,** back, shoulders; **a espalda de,** behind, at the back; **a su(s) espalda(s),** behind him, behind his back; **de espaldas,** walking backwards; **por la espalda,** from behind

espantable, terrifying

el **espantajo,** phantom, scarecrow

espantar, to chase away, frighten

el **espanto,** fright, terror

espantoso, terrible, terrifying, dreadful

esparcir, to scatter, spread

esparto, esparto grass; rush, cane

la **especie,** sort, kind

el **espectador,** spectator

el **espectro,** spectre, ghost

el **espejo,** mirror

espeluznante, hair-raising, frightening

la **espera,** waiting

la **esperanza,** hope

esperar, to hope, expect; to wait for; **no hacerse esperar,** not to be slow in coming

espeso, thick

espiar, to watch closely, scrutinize

la **espiga,** stalk, spike

la **espina,** back, spine; thorn

el **espinazo,** back, backbone; **el espinazo doblegado,** stooping

el **espíritu,** spirit, soul, mind

espolear, to spur on

la **espuerta,** (rush) basket

la **espuma,** lather, foam

espumoso, foaming

el **esqueleto,** skeleton

la **esquila,** small bell

esquilado, close-cropped, shorn, clipped

el **esquilón,** cow-bell

establecer, to fix

el **establecimiento,** establishment

el **establo,** stable, barn

la **estaca,** stake, pole

la **estación,** season, time of year

el **estado,** state, condition

estallar, to break out, burst, crack

el **estallido,** outbreak, outburst

el **estambre,** worsted yarn

el **estampido,** report

estancado, stagnant

el **estandarte,** banner

el **estanque,** pool

el **estaño,** tin

estar: no estar para, not to be in a condition to, in a mood for; **estarse,** to stay, remain

la **estela,** wake

el **estercolero,** manure gatherer

estéril, sterile, barren

estertor, heavy breathing, stertor, dying breath

el **estiércol,** manure, dung

el **estilo,** style

el **estío,** summer

el **estipendio,** sum, fee

estirar, to stretch (out, up)

el **estómago,** stomach

estrangularse, to become narrow, grow small

estrechar(se), to tighten; **estrechar manos,** to shake hands

estrecho, narrow, tight

la **estrella,** star

estrellarse, to dash, dash to pieces

estremecer(se), to tremble, shake

el **estrecimiento,** trembling, shudder, tremor, shiver

el **estrépito,** din, noise

estridente, shrill

estruendosamente, with a crash, a clatter

estrujar(se), to press close together, crowd

el **estuche,** casket

estúpido, stupid

el **estupor,** stupor, amazement

evitar, to avoid, prevent

la **evolución,** evolution; *pl.* comings and goings

exagerar, to exaggerate

el **examen,** examination

el **exceso,** excess

la **excitación,** incitement

excitar, to excite, arouse, agitate

la **exclamación,** exclamation

la **excoriación,** excoriation

la **excusa,** pretext

la **exhalación,** breath; shooting star

exhalar, to give off

exhibir, to display

la **exigencia,** requirement

exigente, demanding

exigir, to require, demand

la **existencia,** life, existence

existir, to exist, be

el **éxito,** success; result

el **exordio,** beginning

la **expansión,** relaxation, self-indulgence; awakening

experimentar, to experience, feel, suffer

experto, expert, experienced, able

expirar, to cease, die, expire

la **explicación,** explanation

explicar, to explain; **explicarse,** to speak out

el **explorador,** explorer

explorar, to scan

la **expresión,** expression, utterance

expresivo, expressive, affectionate

exprimir, to squeeze

expulsar, to expel

extasiarse, to go into ecstasies

extender(se), to extend, spread, stretch

extenso, extensive

extenuado, feeble, worn out

el **exterior,** outside, exterior; personal appearance

extinguirse, to disappear, go out

extrañarse, to be surprised

la **extrañeza,** surprise; strangeness

extraño, strange; queer, wild

extraordinario, extraordinary, special

la **extravagancia,** eccentricity, wild thing

extremar, to carry to an extreme; **extremar la huída,** to make a supreme effort to flee

el **extremo,** end; extravagant gesture

la **fábrica,** factory; structure, building

fabricar, to manufacture, build

la **facha** (*coll.*), appearance

la **fachada,** façade, frontage

la **faena,** task, job

la **faja,** band, sash, belt

la **falda,** skirt

el **faldón,** tail, shirt-tail, coat-tail

falso: dar un paso en falso, to make a false step

la **falta,** lack, need; **a falta de,** for lack of

faltar, to be lacking, missing; to fail to; to be absent

falto (de), lacking

la **fama,** reputation

familiarizado (con), accustomed (to)

la **fanegada,** land measure (approx. 1·6 acres)

el **fanfarrón,** show-off

el **fango,** mud

fangoso, muddy

el **fantasma,** ghost, phantom

el **fardo,** bundle

la **farsa,** farce

fascinar, to hypnotize

el **fastidio,** displeasure

fastidioso, wearisome, tiresome

fatal, inevitable, fatal

la **fatiga,** exhaustion, weariness; toil

fatigoso, tiresome, tiring

la **fe,** faith

febrilmente, feverishly

fecundizante, rich, fertile

fecundo, productive, fertile, abundant

la **felicidad,** piece of luck, happiness

feliz, happy

felpudo, plushy, downy

femenil, feminine

feo, ugly

feraz, fertile

el **féretro,** coffin

feroz, fierce, ferocious

el **ferrocarril,** railway

ferroviario, railway

el **ferroviario,** railwayman

el **festín,** banquet

la **festividad,** holiday

fiarse (de), to trust; **no fiarse,** to be on one's guard

la **fiebre,** fever

el **fielato de Consumos,** tax collector's office

la **fiera,** wild beast

la **fiereza,** fierceness

fiero, fierce

la **fiesta,** holiday, party, feast

la **figura,** figure, shape, form

la **figurilla,** little figure

el **figurón,** grotesque figure

fijar, to fix, determine, settle; **fijarse en,** to pay attention to

fijo, fixed

la **fila,** line, row, file

filtrarse, to filter

8

el fin, end; al fin, after all, at last; dar fin a, to finish; en fin, in short; por fin, at last

el final, conclusion, end, outcome; top

la finca, estate, property

fingir, to pretend, fake

fino, fine, excellent, acute

la finura, delicacy, refinement

la firma, signature

firme, firm, unyielding, unflinching, steady, confirmed, habitual

la firmeza, determination

flácido, flabby, pale

flaco, thin, skinny

la flauta, flute

la flecha, arrow, dart

flemático, even-tempered

la flojedad, laziness, ease

flojo, slight, unimportant; limp, weak

a flor de tierra, on the top of the ground

floreado, flowered

florecer, to blossom

florido, flowery, flowering

flotante, floating, free

flotar, to float, hover; to swim

flote: sacar a flote, to get out of trouble

el fogón, stove

el fogonazo, flash

el follaje, foliage

el fondo, back, background; bottom, depths; en el fondo, deep down

el forajido, outlaw

el forastero, outsider, stranger

forcejear, to struggle

la forma, manner, form; en forma de, like, in the shape of

el forraje, fodder

forrar, to line

fortalecido, strengthened, fortified

la fortaleza, strength

la fortuna, fortune; capital

forzosamente, perforce

forzudo, sinewy, powerful

fosco, frowning, sullen, thick

el fósforo, match

fracasar, to fail, fall through; dar por fracasado, to consider impossible

fraguar, to forge

el fraile, friar, monk

el fragmento, piece

la francachela, feast, meal, spree

la franquicia, exemption

fregotear, to clean, polish

el freno, restraint

la frente, forehead

el frente, front; de frente, in front; frente a, opposite

la fresa, strawberry

el fresco, coolness, chill; al fresco, in the open air

la frescura, coolness, freshness

el fresno, ash (tree)

frito, fried

la frondosidad, luxuriance, growth, foliage

frondoso, leafy

fronterizo, bordering on, facing

el frontón, façade, front

la frotación, rubbing

frotar, to rub

el frote, rubbing

la fruición, relish, enjoyment

fruncir, to pucker, furrow, knit

el frutal, fruit tree

el fuego, fire

la fuente, fountain, spring; bow

fuera, outside; **fuera de,** out of; **fuera de sí,** beside himself

la **fuerza,** strength; **a viva fuerza,** by main force; **a, en fuerza de,** by dint of

la **fuga,** flight, escape

fugaz, fleeting

fugitivo, fleeing

fumar, to smoke

la **función,** task, job

funcionar, to function

la **funda,** sheath, case

fúnebre, funereal; funeral; last; mournful

furibundo, furious

el **furor,** fury, rage; **de furor,** uncontrollably

el **fusil,** gun, rifle

el **gabán,** overcoat

la **gala,** finery

la **galera,** galley

galonear, to trim

gallardo, graceful, elegant

gallear, to strut

la **gallina,** chicken, hen; coward, 'chicken'

el **gallito,** cock of the walk; **actuar de gallito,** to play the tough

el **ganado,** livestock, cattle

las **ganancias,** wages

el **ganancioso,** winner

ganar(se), to earn, make, get

el **gancho,** hook

gangoso, nasal

el **garbo,** gracefulness, grace

garboso, graceful

la **garganta,** throat

la **garra,** claw

la **garrapata,** tick; lousy lot

el **garrotazo,** blow with club

el **garrote,** club

la **garrucha,** pulley

la **gasa,** gauze

gastar, to spend; to waste; to wear (out)

el **gasto,** expense

a **gatas,** on all fours

gatear, to crawl

el **gatillo,** trigger

la **gavilla,** gang

el **gaznate,** gullet

gelatinoso, gelatinous

gemir, to weep, groan, moan

el **género,** kind, sort; material

la **generosidad,** nobility, frankness, generosity

gentil, graceful

el **gentío,** crowd

la **gentuza,** rabble

germinar, to germinate

el **gesto,** gesture, expression; **componer el gesto,** to compose oneself; **poner mal gesto,** to scowl

la **giba,** pile, hump

el **gigantón,** big fellow

gimotear, to whimper, sob, moan

la **gitanería,** (band of) gypsies

el **gitano,** gypsy

el **globo,** eyeball

la **glosa,** explanation, comment

el **glu-glu,** gurgling sound

el **gobernante,** ruler, governor

el **gobierno,** government

el **goce,** enjoyment, joy

la **golondrina,** swallow

goloso, greedy

el **golpe,** stroke, blow; **de golpe,** suddenly, all at once

golpear, to strike, beat

gordo, fat

gorjear, to warble

el **gorjeo,** warble, trill

la **gorra,** cap; **vivir de gorra,**
to sponge, live at others'
expense
el **gorrión,** sparrow
el **gorro,** cap
la **gota,** drop
gozar, to enjoy, have
el **gozne,** hinge
el **gozo,** delight, enjoyment;
sacred song
gozoso, joyous, cheerful
la **gracia,** wit, humour; mercy;
name
la **gramalla,** robe
la **granada,** pomegranate
grandecito, grown up
el **grandecito,** big boy
grandullón, overgrown
el **grandullón,** big boy
el **granero,** granary, loft; barn
el **granizo,** hail
el **grano,** grain
el **granuja,** rogue, scoundrel
la **grasa,** grease, fat
grasiento, greasy
grave, serious
la **gravedad,** seriousness, grav-
ity; composure
el **gremio,** guild, union
la **greña,** lock of hair, mop of
hair
griego, Greek
la **grieta,** crack, groove, chink
el **grillo,** cricket
gris, grey
gritar, to shout, call out,
scream
el **griterío,** shouting, din
el **grito,** cry, call, shout; **a
grito pelado,** at the top of
one's voice; **a gritos,** with
shouts; **dar gritos,** to shout
grosero, rough, coarse
grueso, heavy, thick, stout
gruñir, to grunt, growl

la **grupa,** croup, hind quarters
el **grupo,** group
la **gualtrapa,** cover
el **guante,** glove
el **guapo,** tough, bully, braggart
guardador, guardian
guardar, to tend, keep;
guardarse, to put away;
guardarse de, to take
good care not to
el **guardia,** policeman
la **guarida,** retreat
guerrero, martial
guiar, to guide, drive
el **guijarro,** stone
la **guindilla,** red pepper (pod),
chilli
guiñar, guiñarse un ojo, to
wink, blink
la **guirnalda,** garland
el **guisante,** pea
guisar, to cook, prepare
el **guitarreo,** guitar-strumming
el **gusano,** worm; **gusano de
luz,** firefly, glow-worm
el **gusarapo,** (water-)worm
el **gusto,** taste, pleasure, desire,
sense
gustoso, gladly

el **haba** (*f.*), broad bean
el **habitante,** inhabitant
habitar, to live in, dwell,
reside
el **hábito,** garment
habituado, accustomed
hacendoso, industrious,
diligent
hacer, to make, do, cause;
hacerse, to become;
hacerse atrás, to move
back, stand back; **hacerse
entender,** to make one-
self understood

hacia, towards

la hacienda, estate, property; farm

halagar, to flatter

el hálito, breath

hambriento, hungry, starved

la hambrona, hungry person; beggar

la hanegada, land measure (approx. 1·6 acres)

la harina, flour

el haz, bunch, bundle

la hazaña, deed, exploit, achievement

la hebra, stalk, thread, fibre

el hechicero, magician, fortune teller

hediondo, fetid, foul-smelling

el hedor, stench

la hembra, woman, female

la hemorragia, hemorrhage

henchir, to fill, swell

la hendidura, gash

heredar, to inherit

el heredero, heir

la herida, wound

herir, to wound, pierce, strike, cut, hurt

la hermosura, beauty

la herramienta, tool, weapon

el hervidero, multitude, crowd

hervir, to boil

el hidrópico, dropsical man

la hiedra, ivy

el hielo, ice

la hiena, hyena

el hierbajo, tall grass

el hierro, iron; red-hot iron; *pl.* iron bars

el hígado, liver

la higuera, fig tree

la hilandera, mill-hand

hilar, to spin, unwind

las hilas, lint

la hilera, row, file

el hilo, thread

hincar el diente, to get one's teeth into, hurt

hinchar, to swell, puff

el hipo, sob(bing), hiccup

hirviente, boiling

la historia, story, tale

el hocico, snout, nose

hociquear, to sniff

el hogar, hearth, home

la hoguera, bonfire

la hoja, leaf, husk; door; **hoja de lata,** tin-plate

¡hola! hello!

la holganza, leisure, rest, lounging

el hombretón, huge man

el hombro, shoulder; **al hombro,** over his shoulder

el homicida, murderer

el homicidio, murder

hondo, deep, long, indistinct, vague

la honradez, honesty, sense of honour, fairness

honrado, honest, honourable, respected, respectable, decent

honradote, respected

la hormiga, ant

el hormiguero, ant-hill, swarm

el horno, oven, furnace

la horquilla, hair-pin

horripilante, horrible, horrifying

la hortaliza, vegetable; vegetable garden

hosco, gloomy, hoarse, sad, sullen, frowning

hostigar, to harass

hostilizar, to insult, attack

la hoz, sickle

hueco, hollow; hooped

el hueco, hole, passage, opening, empty space

la huella, impression, footprint, imprint

la huerta, large vegetable garden; orchard; irrigated *or* irrigable land (the *huerta* is always larger than the *huerto*)

huertano, pertaining to the *huerta*

el huertano, inhabitant of the *huerta*

el huertecito, little garden

el huerto, orchard, grove

el hueso, bone; **quedarse en los huesos,** to become mere skin and bone

huesudo, bony

la huída, flight

huir (de), to flee (from); to avoid, shun

el hule, oil-cloth

la humanidad, humanity; frame, body

humeante, steaming, smoking

la humedad, damp, moisture

húmedo, wet, damp, humid, moist

humilde, humble

el humo, smoke; smell

hundir, to sink, bury; **hundirse,** to sink, crumble, fall to the ground (of a building)

hurgarse (las narices), to pick one's nose

a hurtadillas, stealthily

husmear, to scent, smell, sniff

el idioma, language

la iglesia, church

ígneo, fiery

ignorar, to be unaware of, not to know

igual, equal, even, the same; **igual a,** just like

el ijar, side, flank

ileso, unscathed, unhurt

iluminarse, to light up

la ilusión, dream, hope, illusion

la imagen, image, vision

impasible, impassive

impedir, to prevent, hinder

imperar, to hold sway, reign

imperativo, commanding

con imperio, imperiously

imperioso, imperious, haughty

implacable, unyielding

implorar, to beg, implore

imponer, to impose; **imponerse,** to get one's own way

importar, to matter, be important

impregnar, to soak, drench, saturate

impresionar, to impress, influence

el improperio, insult, reproach

la impropiedad, impropriety

el impudor, shamelessness

impulsar, to impel, force

el impulso, impulse, feeling; **a impulsos de,** struck by, propelled by

impunemente, with impunity

inadvertido, unnoticed

inagotable, inexhaustible

inaudito, incredible, unheard of

incansable, tireless

incapaz, incapable

incendiar, to set fire to, burn

el incendio, fire

el **incensario,** incensory, censor

incesante, unceasing, incessant

el **incidente,** incident

el **incienso,** incense

incierto, uncertain

inclinarse, to lean, bend down, stoop

incluso, including

incorporarse, to get up, stand up; to sit up

incrédulamente, unbelievingly

la **incredulidad,** incredulity

increpar, to reproach

inculto, uncultivated

incurrir (en), to fall into, deserve

la **indecisión,** indecision, hesitation

indeciso, indistinct, hazy; hesitant

indescriptible, indescribable

indeterminado, hazy, indefinite

la **indiana,** calico print

indiano, Indian

la **indicación,** indication, suggestion, instruction

indicar, to tell, indicate, suggest

el **índice,** index finger

la **indigestión,** indigestion; accumulation, plethora

la **indignación,** indignation, anger

indignar, to make indignant; **indignarse,** to become indignant

el **indio,** Indian

indiscutible, undeniable, unquestionable

lo **indispensable,** just enough

indudable, certain, undoubted

el **indulto,** pardon

la **industria,** industry, trade, profession

inerme, defenceless, unarmed

inerte, motionless

inesperado, unexpected

inexorable, relentless

la **infancia,** childhood

infantil, babyish, childish

infatigable, tireless

infausto, unhappy, unfortunate, tragic

infecto, filthy

el **infeliz,** fool, nonentity; ¡**infelices!** poor devils!

inferir, to inflict

el **infierno,** inferno, hell

inflamar, to light up, inflame

influír, to influence, induce, inspire

informe, shapeless

infortunado, unfortunate

el **infortunio,** misfortune

la **infracción,** infraction, trespassing

infundir, to inspire, cause

ingrato, ungrateful

iniciarse, to begin

injuriar, to insult, offend

la **injusticia,** injustice

injusto, unjust

inmaculado, spotless, pure

las **inmediaciones,** outskirts, vicinity; **a, en las inmediaciones de,** near

inmediato, close, neighbouring; coming

inmejorable, unsurpassable

inmenso, immense, wide

inmóvil, quiet, still

la **inmovilidad,** inmobility, inactivity
inmundo, filthy
innumerable, countless
inocente, innocent
inocentón, innocent, guile-
less, childlike
inquebrantable, unshak-
able
inquietante, disquieting
inquieto, troubled, dis-
turbed, restless
la **inquietud,** anxiety, restless-
ness
inseguro, insecure, unsteady
insensible, insensitive; un-
conscious
insidioso, sly, guileful
insípido, insipid, unsavoury
insolentarse, to become in-
solent
el **insomnio,** sleeplessness
insostenible, insufferable
inspeccionar, to inspect
inspirar, to inspire
instalar, to move in, instal
instantáneamente, im-
mediately
el **instante,** instant, moment
instintivo, instinctive
la **instrucción,** instruction,
knowledge
insufrible, insufferable, un-
bearable
insultar, to insult
el **insulto,** insult
la **inteligencia,** intelligence,
understanding
la **intención: mala intención,**
cunning
intentar, to try, seek to; to
be meant to
el **intento,** attempt
el **interés,** self-interest; concern

interesarse (por), to be
interested (in)
interminable, endless
interior: en su interior,
inside
interno, internal
interpelar, to question, call
on
interrumpir, to interrupt,
break
intervenir, to intervene
intimidar, to intimidate
el **íntimo,** close friend
intratable, intractable, un-
approachable
intrincado, complicated
introducir, to insert, push
into; **introducirse,** to go
into
el **intruso,** intruder
la **inundación,** flood
inundar, to flood
inútil, useless; idle
inutilizar, to make useless
invadir, to crowd into, en-
croach upon
inventariar, to make an
inventory
invertir, to invest
el **invierno,** winter
inyectado (de sangre),
bloodshot
iracundo, wrathful, angry
irisado, rainbow-hued
irónico, ironical
irremisiblemente, hope-
lessly
irritable, furious, irritated
irritar, to irritate, anger
izarse, to be raised

el **jabalí,** wild boar
el **jabón,** soap; **jabón de
piedra,** hard soap
la **jaca,** horse; nag

el jaco, nag
jactancioso, boastful
jadear, to pant
jamás, never, ever
el jaque, bully, braggart
el jarro, pitcher, jar, jug
el jazmín, jasmine
el jefe, chief, head
el jergón, straw mattress
la jícara, cup
el jornal, day's wage
el jornalero, day labourer
la joya, jewel, treasure
el jubileo, public festival
la judía, bean
judicial, judiciary
el judío, Jew
el juego, game, prank
el juez, judge
la jugada, move
el jugador, player
jugar, to play, play cards, gamble; to jest; hacer jugar, to test
el jugo, juice; strength; nourishment
jugoso, juicy
el jugueteo, frolicking, frolic, playful action
juguetón, playful
el juicio, judgment, case, trial
juicioso, sensible
el junco, reed
juntarse, to gather
junto a, beside, with, in front of, close to; juntos, together
jurar, to swear
la justicia, court, law
justificar, to justify, explain
la juventud, youth
el Juzgado, courtroom, court

el kepis, cap, military cap

el labio, lip, edge
la laboriosidad, industry
laborioso, hard-working
el labrador, farmer, peasant
la labranza, farming
labrar, to till; to work; to plough
labriego, rustic, working
el labriego, farmer
el lacito, bow
el laconismo, conciseness, brevity
lacrimoso, tearful
el lado, side
ladrar, to bark, howl
el ladrido, barking
el ladrillo, brick
el ladrón, thief; "dog"
el lagarto, lizard
el lago, lake
la lágrima, tear
la lamentación, wail(ing)
lamentar, to lament, regret
el lamento, lament(ation), wailing
lamer, to lick, lap
la lámina, sheet
la lámpara, lamp
la lana, wool; pl. fur
languidecer, to languish, fail
lanzar, to hurl, throw, cast, pour forth; to emit, utter; lanzarse, to rush, plunge
largamente, freely
largar, to let loose; to fire (gun)
largo, long, abundant; a lo largo de, along
el lastre, ballast; burden
la lata, tin; hoja de lata, tin-plate
el látigo, whip
latir, to throb, beat
lavar, to wash

el lazo, bow
la lectura, reading
el lecho, bed
la lechuga, lettuce
el légamo, slime, mud, muck
la legitimidad, legitimacy, justice
lego, lay
el lego, lay brother
la legua, league
lejano, distant, remote
lejos, far away, far; a lo lejos, in the distance
la lengua, tongue
el lenguaje, language
la lentitud, slowness
lento, slow
la leña, firewood
la letrilla, roundelay; litany
la letrina, latrine
levantar, to raise, lift, build; to give rise to; levantar el vuelo, to take flight; levantarse, to rise, get up
levantisco, restless
leve, light, slight
la ley, law; attachment, fancy
la leyenda, legend
liar, to tie, bind, roll
la libertad, liberty, freedom
libertador, liberator, deliverer
la libra, pound
librar, to free, deliver, save; librarse, to escape, free oneself
libre, free, exposed; al aire libre, in the open air
la libreta, notebook
el lienzo, length; cloth
la liga, bird-lime, lime
la ligereza, lightness, swiftness, rapidity
ligero, light, swift
el límite, limit, border, edge

el limo, slime
limpiar, to clean, clear, wipe; limpiarse de, to get rid of
la limpieza, cleaning
limpio, clean, cleared; sheer
el lindero, border
la línea, line, row
el lío, bundle
liso, smooth
listo, clever, shrewd; ready
lívido, livid
el lobo, wolf
lóbrego, murky, dark
la lobreguez, obscurity, darkness
loco, mad, crazy, frenzied
el loco, la loca, crazy person, lunatic
locuaz, talkative
la locura, madness, folly
lograr, to succeed
el lomo, back, loin, flank, side; pl. back
la longaniza, pork sausage
la lontananza, distance, background
la losa, slab
la loza, chinaware, porcelain, crockery
lozano, luxuriant
el lucero, morning star
lucir, to display, exhibit, show off
la lucha, struggle, contest
luchar, to struggle, fight, contend
luego, then, next, later, immediately; luego de, after
luengo, long
el lugar, place; lugar común, platitude, commonplace
lúgubre, dismal, weird, mournful
el lujo, luxury

la **luminaria,** bonfire
lustroso, shining, sleek
la **luz,** light; *pl.* brightness, wisdom, light

la **llama,** flame
llamado, so-called
el **llamamiento,** call, calling
llameante, flaming
el **llanto,** weeping
la **llanura,** plain
la **llave,** key; hammer; **montar las llaves,** to cock (gun)
la **llegada,** arrival
llegar, to arrive, reach, come; **llegar a,** to succeed in; to go so far as to; to touch; **llegarse,** to approach, come to
llenar, to fill
lleno, full, filled; complete; covered; **de lleno,** fully, squarely
llevar, to carry, wear, take, put, have, keep, lead; to spend; **llevar adelante,** to run, manage; **llevar la contraria a,** to contradict, disagree with; **llevarse,** to take away, carry off; *see also* **atrasado**
llorar, to weep, cry
lloriquear, to whimper
el **lloro,** weeping, crying
lloroso, tearful, weeping, crying
llover, to rain
la **lluvia,** rain, shower
lluvioso, rainy

la **maceta,** flower pot
macilento, pale, thin
el **macizo,** bed, flower bed
el **machón,** buttress
la **madeja,** skein, tangle

la **madera,** wood; *pl.* frames
el **madero,** timber, plank, beam
la **madriguera,** burrow, den
la **maestra,** teacher's wife
el **maestro,** teacher, master
la **magdalena,** small sponge cake
el **magnate,** protector, patron
magullar, to bruise, mangle
el **maíz,** corn
la **majestad,** majesty
majestuoso, majestic, imposing
el **majo,** dandy, young blade
malcomer, to eat little
la **maldad,** wickedness
maldecir, to curse
la **maldición,** curse; **de maldición,** accursed
maldito, accursed, confounded; **¡pero maldito!** but curse you! **maldito si,** darned if
la **maleza,** growth of weeds, bramble patch, undergrowth
la **malicia,** malice, shyness, mischief
maligno, malicious, perverse
malparado, soundly thrashed, routed
malsano, unhealthy, morbid
maltratar, to ill-treat
maltrecho, ill-treated
el **mamarracho,** scarecrow, grotesque figure
la **mampara,** wooden screen, partition
la **manada,** band, flock
el **manantial,** spring
manar, to flow, shed
la **manaza,** huge hand

el **mancebo,** youth; apprentice
la **mancha,** spot, stain, trace
manchar, to dirty, stain, smear
mandar, to command
la **mandíbula,** jaw, chin
el **mando,** command
la **manecita,** little hand
la **manga,** sleeve; **en mangas de camisa,** in shirtsleeves
la **manifestación,** demonstration
manifestar, to show; **manifestarse,** to become clear, show itself
la **maniobra,** manœuvre, tactic
el **manjar,** food, delicacy
la **mano,** hand; **entre manos,** on hand
el **manojo,** clump; *pl.* bunch
el **manoteo,** gesture, gesticulation
la **mansedumbre,** meekness, gentleness
manso, peaceful, gentle, meek
la **manta,** blanket; cape, cloak
la **manteca,** lard, fat
el **mantel,** covering
mantener, to keep, support, maintain
la **mantilla,** mantilla (lace shawl worn over the head)
el **manto,** robe
el **mantón,** shawl
la **maña,** skill, cleverness
la **máquina,** machine; **máquina de vapor,** steam engine
el, la **mar,** sea
marcar, to designate, mark; to observe, note; **marcarse,** to stand out
el **marco,** frame

la **marcha,** way, journey, walk; *see also* **cerrar**
marchar, to walk, go; **marcharse,** to leave
la **mare** = **madre**
el **marfil,** ivory
el **marido,** husband
el **marimacho,** mannish woman
la **mariposa,** butterfly
el **mariscal,** marshal
la **marquesa,** marquise
marrar, to miss (the mark)
marrullero, deceiving
el **martilleo,** pounding, hammering
el **martirio,** torture
martirizado, beaten, torn
más: por más que, although, however much
la **masa,** mass
mascar, to chew
mascullar, to mutter, mumble; to chew
el **mástil,** pole, mast
el **mastín,** watch-dog, mastiff
la **matanza,** slaughter, killing
matar, to kill
mate, dull
la **maternidad,** maternity
matinal, (early) morning
matizado, dotted
matizar, to sprinkle, dot, enliven
el **matón,** bully
matrimonial, matrimonial; double
el **matrimonio,** married couple
el **máximo, el maximum,** maximum
mayor: al por mayor, wholesale
el **mayorcito,** older one
la **maza,** club
la **mazmorra,** dungeon

la **mazorca,** ear of corn
el **medallón,** medallion
la **media,** stocking; **hacer media,** to knit
mediar, to pass, intervene, exchange
medicinar, to treat, nourish
el **médico,** doctor
la **medida,** measuring jug, measure
medio, half; **a medias,** half; **medias palabras,** half-spoken words
el **medio,** method; **por medio de,** by means of
el **mediodía,** noon
medir, to measure
medroso, timid
la **mejilla,** cheek
mejor: a lo mejor, when least expected
la **melena,** mane
el **melocotón,** peach
la **melopea,** sing-song
as **melosidades,** honeyed words
meloso, bland, honeyed, soft
mellado, nicked, dented
membrudo, sinewy
mencionar, to mention
mendigar, to beg
el **mendigo,** beggar
el **mendrugo,** crumb, piece of dry bread, crust
menear, to stir, wag
el **meneo,** gait
menos, except; **al menos,** at least
mentir, to lie
la **mentira,** lie
menudo, fine; small, young; **gente menuda,** children
el **mercader,** merchant

el **mercado,** market, market-place
la **mercancia,** merchandise
merecer, to deserve
merendar, to eat lunch
meridional, southern
el **mérito,** merit, excellence, virtue
mermar, to reduce
el **mes,** month
la **mesa de venta,** counter
mesarse (los cabellos), to tear one's hair
la **mesilla, la mesita,** little table
meter, to insert; **meterse (en),** to enter, go in, get mixed up with; **meterse (con),** to pick a quarrel with; **meterse (por),** to put over, enter; **metérsele por los ojos,** to thrust himself before his eyes
metido, put in, pulled down
el **método,** method
mezclar, to mix, mingle; **mezclarse,** to meddle, take part
mezquino, modest
el **miedo,** fear
miedoso, fearful, timid
el **miembro,** limb
mientras, while; **mientras tanto,** meanwhile
la **mies,** ripe wheat, grain
la **miga,** crumb
mil: a miles, by the thousand
el **milagro,** miracle
milagroso, miraculous
el **milano,** kite (bird)
mimar, to flatter, make much of
el **mimo,** care, tenderness
mimoso, soft, delicate

minado, wasted away, undermined, spent, exhausted

minúsculo, miniature

la **mirada,** look, glance

mirar, to watch; **bien mirado,** after all is said and done

la **misa,** mass; **misa mayor,** high mass

miserable, miserable, wretched

el **miserable,** wretch

la **miseria,** poverty, misfortune, desolation; desolate growth

la **misericordia,** mercy

mísero, poor

mismo: a un mismo tiempo, at one and the same time; **lo mismo... como,** not only... but also; **por lo mismo que,** for the very reason that; despite the fact that

la **mitad,** "better half"

la **mitra,** mitre

la **mocedad,** youth

el **mocetón,** strapping young fellow, big lad

a **mocetona,** healthy, sturdy girl

el **modal,** manner

moderar, to moderate, check

modificar, to change, alter

el **modo,** manner, way; **a su modo,** in his way; **de todos modos,** anyway

mofletudo, chubby-cheeked

el **mohín,** grimace, gesture

mojar, to spatter, wet, drench; **mojarse,** to get wet

la **mole,** mass, bulk

moler, to grind, pound; **moler a palos,** to thrash

molestar, to trouble, be a nuisance

molesto, troublesome

el **molinete,** pass; **hacer molinetes con,** to whirl

el **molino,** mill

momentáneo, momentary, short-lived

el **momento,** moment; **de un momento a otro,** at any minute; **por momentos,** at times

la **momia,** mummy

la **monada,** small object of beauty, trinket

el **monaguillo,** altar-boy

la **moneda,** coin

monjil, nun-like

el **monosílabo,** monosyllable

Monote, monkey (a nickname)

la **monotonía,** monotony

monótono, monotonous

el **monstruo,** monster

la **monstruosidad,** monstrous thing

la **montaña,** mountain

montar, to mount, climb; to set up, build

el **monte,** pile

la **montera,** cloth cap; roof

el **montón,** heap, pile, large pile; amount

el **montoncillo,** little pile

el **monumento,** monument

el **moño,** topknot, hair

morado, purple

la **moral,** moral sense, moral tone

la **morcilla,** black pudding

mordaz, sarcastic, sharp-tongued

morder(se), to bite, sting

la **morenilla,** dark-haired little girl
moreno, dark-skinned
la **morera,** mulberry tree
moribundo, dying
morir(se), to die
moro, Moorish, Moor; **a lo moro,** in the Moorish fashion
el **morralón,** thug
el **morrión,** helmet
el **morro,** lip; snout
morrudo, thick-lipped
la **mortaja,** shroud
mortal, mortal, fatal
mortecino, dull, dying, dim
moruno, Moorish
la **mosca,** fly
el **mosquito,** mosquito
el **mosto,** grape juice
el **mostrador,** counter; bar
mostrar, to show, prove; **mostrarse,** to appear, show oneself
la **mota,** speck
el **mote,** nickname
moteado, speckled, dotted
el **motín,** riot, mutiny
el **motivo,** motive, cause; **con motivo de,** because of
mover, to move; to wave; to brandish; **moverse,** to move, walk back and forth; ¡**moverse!** get a move on!
movible, moving, mobile
movimiento: ponerse en movimiento, to begin a move; to stir oneself
la **moza,** girl; **buena moza, real moza,** well-built young woman
el **mozalbete,** lad
el **mozo,** chap, fellow, young blood; **buen mozo,** good-looking, strapping fellow; **mozo de molino,** mill-hand
la **muchedumbre,** multitude
mudar (de), to change (one thing for another)
mudo, mute, silent
el **mueble,** (piece of) furniture
la **mueca,** grimace
el **muertecito,** dead child, little corpse
muerto, dead
la **muesca,** notch
la **muestra,** expression, sign, show
mugir, to moo, bellow; to roar; to mutter
la **mugre,** filth, grime
mugriento, greasy, grimy
la **mujercilla, la mujercita,** little woman
la **mujerona,** large woman
la **mujerzuela,** prostitute
la **mula,** mule
la **multa,** fine
múltiple, multiple, complicated
multiplicar, to multiply
la **multitud,** multitude
mullido, padded, fluffy
las **municiones,** ammunition, munitions
el **muñón,** stump
la **muralla,** rampart
el **murmullo,** murmur
la **murmuración,** rumour, gossip
murmurar, to murmur, mutter
el **muro,** wall
musculoso, muscular, brawny
musgoso, mossy
el **músico,** musician
mustio, withered, wilted

mutilar, to mutilate
mutuo, mutual

nacer, to be born, appear
naciente, nascent
nadar, to swim
el naipe, playing card
la naranja, orange
el naranjo, orange tree
la naricita, little nose
la nariz, nose, nostril
nativo, innate, natural
natural, natural; open and above board
la naturaleza, nature
el náufrago, castaway
la náusea, nausea
nauseabundo, nauseating, foul-smelling
la navaja, razor, clasp-knife
el navajeo, shaving, scraping (with razor)
la navegación, voyage
la Navidad, Christmas
la neblina, mist, fine rain, drizzle
la necesidad, necessity
necesitar, to need
negar, to deny; negarse a, to refuse to
la negativa, refusal
el negocio, affair, business; pl. business
negro, black; dark, evil, wretched
negruzco, dark
nervioso, nervous; vigorous, active
nervudo, sinewy, muscular
ni que, not even if, even though
el nido, nest
la niebla, mist, fog
el nieto, grandson
la nieve, snow; whiteness

el nimbo, halo
la niñez, childhood
el níspero, medlar tree
nítido, tidy, neat, bright
el nivel, level
nivelar, to level, balance
de noche a noche, from sunrise to sunset
la nostalgia, longing, homesickness
notar, to note, notice
la noticia, information, news, knowledge
el novato, newcomer
la novedad, novelty
el noviazgo, engagement
el novio, sweetheart, fiancé
el nubarrón, threatening cloud
la nube, cloud
el nudo, knot
nudoso, knotty, bony
el número, number
nutridor, nourishing, lifegiving

obedecer, to obey
obeso, stout
el obispo, bishop
el objeto, purpose; object, thing
la oblea, seal
obligar, to oblige, force, compel
la obra, work, task
el obrero, worker
obscurecer, to grow dark
la obscuridad, darkness
obscuro, dark
obsequiar, to treat, entertain
el obsequio, treat
obsequioso, obsequious
no obstante, in spite of, nevertheless
la ocasión, opportunity

el **octogenario,** octogenarian
ocultar, to hide
oculto, hidden
ocupante, occupant
ocurrir, to happen, occur
ochavado, octagonal
el **ochavo,** farthing
la **odalisca,** concubine; hen
odiar, to hate
el **odio,** hatred, hate
odioso, hated, hateful
ofender, to offend, insult
la **ofensa,** insult, offence
el **oficio,** profession, occupa-
tion, trade; *pl.* offices,
service
oficioso, bossy, officious
ofrecer, to offer
el **ofrecimiento,** offer
el **ogro,** monster
el **oído,** ear, hearing; **hablar al
oído,** to whisper
¡**ojalá...!** if only...! would
that...!
el **ojazo,** large eye
la **ojeada,** glance
ojeroso, hollow-eyed
ojival, pointed, Gothic;
arched
el **ojo,** eye; ¡**mucho ojo!**
watch out! **mal de ojo,**
evil eye; *see also* **guiñarse**
la **ola, la oleada,** wave
el **oleaje,** swell; waves
oler (a), to smell (of); **oler a
gloria,** to smell wonderful
olfatear, to smell, scent
el **olfato,** sense of smell
el **olivo,** olive tree
el **olor,** odour
oloroso, fragrant
olvidar(se de), to forget
el **olvido,** forgetfulness, neglect
la **onda,** wave
ondeante, swaying, waving

ondular, to wave, undulate;
to wind
la **onza,** ounce, doubloon (old
Spanish gold coin)
operar, to work, perform,
accomplish
oponerse (a), to oppose
oportuno, timely
oprimir, to oppress, press,
weigh upon
la **oración,** prayer
el **oráculo,** oracle
la **órbita,** socket
la **orden,** order
ordenar, to order
ordeñar (las ubres), to
milk
la **oreja,** ear
la **orejera,** ear-flap
el **orgullo,** pride, self-satisfac-
tion
orgulloso, proud
el **origen,** origin
la **orilla,** edge, shore, bank; **a
orillas de,** at the edge of,
beside, along
la **orla,** border
orlar, to border, frame
el **oro,** gold
la **ortiga,** nettle
la **osamenta,** bones
osar, to dare, venture
oscuro, dark
el **otoño,** autumn
la **oveja,** sheep
el **ovillo,** ball

el **pabellón,** flag, pendant
padecer, to suffer
la **paga,** payment
pagar, to pay; to buy
el **pago,** payment
el **país,** country, land, region
el **paisaje,** landscape, countryside

el paisano, countryman, compatriot

la paja, straw

el pajar, rick, haystack

el pájaro, bird; **pájaro gordo,** important fellow, "big shot"

el pajarraco, large bird, scarecrow

la pala, bone (of corset)

la palabra, word

la palabrita: dos palabritas, a thing or two

el paladar, palate

la palanca, lever; lock (of gun)

palidecer, to pale, turn pale

la palidez, pallor, paleness

pálido, pale

la paliza, drubbing, beating

la palmada, clapping, slap; **dar palmadas,** to clap; **darse palmadas,** to slap each other on the back

palmear, to pat, slap

el palmo, hand's breadth, span

palmotear, to clap, applaud

el palo, stick, blow

la paloma, dove

palpitante, quivering, palpitating, heaving

palúdico, malarial

el pámpano, young vine branch, grapevine

el pan, bread; living, livelihood

la pana, corduroy

el pantalón, trousers; **pantalón a media pierna,** short trousers

la panza, paunch; base

panzudo, stout, fat, potbellied

el paño, towel, cloth; **paños menores,** underclothing

el pañuelo, handkerchief; kerchief

el papel, paper; **papel público,** daily paper; **papel sellado,** official paper; **papel de fumar,** cigarette paper

par, equal; **de par en par,** wide open

el par, couple, pair

para con, towards, with respect to

el paraíso, paradise

parar, to stop, fix; **parar su (la) atención,** to notice, pay attention to

parásito, parasitic

el pardillo, linnet

pardo, dark grey, brown

el pare = padre

parecer, to seem, appear, look like; **parecerse a,** to resemble, take after

parecido, similar, like

la pared, wall

la pareja, pair, couple

el paria, pariah, outcast; **cuadrúpedo paria,** donkey

el, la pariente, relative

parlanchín, gibbering, talkative, chattering

parlotear, to chat

el parloteo, twitter, twittering

parpadear, to wink, twinkle

el parpadeo, blinking, winking

el párpado, eyelid

la parra, grapevine

el parroquiano, customer, client

la parte, part; **por parte de,** on the part of; **por (hacia) la parte de,** in the direction of; **por todas partes,** everywhere, on all sides

participar, to share

particular, private

la partida, band; district; game

el **partido**, decision; **tomar el partido de**, to decide to

partir, to leave; to come out, move; to divide, cut; to pull

pasado, past; **pasados algunos minutos**, after a few minutes

el **pasado**, past

pasar, to pass, happen, spend, experience; **pasar por**, to put up with; **pasar de**, to pass beyond; **pásate por casa**, come to my house; **Vd. lo pase bien**, goodbye

pasear, to display; **pasearse**, to walk back and forth

el **paseo**, walk, airing, trip; **de paseo**, for a walk

la **pasión**, love, passion

la **pasividad**, passiveness, submission

pasmoso, astounding, wonderful

el **paso**, way, step, situation, passage; **mal paso**, rut; **a su paso**, as they went by; **a paso corto**, briskly; *see also* **abrir**, **cortar**

pastar, to pasture, graze upon

el **pasto**, pasture, fodder, food; **a todo pasto**, as his only food

el **pastor**, shepherd

la **pastora**, shepherdess, shepherd's wife

la **pata**, leg, foot

la **patada**, kick

el **pataleo**, kicks, kicking

patear, to kick, stamp on, trample

la **patena**, paten

paternal, paternal, parental

el **patrón**, employer

la **pavesa**, ember, coal

pavimentar, to pave

pavonearse, to strut, show off

el **pavor**, fear, terror

pavoroso, fearful, dreadful

el **payaso**, clown

la **paz**, peace

la **peca**, freckle

el **pecado**, sin

pecaminoso, sinful

la **pechera**, shirt-front

el **pecho**, chest, breast, bosom

el **pedazo**, piece, bit; **hacer pedazos**, to break to pieces

el **pedigüeño**, suppliant

pedir, to ask, ask for, request, beg

la **pedrada**, stone throw; **a pedradas**, with showers of stones

la **pedrea: hacer pedreas**, to throw stones

el **pedrusco**, rock

la **pegajosidad**, persistence

pegajoso, sticky; persistent, difficult to shake off

pegar, to stick, cling; to hit; **pegar una paliza**, to beat up

peinar(se), to comb (one's hair)

el **peine**, comb

pelado, bare; *see also* **grito**

la **peladura**, shaving; bald patch

el **peldaño**, step

la **pelea**, fight, scuffle

el **peligro**, danger

el **pelito**, fine hair

el **pelo**, hair, fur, down, hide, cover

la pelota, ball
la peluquería, barber's shop
el pellejo, skin, hide, coat
pellizcar, to pinch
el pellizco, pinch
la pena, trouble, suffering; punishment; **a duras penas,** reluctant
el penacho, tuft, cluster
pendenciero, quarrelsome
pender, to hang
pendiente, hanging, pending, sloping
la pendiente, slope; **en pendiente,** sloping
el péndulo, pendulum
penoso, painful, laboured, hard, unpleasant
el pensamiento, thought
pensar, to think, intend; **pensar en,** to think about, think of
pensativo, thoughtful
la penumbra, shadow, darkness
peor, worse, worst
el pequeñín, little one
el pequeñuelo, tiny tot
el percal, calico
percibir, to perceive, hear, feel
perder, to lose, ruin, waste, miss; **perderse,** to become lost, go to ruin; to fade away
la pérdida, loss
perdonar, to pardon, excuse
la peregrinación, wandering, journey
perenne, constant
perezoso, lazy
el perezoso, lazy-bones, drone
el perfil, profile
sin perjuicio de, reserving the right to

de perlas, beautiful, wonderful
permanecer, to remain
el permiso, permission
permitir, to allow; **permitirse,** to take the liberty of, indulge oneself
la pernera, leg (of trousers)
el perol, kettle, pot
perpetuo, constant; life
la perrería, mean, dirty trick
el perrillo, cur, little dog
el perro, dog; **perro de aguas,** poodle
el perrucho, (small) dog
perseguir, to pursue, chase, persecute; **perseguirse,** to chase each other
la persona, person, person of breeding
la perspectiva, view, vista, panorama
pertenecer, to belong
la pesadez, heaviness; pain
la pesadilla, nightmare
pesado, heavy, dull, tiresome
pesar, to weigh (down); **a pesar de (que),** in spite of (the fact that)
el pesar, sorrow, grief
el pescador, fisherman
el pescozón, slap (on the neck)
el pescuezo, neck
el pesebre, manger
lo pésimamente, how badly
el peso, weight, load, burden
la peste: hablar pestes de, to curse, insult, criticize
pestilente, foul
petrificado, petrified
el petróleo, oil
el pez, fish
piadoso, pious
piar, to chirp

picar, to pick at, cut up
pícaro, vile, low, lousy
el **picazón,** itch
el **pico,** beak
picotear, to peck
el **pie,** foot; **a pie,** on foot, walking; **de pie,** standing
la **piedra,** stone
la **piel,** skin, flesh; **perder la piel,** to work the skin off one's hands
la **pierna,** leg
la **pieza,** piece (of furniture); coin; piece, item
el **piído,** chirping
la **pila,** pile
el **pilar,** post, pillar
la **pilastra,** post, column
pillar, to capture, catch
la **pillería,** kids, gang of rascals
el **pillete,** rascal, scoundrel
el **pillo,** scoundrel, old rogue, good-for-nothing
el **pilluelo,** urchin, ragamuffin, little rogue
el **pimiento,** (green *or* red) pepper
pinchar, to prick, pierce, jab
el **pino,** pine
pintar, to paint
el **pintor,** painter
la **pintura,** painting
el **piojoso,** lousy fellow
el **piquillo,** small sum
la **piragua,** canoe
la **pirámide,** pyramid, heap, stack, pile
pisar, to tread upon, step on
el **piso,** floor
pisotear, to trample down
la **pistola,** pistol
el **placer,** pleasure
plácido, tranquil, calm
¡**plaf!** whack! bang!

la **plaga,** plague
planchar, to iron, press
la **planicie,** space, open ground
plano, even
el **plano,** side; **de plano,** straight down; **planos pendientes,** slope
la **planta,** plant; sole of foot
plantado, motionless
plantar cara a, to face up to; **plantarse,** to take a stand; to take up a fighting stance
la **plata,** silver; **de plata,** silvery; **plata menuda,** small change
el **plátano,** plane tree
el **plato,** plate, dish
la **playa,** beach
la **plaza,** square
la **plazoleta,** (small) square, patio
en **pleno** + *noun*, (right) in the middle of..., in full...
el **plomo,** lead
la **pluma,** feather; pen; **de plumas,** feathery
el **plumaje,** plumage
el **plumón,** down
poblar, to populate, people, fill, cover; **poblarse,** to be full of
pobre, poor, wretched
la **pocilga,** pigsty
poder: poder más, to be stronger; **no poder con,** not to be able to manage
poderoso, powerful
podrido, rotted
la **polea,** pulley, block
el **polvo,** dust, powder; **hacer polvo de,** to smash to smithereens, make mincemeat of
la **pólvora,** gunpowder

polvoriento, dusty
el pollo, chicken
el polluelo, tiny bird, chick
la pompa, pomp, ceremony
ponerse, to put on; to become; **ponerse en camino,** to set out; **ponerse de pie, en pie,** to stand up; **ponerse en razón,** to be reasonable
el poquito, little bit
por: por si, in case, as if
la porfía, contest
el pormenor, detail
la porra, cudgel
la porrada, blow (with a club)
la portada, portal, doorway, arch
portarse, to behave
el portento, marvel
portentoso, marvellous
la portera, doorkeeper
el porvenir, future
las posaderas, buttocks, bottom
posarse, to alight
el poseedor, possessor
poseído, possessed; **poseído de,** overcome by, filled with
la posta, shot, pellet
postrero, last
la postura, position, attitude
el potro, colt
el pozal, bucket
el pozo, well
el prado, meadow
el precepto, custom, rule
el precio, price, amount
precioso, precious
la precipitación, haste
preciso, precise
precoz, precocious; farsighted
la predilección, choice, preference

la pregunta, question; **hacer preguntas,** to question, make enquiries
preguntar, to question; **preguntarse,** to wonder
premiar, to reward
la prenda, jewel; garment
prender, to seize, take, arrest; **prender fuego a,** to set fire to
la preocupación, worry
preocupar, to worry, concern; **preocuparse (de),** to worry (about), care (for)
el preparativo, preparation
preparatorio, preparatory
la preponderancia, superiority
la presa, dam
presenciar, to witness, behold
la presentación, appearance
presentar, to offer; **presentarse,** to appear
el presentimiento, presentiment, foreboding, fear
presentir, to have a presentiment of, foresee; to sense
el presidio, prison
la presión, pressure
el préstamo, loan; **a préstamo,** on loan
prestar, to lend; to give; **prestarse a obedecer,** to give obedience
el prestigio, prestige
presumido, vain, conceited
presuntuoso, arrogant
el presupuesto, budget, accounts
pretender, to seek, attempt, try
el pretexto, pretext
el pretil, railing, parapet

previo, previous

la **previsión,** foresight

previsor, farsighted, thoughtful

la **primavera,** spring

primaveral, spring(like)

primerizo, first (of a season), early

la **primicia,** first fruit

primitivo, primitive, original

el **principio,** beginning

la **prisa,** hurry, haste, speed; **tener prisa,** to be in a hurry; **dar prisa a,** to hurry (up)

el **prisionero,** prisoner

privarse (de), to go without

la **proa,** prow, bow

probar, to try

proceder, to proceed, behave, act; to begin proceedings

el **procedimiento,** procedure

el **proceso,** trial

proclamar, to proclaim

procrear, to procreate, produce; to progress, improve, advance

procurar, to try; **procurar por,** to provide (for)

el **prodigio,** wonder

pródigo, generous

el **producto,** product; profit

la **profecía,** prophecy

el **profeta,** prophet

profundo, deep, deep-sunken

progresar, to progress, make progress

el **progreso,** improvement

prohibir, to forbid, prohibit

prolongar, to prolong

prometer, to promise, agree upon

la **prontitud,** promptness, speed

pronto, quickly, soon, promptly; **de pronto,** suddenly; **estar pronto a,** to be ready to; **tan pronto como...,** no sooner... than

pronunciar, to pronounce

propenso, inclined, likely

propicio, friendly, favourable

la **propiedad,** property, private property

el **propietario,** owner, landlord

propinar, to give

propio, proper, characteristic; own; himself

proponer, to propose; **proponerse,** to resolve

la **proposición,** proposition, proposal, plan

el **propósito,** purpose, intention, plan

prorrumpir, to mutter, break out

la **prosperidad,** prosperity

protestar, to protest

la **protuberancia,** bulge

la **provisión,** supply

provocar, to start, provoke

la **proximidad,** proximity, nearness, approach

próximo, soon, close; surrounding, neighbouring; **próximo a,** about to

proyectar, to cast

la **prueba,** proof

la **púa,** porcupine quill

el **puchero,** pot, cauldron, jar, crock; stew

el **pudor,** modesty

pudoroso, modest

pudrirse, to rot
el pueblecillo, el pueblecito, small town *or* village
el pueblo, town, village; people
el puente, bridge
el puentecillo, little bridge, culvert
el puerto, harbour, port
pues, since, for, inasmuch as; well
puesto, placed, set; dressed
la pugna, struggle
pugnar, to struggle
pujar, to outdo each other, outbid each other
pulcro, neat
la pulga: de malas pulgas, ill-tempered
pulir, to polish
¡pum! bang!
la punta, point, end, corner, tip
el puntapié, kick
el punteado, spotting
puntiagudo, sharp-pointed
el punto, dot, point, spot; **a punto,** ready; **en punto a,** with regard to
la punzada, pang, pain
punzante, sharp, pricking
el puñado, handful, fistful; **a puñados,** in abundance
el puñetazo, punch, blow
el puño, fist
la pupila, pupil (of eye)
la pureza, purity
puro, pure, clean; mere
purpúreo, purple, red
la pústula, festering sore, scab
putrefacto, foul-smelling

quebrantar, to injure, break, weaken
quebrar, to break; **quebrarse,** to break; to flash, shine

quedar(se), to remain, continue, become, be left, be
el quehacer, duty, job
la queja, complaint
quejarse, to complain, groan
el quejido, complaint
quemar, to burn
el querellado, defendant
el querellante, plaintiff
¡quiá! nonsense!
el quicio, hinge
quieto, quiet, still
la quijada, jaw
las quintas, military service
quitar, to take away, remove; **quitar la vista,** to dazzle; **quitarse de encima,** to get rid of, get off

la rabia, rage, fury
la rabieta, fury, fit of anger
rabillo: con el rabillo de un ojo, out of the corner of one's eye
rabioso, furious, angry; loud
el rabo, tail
el racimo, cluster
la ración, rations, food
la ráfaga, breeze, gust, puff
raído, threadbare, worn
la raíz, root
la rama, branch
el ramaje, foliage, branches
la ramera, prostitute
el ramillete, shower, spray; bouquet
la ramita, twig
el ramo, cluster, bunch
la rampa, ramp, slope
la rana, frog
la randa, fringe, lace trimming
rapar, to cut short, crop
la rapidez, rapidity, speed

la **rapiña,** robbery

raro, rare, unusual; **rara vez,** rarely

el **ras,** level, surface

rascar(se), to scratch

el **rascón,** scraping, rasping, scratch

rasgar(se), to tear, rend, break up

el **rasgueo,** strumming; flourish

el **rasguño,** scratch

raso, flat; free, open; **al raso,** in the open

la **raspadura,** scrape

rastra: llevar a rastras, to drag; **ir a rastras,** to crawl, drag oneself

el **rastrojo,** stubble

la **rata,** rat

el **rato,** while, time

el **ratón,** mouse

el **raudal,** torrent

rayado, streaked

rayar, to streak across, skim; to stripe

el **rayo,** ray

la **razón,** right; reason, reasoning, argument; word; *see also* **ponerse**

razonar, to reason

reacio, stubborn, unwilling

real, royal

el **real,** real (old Spanish coin worth ¼ of a peseta)

la **realidad,** reality

realizar, to make, realize, perform

reanimar, to reanimate, arouse; **reanimarse,** to become alive again

reanudar, to renew, resume

reaparecer, to reappear, return, come back

la **rebaja,** cut in price, reduction

rebajar, to offer a lower price, come down

rebañar, to scrape out

el **rebaño,** flock, herd, drove

rebasar, to go beyond, pass

rebato: sonar a rebato, to sound an alarm

la **rebeldía,** rebelliousness, stubbornness; revolution

la **rebelión,** rebellion, revolt

rebotar, to rebound, bounce

rebullir, to stir about, swarm

la **rebusca,** careful combing (of rubbish pile), search

rebuscar, to search, look (for)

el **rebuzno,** braying

la **recámara,** chamber; breech (of gun)

el **recelo,** fear, misgivings

receloso, suspicious

recetar, to prescribe

recibir, to receive, get, take

recién, recently, newly

recio, robust, rough, heavy, stiff

recobrar, to recover, regain

recoger, to gather, take in, collect

el **recogimiento,** concentration, devotion

la **recolección,** harvest

recomendar, to urge

reconcentrado, concentrated, intense, deep

reconocer, to recognize, confess, admit

la **recontramentira,** double lie

recordar, to recall, remember; to remind, call to (one's) attention

el **recordatorio,** reminder

recorrer, to go about, pass through

recortarse, to be sharply outlined, stand out

¡Recristo! Lord in Heaven!

rectamente, directly, straight

recto, straight, upright, direct, erect

el **recuerdo,** recollection, memory, souvenir

recular, to recoil, withdraw

la **red,** net, network

el **redil,** sheepfold

¡Rediós! God!

los **réditos,** interest; **acumulación de reditos,** compound interest

redoblar, to redouble

redonda: a la redonda, roundabout

redondear, to complete; **redondearse,** to fill out, round out

redondo, round

reflejar, to reflect

el **reflejo,** reflection

la **reforma,** reform

reformar, to rebuild, repair, improve

reforzado, reinforced, strengthened

refrescar, to cool off; to irrigate

el **refresco,** refreshment

refugiarse, to take refuge

la **regadera,** irrigation trench

regador, irrigating

regalar, to give

el **regalo,** present, gift

regar, to water, irrigate; to sprinkle

regatear, to bargain over, haggle over

regenerar, to rejuvenate, give new life to

regio, royal

registrar, to scan, examine

regocijado, joyful

regocijarse (con), to rejoice (at)

el **regocijo,** hilarity, rejoicing, merriment

regordete, chubby

regresar, to return

el **regreso,** return (journey); **de regreso,** on the way back

rehuir, to flee, avoid, shun

la **reina,** queen

reinar, ro reign

reír(se) de, to laugh at, make fun of

la **reja,** plough, ploughshare

rejuvenecerse, to be rejuvenated, to be young again

el **relámpago,** lightning flash

relampagueante, flashing, gleaming

relatar, to tell, relate

el **relato,** story

el **religioso,** monk

relinchar, to neigh, whinny

el **relincho,** whinny, neïghing

el **reloj,** clock

reluciente, shining, bright

relucir, to flash, gleam

relleno, stuffed

rematar, to terminate, top

el **remate,** end, top

remedar, to imitate

el **remedio,** remedy, cure

el **remiendo,** patch

remiso, slow, remiss, dilatory

el **remo,** oar

el **remolino,** swirling cloud, swirl, whirlwind

remolón, slothful, indolent

remontar, to climb again, remount

el **remordimiento**, remorse

remoto, remote, distant, ancient

remover, to break up, remove

renacer, to be reborn, rise again

rendido, worn out, overcome

la **rendija**, crack

rendirse, to surrender, give up

el **reniego**, curse, oath

el **renombre**, fame

renovar, to renew, repair; to replace; to replenish

el **rentista**, landlord

reñir, to fight, scold, quarrel, argue

el **reo**, culprit

de **reojo**, out of the corner of one's eye

reparar, to repair, fill in; **reparar en**, to note, notice

el **reparo**, hesitation; warning; **sin reparo**, in perfect confidence

repartir, to distribute, divide

el **reparto**, distribution

repasar, to pass again

repeler, to throw off

el **repelón**, tug, pull, jerk

de **repente**, suddenly

repentino, sudden

la **repetición**, repetition

repetir, to repeat

el **repique**, short, sharp blows

repiquetear, to tinkle

replegarse, to coil up, retreat, fold up again

repleto, filled, full

la **réplica**, reply

reposadamente, quietly, deliberately

reposado, composed, quiet

el **reposo**, repose, rest

reprender, to scold

la **reprimenda**, scolding, reprimand

el **reproche**, reproach

reproducir, to reproduce

repuesto, recovered

requerir, to require; to inspect; to reach for

la **res**, head of cattle, steer, animal

resaltar, to stand out, appear

resbaladizo, slippery

resbalar, to slip, flow

el **resbalar**, flow

el **resentimiento**, grudge

de **reserva**, spare

reservado, reserved, distant

reservarse, to keep the privilege of

resguardar, to hide, protect

el **resguardo**, receipt

resignarse, to resign oneself, submit

resistir, to resist, bear; **resistirse**, to refuse

resolver, to settle; **resolverse**, to take a stand

resonar, to ring out, resound

respetar, to respect

el **respeto**, respect

la **respiración**, breathing, breath, sigh

respirar, to breathe, sigh

resplandeciente, resplendent

el **resplandor**, glow, splendour, brilliance, light

la **responsabilidad**, responsability, liability

la **respuesta**, reply, answer

resquebrajarse, to crack open, split

el **resquicio,** crack, space; **por el resquicio inferior,** underneath the door

restablecer, to re-establish

restañar, to staunch (the flow of)

restar, to be left

el **resto,** remains, remainder

restregar, to rub

resuscitar, to revive

resuelto, ready (for)

el **resultado,** result, outcome

resultar, to be, turn out

en **resumen,** in short

resurgir, to flare up again

el **retintín,** expression, sarcastic tone, air

retirarse, to retire, leave, go away; to go home

el **reto,** challenge

retorcer, to twist, writhe

retornar, to return; **retornar contra,** to turn on

retrasar, to slacken, slow down; to delay, put off

el **retraso,** delay

retroceder, to retreat, move back, turn around

la **reunión,** meeting

reunirse, to meet, gather

revelar, to disclose, show

revender, to resell, retail, peddle

reventar, to burst; to die, "drop dead"; **reventar para siempre,** to go completely to pieces

el **revés,** slap; **al revés,** upside down, over, over and over

revolcar, to knock down; **revolcarse,** to roll, wallow

revolotear, to flutter, hover

el **revoloteo,** flutter, flapping

el **revoltijo,** jumble

revoltoso, turbulent

revolver, to turn over, ransack; **revolverse,** to turn, toss and turn

la **revuelta,** turn, bend; revolt

revuelto, tousled, stirred up, milling around, boisterous

el **rey,** king

la **reyerta,** squabble, fight, quarrel

el **riachuelo,** stream, little river

el **ribazo,** bank, slope

la **ribera,** bank, shore

el **ricacho,** wealthy man

el **riego,** irrigation water; irrigation

la **rienda,** rein

el **riesgo,** risk

rígido, rigid, stiff

rigurosamente, strictly

el **rincón,** corner

la **riña,** quarrel

el **riñón,** kidney; heart, centre

la **riqueza,** wealth

la **risa,** laugh, (burst of) laughter

la **risotada,** loud laughter; burst of laughter

la **ristra,** string

risueño, smiling

rítmico, rhythmical

la **rivalidad,** rivalry

rivalizar, to compete, vie

rizado, fleecy, crinkled, curled

rizoso, curly

robar, to steal, rob

robusto, robust, thick

el **roce,** contact, rubbing, rustling

la **rociada,** spray, shower, stream

el **rocín,** nag, poor horse

rodar, to roll, revolve, wander

rodear, to surround

rodeno, reddish

la **rodilla,** knee; **de rodillas,** on one's knees

roer, to gnaw

rogar, to beg, request

roído, worn away, crumbling

rojizo, reddish, ruddy

rojo, red, crimson

rollo, round loaf

romper, to break, smash, push through; **romper a llorar,** to burst out crying; **romper a tocar,** to begin to play

roncar, to snore

rondar, to prowl (around), wander around, roam

el **ronquido,** grunting, snore, snarl

el **ronzal,** halter

roñoso, scabby

la **ropa,** clothes, clothing; **ropas interiores,** underwear

de **rosa,** pink

rosado, pink

el **rosario,** rosary

el **rosetón,** rose window

el **rostro,** face, countenance

roto, broken; torn, ragged

la **rotura,** hole, tear

la **roturación,** ploughing

roturar, to plough, break up (new ground)

la **rozadura,** graze, abrasion

rozar, to touch, brush

rubio, blond, yellow, red

la **rubia,** fair woman, blonde

ruborizarse, to blush

la **rudeza,** crudeness; **con rudeza,** roughly

rudo, strong, rough, rude, severe

la **rueda,** wheel, ring

el **ruego,** supplication, request; entreaty

el **rugido,** roar, howl

rugiente, roaring, screaming, howling

rugir, to roar, howl

rugoso, corrugated

el **ruido,** sound, noise, clatter

ruidoso, noisy, rustling, loud

la **ruina,** ruin

ruinoso, tumbledown, worthless

el **ruiseñor,** nightingale

el **rumbo,** direction, aim; **sin rumbo,** aimlessly

rumiar, to graze; to chew; to meditate, mull over; to mumble, mutter

el **rumor,** sound, noise, murmur

rumoroso, rustling, murmuring, babbling

rústico, rustic, coarse, rough

el **rústico,** rustic, peasant

la **sábana,** sheet

la **sabandija,** small insect, vermin; viper

sabedor, aware of, knowing

saber, to know (how), learn, find out

el **saber,** knowledge, learning

la **sabiduría,** wisdom, knowledge, learning

sabio, wise

el **sablazo,** sabre cut

el **sable,** sabre

el **sabor,** taste, savour, flavour

sabroso, palatable, savoury, tasty

sacar, to draw out, derive, get; to show; to stick

el **sacerdote,** priest

saciar, to satiate; to vent

el saco, sack, bag

el sacristán, sacristan

la sala, hall, chamber

el salero, gracefulness, charm

la salida, coming out, departure, exit, end

saliente, going out

salir, to go, come out, leave, escape

salpicar, to spatter

saltar, to leap, jump, hop, spring, jump over

el salto, leap, bound, jump

la salú = salud, health

saludar, to salute, greet; to say good-bye

el saludo, greeting

la salutación, greeting, salutation

la salva, salvo

salvaje, savage, wild

salvar, to save; to pass (over)

la sandalia, sandal

la sandía, water-melon

la sangre, blood

sangriento, bloody

sano, sound, discreet, praiseworthy

el santiamén, jiffy, instant

santiguarse, to cross oneself

santísimo, most holy, blessed; hacerse la santísima, to go to blazes; *see also* voluntad

santo, holy, sacred, blessed; (*ironical*) perfect, unholy

el saquillo, el saquito, little sack, bag

el sarmiento, vine shoot, branch

la sartén, frying-pan

satisfacer, to satisfy, meet

satisfecho, satisfied, content, pleased

la savia, sap

la saya, (outer) skirt

la sazón, season, maturity

sazonado, ripe

secano, unirrigated (land)

secar, to dry; secarse, to dry up

la sección, section

seco, dry, arid, withered, thin; en seco, sharply, short; a porrada seca, with a few short blows

secular, centuries-old

la sed, thirst, drought

la seda, silk

sediente, sediento, thirsty

sedoso, silky, silken

seductor, seductive

segar, to cut, reap, harvest

en seguida, right away

seguido, successive, consecutive

seguir, to follow, continue, keep on

según, according to

seguramente, surely

la seguridad, safety; *pl.* security

la selva, forest, wood, thicket

sellar, to seal, stamp

sembrar, to sow

semejante, like, similar, such as

el semejante, fellow-being

el semestre, half-year; half-year's rent

sencillo, simple

la senda, path, foot-path

el sendero, path

senil, senile

el seno, bosom

sentar, to seat; sentarse, to sit down

la sentencia, verdict, sentence

sentenciar, to sentence, pass judgment upon, declare

el sentimiento, feeling, regret

sentir, to feel; to be sorry, regret; **sentirse,** to feel

la seña, sign, signal; **hacer señas,** to beckon

la señal, mark, sign

señalar, to signal, point to, point out, indicate

el señó = **señor**

el señor, lord, sir, gentleman, mister

el señorío, nobility

la señoritinga, silly girl

la señorona, large woman

la sepultura, tomb, sepulchre

la sequía, drought

ser, to be; **ser de,** to belong to; **por ser,** since it is (was)

el ser, being

serenarse, to quieten down

la seriedad, seriousness, severity

serio, serious

sermonear, to admonish, lecture

el serón, pannier, hamper (used for carrying load on pack-animal's back)

serpentear, to meander

el servidor, servant

servir, to wait on, be of value to, serve (as)

la siega, reaping, harvest

la siembra, sowing, planting

siempre que, whenever, as often as

la sien, temple

el siervo, slave

el siglo, century

el significado, significance, meaning

siguiente, following, next

silbar, to whistle, hiss

la silla, chair

la silleta, small chair

el sillón, armchair

la simiente, seed

la simpatía, sympathy, liking

simpático, congenial, nice

el síndico, syndic, judge

la sinuosidad, sinuosity

siquiera, even; **ni siquiera,** not even

el sitio, place, room

el sobaco, armpit

el soberano, sovereign

la soberbia, arrogance, pride

la sobra, surplus; *pl.* remains

sobrar, to be left, exceed, be more than enough

sobrehumano, superhuman

sobreponerse, to overcome

la sobrina, niece

sobrio, sober, steady

socarrón, cunning, sly, crafty

el socorro, help

el sofá, sofa

la sofocación, suffocation

el sol, sun, sunlight, sunshine

el soldado, soldier

la solemnidad, occasion

solícito, solicitous, anxious to help

sólido, steady

solo, alone, single; **a solas,** alone, to oneself

sólo, only, merely; **tan sólo,** merely

soltar, to loosen, let go of; to utter

soltero, unmarried

el solterón, old bachelor

el sollozo, sob

la sombra, shadow, shade, trace

el sombrajo, shelter (of branches, etc.) affording shade

sombrear, to shade
la **sombrilla,** sunshade
sombrío, sombre, gloomy
someterse, to submit, acquiesce
el **son,** sound
el **sonambulismo,** stupor, sleep-walking
sonar, to sound, ring
el **sonido,** sound
sonoro, resounding, loud
sonreír, to smile
la **sonrisa,** smile
sonrosado, rosy, pink
el **sonsonete,** sing-song
soñar (con), to dream (of, about)
soñoliento, sleepy
soplar, to blow
soportar, to endure
sorber, to swallow
el **sorbo,** sip
sordamente, heavily, silently
sórdido, sordid, shabby
la **sordina: a la sordina,** under one's breath; **en sordina,** secretly
sordo, deaf, dull, silent, muffled
sorprender, to surprise; to spy on, see
la **sorpresa,** surprise
la **sospecha,** suspicion
sospechar, to suspect, wonder
el **sostenedor,** supporter; participant
sostener, to sustain, maintain, bear, support; **sostenerse,** to remain standing, hold up
el **sostenimiento,** support
suave, soft, delicate, mellow
la **suavidad,** softness; **con suavidad,** smoothly

el **súbdito,** subject
subir, to rise, mount; (*trans.*) to bring up, raise
súbito, sudden; **de súbito,** suddenly
subsanar, to make up for
subsistir, to last, continue
subyugar, to overcome
suceder, to happen; to follow
el **suceso,** event
sucio, dirty, filthy, nasty
sudar, to sweat, perspire; to yield
el **sudario,** shroud
el **sudor,** sweat
sudoso, sweaty
el **sueldo,** sou (small coin)
el **suelo,** soil, ground, floor
suelto, loosened, loose; swift
el **sueño,** sleep, dream, vision; desire
el **suero,** whey
la **suerte,** luck, fortune; sort, kind
sufrido, resigned, long-suffering
el **sufrimiento,** suffering
sufrir, to suffer, undergo, allow, endure
sujetar, to hold, subdue
el **sujeto,** person, individual
la **suma,** sum
sumir, to sink
sumiso, submissive, resigned
sumo, high
la **superficie,** surface
suponer, to suppose, surmise; to attribute
la **suposición,** supposition, assumption
surcado, furrowed, cut up
el **surco,** furrow, rut
surgir, to appear, issue, surge, sprout

suspirar, to sigh
el suspiro, sigh
la sustitución, substitution, place
sustituir, to replace
el susto, fright, scare
el susurro, whispering, murmur(ing), buzzing, rustle
sutil, thin, delicate, keen

la taberna, tavern, inn
el tabernero, inn-keeper
la tabla, table, board
el taburetazo, blow with stool
el taburete, stool
el tacaño, miser
tácito, tacit, silent
el taco, oath
el tacto, contact
la tagarnina, cheap cigar
el talón, heel
el taller, factory, workshop, mill
el tallo, stalk
el tamaño, size
tambalearse, to stagger, sway
el tambor, drum
tamizar, to filter, sift
la tanda, turn
tantear, to try, measure, feel (one's way)
en tanto, meanwhile
el tanto, counter, chip
tapar, to cover, plug, patch up
la tapia, wall
la tardanza, delay, lateness, slowness, lingering
tardar, to be slow, delay, be long, be late
tarde, late
la tarde, afternoon, evening; de tarde en tarde, from time to time, at rare intervals
tardío, late, slow, belated

la tarea, task, work
la taza, cup
el tazón, large basin
el techo, ceiling
la techumbre, roof
el tejado, tiled roof, tile
el tejedor, water skipper
tejer, to weave
el tejido, texture, fabric
la tela, cloth
el telón, curtain
el tema, theme
temblar, to tremble, shake; to twinkle
temblón, trembling
el temblor, rippling
tembloroso, shivering, shaking, trembling
temer, to fear, be afraid
temeroso, fearful, fearing, timid
temible, terrible, dreadful
el temor, fear, dread
el temple, temper
el templo, temple; (fig.) stronghold
la temporada, (period of) time
tenaz, tenacious, obstinate, stubborn
tender, to stretch out, spread (out), set up, place; tenderse, to lie down; to extend
el tendón, tendon
tener, to have, keep, hold; tener que, to have to
la tentación, temptation
tentar, to tempt; to feel
tenue, tenuous, light, faint
teñir, to tint, tinge, dye
el terciopelo, velvet
terco, stubborn
el terne, bully
el ternerillo, young calf
la ternura, tenderness

el **terreno**, field, ground
el **terrón**, field; clod
el **terror**, dread
terroso, earthy, muddy
el **terruño**, field, piece of land
terso, smooth; terse
la **tertulia**, gathering, party
el **tesoro**, treasure
la **testa**, head
testarudo, stubborn, obstinate
el **testigo**, witness
tétrico, gloomy, dark
la **tía**, aunt; old woman
tibio, tepid, lukewarm
el **tiempo**, time; weather; **otros tiempos**, former years
la **tienda**, tent
el **tiento**, touch; **dar tientos a**, to sip; **a tientas**, groping, by feel; **marchar, andar a tientas**, to grope
tierno, tender, soft; young
la **tierra**, earth, soil, land; *pl.* fields, land
las **tijeras**, scissors
la **timidez**, timidity
el **tímpano**, tympanum
la **tinaja**, large water-jar
la **tinta**, ink
el **tinte**, tint, shade
el **tío**, uncle; old man, "fellow"
la **tira**, strip, band, tape
el **tirabuzón**, curl, ringlet
el **tirador**, shooter, marksman
el **tirano**, tyrant
tirante, pulling, tugging
el **tirante**, (cloth) strap
tirar, to drag, pull, draw, fire; **tirar de**, to pull, tug at, lead; pull out
tiritar, to shiver
el **tiro**, shot
el **tirón**, jerk, tug, pull

el **tiroteo**, crossfire
tísico, consumptive; thin
el **título**, title; **título de maestro**, teacher's certificate
tocar, to touch, play
toisón, fleece
el **toldo**, awning, canopy
Tolosa, Toulouse
la **toma**, taking; **toma de posesión**, sign of ownership
tomar, to take, get, take on, receive, hire; to eat, drink
la **tonadilla**, tune, air
el **tonel**, cask
el **tonillo**, colour, hue
el **tono**, tone; appearance
tonsurar, to tonsure, shear, trim
la **tontería**, foolishness, stupidity
tonto, foolish
el **topacio**, topaz
el **toque**, ringing, call
torcer, to twist
tornar, to give back; **tornarse**, to become
el **torno**, winch, wheel, spindle; **en torno (de)**, around, about
el **toro**, bull
torpe, slow, clumsy, stupid, bad
la **torre**, tower, belfry; **torre de naipes**, house of cards
la **torta**, cake
la **tos**, cough
tostar, to toast, roast, tan
trabajado, worked, well-tilled
trabajador, hard-working, laborious
el **trabajador**, labourer, worker
trabajar, to work, till, do, make, carve, contribute

el trabajo, work, labour; difficulty

trabajoso, laboured, difficult

el trabuco, blunderbuss

el trabucazo, shot from blunderbuss

traer, to bring, carry, contribute; to keep

tragar, to swallow; **tragarse,** to gulp down, devour, engulf

el trago, draught, drink; misfortune

traicionero, treacherous

traidor, treacherous

el traje, costume, clothes, suit

la tralla, lash, whip

el tramposo, cheat, sneak, swindler

el trance, difficulty, danger, crisis, fix

tranquilizador, reassuring

tranquilizar, to calm, pacify

tranquilo, tranquil, calm; in peace

transcurrir, to elapse, pass

transido, numb, exhausted

transigente, reasonable, compromising

transitar, to pass

el tránsito, passage, passing

transmitir, to convey

la transparencia, tint

transponer, to pass through

el tranvía, tramway

el trapo, rag, cloth

tras, behind, after, beyond, through

trasero, rear

el trasero, bottom

trasladar, to move, carry; **trasladarse,** to move, go

trasponer, to pass through *or* beyond

trasquilar, to shear, crop

el trasquilón, clipped spot

trastornar, to disturb, upset

el tratamiento, title

tratar, to treat, deal with; **tratarse de,** to be a question of

a(1) través de, through, across; **de través,** sideways

el trato, trade, deal

el travesaño, rung

traviesa: a campo traviesa, across the fields

travieso, mischievous, playful

el travieso, transverse

el trecho, space, distance; **a trechos,** at intervals, here and there

trémulo, tremulous, trembling, shaky

la trenza, plait, braid

trepar, to climb, creep up

el tricornio, three-cornered (hat)

el trigo, (stalk of) wheat

el trino, trill, song

la tripa, belly, gut; *pl.* intestines

la tristeza, sadness, sorrow, trouble, disappointment

el tromba, cyclone

el trombón, trombone

la trompeta, trumpet

el trompetazo, trumpet-blast, fanfare

el tronco, trunk, tree-trunk, log

tronchar, to break (down)

la tropa, crowd, troop

el tropel, troop, crowd, gang, throng; **en tropel,** noisily

tropezar (en), to stumble (over); **tropezar con,** to meet, come across

el tropezón, stumbling, tripping; **dar tropezones,** to stumble
trotar, to trot
el trote, trot
el trozo, piece, bit
el truco, card game
el trueno, thunder, clap of thunder
el truque, card game
la tubería, pipe, piping, array of pipes
el tumbo, tumble, fall; **dar tumbos,** to lurch
el tunante, rascal, rogue
el tupé, tuft of hair
la turba, crowd, mob
la turbación, confusion, agitation
turbar, to disturb, confuse, upset; **turbarse,** to be broken
turbio, grimy, muddy, troubled, dim(med); **en turbio,** in a haze
el turno, turn; **por turno,** in turn

la ubre, udder
ulterior, final
último, last; **lo último,** the end, the farthest corner
uncido, hitched, tied (to it)
la unción, unction; awe, emotion
único, only, sole
unir, to unite; **unirse,** to join
untar, to smear
la uña, claw; finger-nail
la urbanidad, urbanity, refinement
la urdimbre, fabric, tissue
usar, to use
el uso, usage, use
usté = usted

el usurero, usurer, money-lender
utilizar, to make use of

la vaca, cow; **vaca de leche,** milk cow
la vacilación, hesitation
vacilar, to hesitate, doubt; to stagger
vacío, empty
el vacío, solitude, void, emptiness
vagabundo, vagabond, vagrant
el vagabundo, loafer
vagar, to wander, roam
vago, uncertain
la vaguedad, vagueness
el vaho, vapour, fume
el vaivén, swing, swaying
el valencianismo, Valencian populace
el valentón, tough, bully
valer, to yield, produce; to be worth; **valer la pena,** to be worth the trouble; **valerse de,** to make use of; **¡válgame Dios!** Heaven help us!
valeroso, bold, courageous, fearless
valiente, spirited
el valiente, bully
el valor, value; courage; meaning
el vals, waltz
¡vamos! come! indeed! well!; **vamos a ver,** let's see
vanidoso, vain
vano, vain
el vapor, fumes
la vara, stick, staff, goad
varal, side-pole (of wagon)
la varita, (little) stick, wand

el **varón,** man

el **vasar,** shelf, cupboard

el **vaso,** drink, glass; basin (of fountain)

¡vaya!: ¡vaya un...! what a...!; **¡vaya unos...!** what ...!

la **vecindad,** neighbourhood, vicinity

el **vecindario,** neighbourhood

vecino, neighbouring

el **vecino,** neighbour

la **vega,** plain, meadow

vehemente, strong

el **vejete,** little old man

en **vela,** sleepless, wakeful

la **velada,** evening

la **velocidad,** speed

veloz, quick, rapid

el **vello,** down

el **vellón,** woolly cloud, wisp; *pl.* fleece, wool

velloso, hairy

la **vena,** vein

vencedor, victorious

el **vencedor,** conqueror, victor

vencer, to conquer

la **venda,** bandage

el **vendaje,** bandage

vendar, to bandage

el **vendaval,** gale

el **vendedor,** seller

venenoso, poisonous

la **venganza,** vengeance

vengar, to avenge, settle; **vengarse (de),** to take revenge (on)

vengativo, vindictive, revengeful

venir: venido a menos, in reduced circumstances; **venirse abajo,** to fall down

la **venta,** sale

la **ventaja,** advantage

la **ventana,** window

el **ventanillo,** little shutter

el **ventanuco,** little window

la **ventolera,** gust

ventrudo, pot-bellied, bulging, fat

ver, to see; **verse,** to find oneself, be; **¡a ver!** let's see! we'll see!

el **verano,** summer

de **veras,** really

la **verdad,** truth; **¿verdad?** isn't that so?

verdadero, true, real

verde, green

el **verdor,** lividness

verdoso, green(ish)

el **verdugo,** executioner; *pl.* ruin

la **verdura,** green vegetable; verdure

la **vergüenza,** shame, disgrace

la **verja,** railing, grating

vertiginoso, dizzy

el **vértigo,** dizziness, giddiness, madness

el **vestido,** dress

la **vestidura,** vestment, apparel

vestir, to dress, wear; **vestido de nuevo,** dressed in new clothes

la **veta,** trickle

vetearse de sangre, to become bloodshot

vetusto, ancient, very old

la **vez,** time; **alguna vez,** sometimes; **cada vez más,** more and more; **cada vez peor,** worse and worse; **de vez en cuando,** from time to time, every now and then; **en vez de,** instead of

el **viaje,** trip, journey

el **viajecito,** short trip

la **viborilla**, little viper
la **vibración**, vibration
    vibrar, to vibrate, ring, tinkle, jingle; **vibrar de**, to be vibrant with
el **vicario**, vicar
el **vicio**, vice, (bad) habit; custom
la **víctima**, victim
el **vidrio**, glass
    vidrioso, glassy
el **vientecillo**, light wind
el **vientre**, stomach, belly; **a vientre**, face downwards
la **viga**, rafter, beam
la **vigilancia**, watchfulness
    vigilar, to keep an eye on, stand guard, guard
la **vigilia**, vigil
en **vilo**, aloft, high in the air
la **viola**, viola
    violáceo, violet
    virgen, free from
la **virgen**, virgin
la **virginidad**, virginity, young womanhood
la **visera**, peak
la **visita**, visitor; visit
    visitar, to visit
la **víspera**, eve, day before
la **vista**, view, sight; sense of sight, eyes; **vista del proceso**, day of the trial
    vistoso, showy; bright
    ¡**vítor**! hooray! hurrah!
la **viuda**, widow
    vivaracho, lively
la **vivienda**, dwelling, house, home; household
    vivificante, life-giving
la **vocecita**, thin voice
    vociferante, shouting
    volar, to fly (away)
    volcar, to overturn
    voltear, to toll

la **voluntad**, will; **hacer su santísima voluntad**, to suit his own blessed will
la **voluptuosidad**, voluptuousness
    volver, to turn, return; **volver a**, to... again
    vomitar, to vomit, spew forth, send forth
la **voracidad**, voracity
    voraz, voracious, greedy
    votar, to vote
el **voto**, vow, votive offering; oath, curse
la **voz**, voice; shout; **llevar la voz por**, to speak for
el **vozarrón**, (loud) deep voice
el **vuelco**, leap
el **vuelo**, flight; **al vuelo**, by chance
la **vuelta**, turn, return; change; **dar una vuelta**, to turn over; **dar vuelta**, to go round; **dar vueltas**, to walk to and fro; **estar de vuelta**, to be back

    ya, already, now, presently; really; **ya no, no... ya**, no longer; **ya que**, since
    yermo, abandoned, waste, deserted
    yerto, stiff
el **yesón**, chunk of plaster

la **zaga**, rear; **a la zaga**, behind, in the rear; **andar a la zaga**, to linger behind
el **zagal**, boy, lad
el **zagalón**, overgrown boy
la **zalamería**, flattery
la **zamarra**, sheepskin jacket
la **zambra**, gipsy dance; disorder, hubbub
    zamparse, to gulp down

la **zanca,** leg (usually of animals)

el **zapato,** shoe

la **zarpa,** paw, claw

¡**zas!** slash!

el **zinc,** zinc

el **zócalo,** wainscoting

la **zozobra,** anxiety, anguish; **con zozobra,** anxiously

zumbar, to buzz

el **zumbido,** buzzing

la **zurra,** spanking

zurrar, to spank